LES SECRETS SUR LES HOMMES QUE TOUTE FEMME DEVRAIT SAVOIR

Version de

*Secrets about men
every woman should know*

par Barbara De Angelis, ph. D.

Ce livre appartient à

_____

Ce livre a été, à l'origine, publié aux États-Unis sous le titre *Secrets about men every woman should know* par Dell Publishing, a division of Bantam Doubleday Dell Publishing Group Inc., mars 1991.

C.P. 325, Succursale Rosemont
Montréal, Canada H1X 3B8
Téléphone: (514) 522-2244
Télécopieur: (514) 522-6303

EMail: pnadeau@edimag.qc.com
Internet: http://www.edimag.com

Éditeur: Pierre Nadeau
Mise en pages et couverture: Jean-François Gosselin

Dépôt légal: premier trimestre 1993
Bibliothèque nationale du Québec
Bibliothèque nationale du Canada

Édition originale: février 1993
Première réimpression: septembre 1996

Table des matières

DISTRIBUTEURS EXCLUSIFS

Pour le Canada et les États-Unis
Les Messageries *adp*
955, rue Amherst
Montréal (Québec) H2L 3K4
Téléphone: (514) 523-1182
Télécopieur: (514) 939-0406

Pour la Suisse
Transat S.A.
Route des Jeunes, 4 Ter
C.P. 1210
1 211 Genève 26
Téléphone: (41-22) 342-77-40
Télécopieur: (41-22) 343-46-46

Pour la France et la Belgique:
Diffusion Dilisco
122 rue Marcel Hartmann
94200 Ivry sur Seine
Téléphone: 49-59-50-50
Télécopieur: 46-71-05-06

Un manuel d'instructions pour utiliser correctement votre homme...

Vous est-il déjà arrivé de souhaiter pouvoir consulter le mode d'emploi pour utiliser correctement votre homme? Quand vous vous procurez un grille-pain, ou un répondeur téléphonique par exemple, on vous remet un manuel d'instructions qui vous explique l'appareil et ses possibilités, et qui vous indique aussi comment vous en servir de façon sécuritaire et comment l'entretenir correctement. Ne serait-ce pas aussi important pour les hommes? Nous, les femmes, utilisons (si l'on peut dire) nos hommes bien davantage que nos appareils domestiques. Et pourtant nous devons apprendre par nous-mêmes comment ils sont, comment ils fonctionnent et comment nous devons les traiter.

Chaque jour de notre vie, vous et moi traitons avec des hommes, mari ou partenaire, père, frères, fils, amis, employés ou patrons. Nous essayons de les comprendre, d'en prendre soin, de bien communiquer avec eux, de les aimer et de faire en sorte qu'ils nous aiment en retour. Quand ça fonctionne bien nous trouvons les hommes formidables et essentiels à notre vie, mais quand ça accroche les hommes nous paraissent impossibles et nous voudrions n'avoir rien à voir avec eux. Comme moi vous avez dû, à un moment ou l'autre de votre vie, être frustrée au point de penser que votre homme mériterait d'être retourné à l'usine, qu'il a sûrement une pièce de défectueuse qui l'empêche de fonctionner, ou qu'il est devenu désuet au point de ne plus pouvoir marcher.

En tant que femme vous pouvez choisir entre trois façons d'agir avec les hommes de votre vie :

- PREMIER CHOIX

vous pouvez vous fâcher contre les hommes qui vous énervent et passer votre temps à vous plaindre, ce qui peut être amusant au début mais bien moins intéressant à la longue;

- DEUXIÈME CHOIX

vous pouvez ignorer les hommes complètement et vous acheter un gentil petit toutou, ce qui coûte bien moins cher, mais est loin d'être satisfaisant;

- TROISIÈME CHOIX

vous pouvez tout apprendre sur les hommes pour mieux les comprendre et vous entendre avec eux, ce qui comporte au moins la possibilité de concrétiser les merveilleuses relations que vous souhaitez.

J'ai passé les quinze dernières années à tenter d'aider des dizaines de milliers d'hommes et de femmes à découvrir ce qui assure la réussite de leurs relations personnelles, et ce qui les fait échouer. J'ai mis très longtemps à comprendre les hommes. Et à travers ce cheminement pénible, douloureux parfois, j'ai fait beaucoup d'erreurs dans mes propres relations avec les hommes.

Je peux dire avec fierté que, non seulement j'ai survécu, mais que j'ai tiré de cette lutte une nouvelle compréhension des hommes laquelle a changé ma vie, et je veux vous faire partager mes découvertes. J'espère que *Secrets sur les hommes que toute femme devrait savoir* deviendra le manuel d'instructions que vous souhaitiez, et qu'il vous aidera à réaliser la relation amoureuse que vous avez toujours rêvé de connaître avec un homme.

LES SECRETS SUR LA FAÇON DONT LES FEMMES SE SENTENT PAR RAPPORT AUX HOMMES

1 ◁▷ Les hommes... ◁▷ la frontière ◁▷ ultime

Imaginez un instant que vous ayez été invitée à faire partie d'une expédition sur une autre planète. Tout ce qu'on sait de cette planète c'est qu'elle est habitée par des êtres qui nous ressemblent physiquement. Après un long voyage dans l'espace vous arrivez dans ce monde insolite. En descendant de votre vaisseau spatial vous êtes accueillie par des êtres charmants qui ressemblent en effet beaucoup aux humains, et qui, surprise agréable, comprennent et parlent votre langue.

Dès les premières heures vous commencez à converser, à échanger avec ces êtres plaisants. De prime abord vous vous entendez bien, mais avec le temps des tensions commencent à se faire sentir. Quoique ces étrangers semblent bien reconnaître les mots que vous leur dites, ils les interprètent d'une façon qui rend la communication compliquée et difficile. Vous dites une chose et ils comprennent autre chose. Vous exprimez votre curiosité, par exemple, et ils la reçoivent comme une critique.

En observant la conduite de ces êtres entre eux, vous constatez de plus en plus qu'ils sont bien différents de vous et de tous les êtres humains. Alors que votre espèce apprécie la sensibilité et la coopération, ces êtres semblent toujours en compétition entre eux. Vous êtes habituée de partager vos sentiments, ils font tout pour cacher les leurs. Plus vous côtoyez ces créatures, plus votre frustration augmente.

Finalement, vous et votre groupe d'exploration décidez de quitter cet endroit étrange et inquiétant. Vous êtes convaincue que ces êtres seront contents de vous voir partir puisqu'ils ont démontré si peu d'enthousiasme à votre endroit durant votre séjour. Cependant, à votre grande surprise ils deviennent tristes à l'annonce de votre départ. Ils vous assurent qu'ils ont bien aimé votre présence et vous prient de ne pas les quitter. Malgré leurs supplications vous montez à bord de votre vaisseau avec des sentiments confus. Calée dans votre fauteuil alors que de puissants jets de feu soulèvent votre fusée vers l'espace intersidéral vous vous faites intérieurement certaines réflexions comme : «Ces êtres sont les plus bizarres que j'aie jamais rencontrés. Ils disent une chose et veulent en dire une autre. Ils se montrent indifférents malgré des sentiments contraires. Ils ne semblent guère apprécier notre présence mais sont peinés de notre départ. C'était peut-être intéressant de les connaître mais je ne voudrais pas passer ma vie avec eux.»

Début d'aventure dans le monde des hommes

Voilà! Si vous ne l'aviez pas encore deviné, ces êtres étranges dont nous parlions vivent parmi nous. Ce sont eux qu'on appelle des «hommes». Quand on constate les différences biologiques, psychologiques et sociologiques entre nous, ces hommes pourraient aussi bien être des habitants d'une autre planète. Considérez un instant vos chances de vous entendre avec quelqu'un qui est issu d'un milieu qui vous est inconnu, dont les valeurs sont complètement différentes des vôtres, et qui a appris à penser, à agir et à communiquer autrement que vous. Quasi impossible, n'est-ce pas? Pourtant chaque jour de notre vie nous défions cette impossibilité en tentant d'avoir des relations normales avec les hommes. En vérité, c'est un miracle que nous arrivions à nous entendre un tant soit peu.

Comme je l'explique dans ce chapitre les différences entre hommes et femmes existent depuis toujours. Depuis des milliers d'années nous, les femmes, avons accepté ces différences. Nous nous y sommes adaptées et avons assumé certains rôles qui nous étaient dévolus. Mais quelque part au début du xxᵉ siècle il s'est produit une révolution. Cette révolution a changé la manière dont les femmes se voyaient, de même que leur façon d'insister pour que les hommes les voient aussi d'une certaine façon.

Pour la première fois les femmes exigeaient l'égalité dans tous les secteurs de la vie, et par conséquent se distançaient des rôles stéréotypés traditionnels qu'elles-mêmes, leurs mères, leurs grands-mères et leurs arrière-grands-mères avaient complaisamment accepté. L'accession subséquente des femmes au contrôle des naissances et au marché du travail ajouta les facettes reproductive et économique à leur indépendance vis-à-vis des hommes. Ainsi apparut une nouvelle forme de relation homme-femme. Les mâles avaient toujours dominé, et la soumission féminine était acquise jusque-là. Maintenant, les femmes disaient : «Non, je ne veux plus agir de cette façon.» En réalité, nous ne savions pas encore comment agir en tant que «nouvelle femme». Nous étions confuses et notre confusion rendait perplexes les hommes de notre vie. C'était comme si nous étions en train de jouer au même jeu alors que les anciennes règles avaient été abolies, mais sans que de nouvelles règles aient été instaurées. Nous voulions être entièrement libérées un instant, et encore prises en charge l'instant d'après. Nous allions au travail et prenions soin de nous-mêmes tout en comptant sur les hommes pour nous ouvrir les portes du bureau. Nous avons supplié les hommes d'avouer candidement leur vulnérabilité, mais nous ne trouvions plus du tout attrayante leur apparente faiblesse. Et si notre propre dichotomie nous ennuyait, elle rendait les hommes absolument fous.

Maintenant, en tant que femmes des années 90, nous commençons à maîtriser les plans professionnel et financier de notre propre vie. Cependant, du côté de nos relations avec les hommes, nous sommes plus frustrées que jamais, nous avons parfois l'impression de n'avoir fait aucun progrès. Une femme d'affaires prospère m'a récemment déclaré : «Je suis capable de réaliser des centaines de milliers de dollars de profits pour mon entreprise et de négocier l'achat de mon condominium, mais je suis encore incapable d'établir une bonne relation personnelle avec un homme!» Pour cette femme, comme pour beaucoup d'entre nous, les hommes représentent la «frontière ultime», le territoire à conquérir qui demeure un mystère irrésolu dans notre vie.

———————— ✧✧✧ ————————
**Ce livre ne condamne pas les hommes.
Il ne veut ni les blâmer ni les
culpabiliser de leur conduite.**
———————— ✧✧✧ ————————

CE LIVRE EST PLUTÔT UN RECUEIL DE CONNAISSANCES QUE J'AI DÉJÀ PARTAGÉES AVEC DES MILLIERS DE FEMMES, DES INFORMATIONS QUI LES ONT AIDÉES À COMPRENDRE POURQUOI LES HOMMES SONT COMME ILS SONT, ET QUI LEUR ONT AUSSI APPRIS À TRAITER AVEC CES DERNIERS.

Pourquoi les hommes sont comme ils sont

Vous êtes-vous déjà demandé pourquoi les hommes qui s'égarent préfèrent conduire pendant des heures sans savoir où ils vont plutôt que de demander des renseignements?

Avez-vous déjà soupçonné que les hommes qui veulent vous contrôler ont secrètement peur du pouvoir que vous pouvez exercer sur eux?

Avez-vous déjà compris pourquoi les hommes ont tant de difficulté à vous laisser les approcher?

Comprenez-vous pourquoi les hommes se fâchent lorsqu'ils essaient de se concentrer sur quelque chose et que vous tentez d'obtenir qu'ils vous accordent leur attention?

Vous êtes-vous demandé pourquoi un homme vous dira avec insistance qu'il n'est ni inquiet ni fâché, alors que vous savez très bien qu'il l'est?

Si vous avez répondu «oui» à l'une ou l'autre de ces questions vous n'êtes pas seule. Toute femme connaît cette frustration de regarder son homme bien-aimé et de réaliser qu'elle est incapable de comprendre pourquoi il est comme il est. Pour commencer à comprendre il vous faut d'abord savoir ce qui suit.

───────── ✧✧✧ ─────────

Ce n'est pas parce qu'ils veulent rendre les femmes folles que les hommes sont comme ils sont. Ils ont été programmés ainsi depuis des millénaires, et cette programmation leur rend l'intimité très difficile.

───────── ✧✧✧ ─────────

Voici donc une information de base que nous allons regarder ensemble :

1- pourquoi l'homme est un «chasseur solitaire» et un «guerrier désuet»;

2- pourquoi les hommes ont toujours dominé les femmes;

3- pourquoi les hommes sont inaptes à l'amour;

4- comment la télévision enseigne les stéréotypes sexuels.

L'homme, chasseur solitaire

Cela se passe il y a des milliers d'années. La terre est une planète changeante, souvent violente, qui recèle des volcans en éruption, des glaces envahissantes, des inondations, des excès climatiques de toutes sortes. Les animaux sauvages se promènent en toute liberté, ils sont beaucoup plus nombreux que les quelques humains qui se tiennent en petits groupes dans les cachettes qu'ils peuvent trouver. Le monde est un endroit primitif où la réalité primordiale est la survivance du mieux adapté.

Croupie dans une caverne, une famille mange son seul repas de la journée, quelques morceaux de la viande d'un cerf tué par le mâle il y a deux jours. C'est tout ce qui reste de cette chasse. Le mâle a vainement tenté de trouver d'autre nourriture mais la chasse est bien difficile par ce temps. Il neige depuis une semaine et la plupart des animaux ont filé vers la douceur des vallées du sud. Mais comme il regarde sa femme et ses enfants lécher avidement leurs doigts, il comprend qu'il doit partir chasser, et qu'il ne peut revenir avant d'avoir tué. S'il échoue, sa famille et lui mourront, et ils seront dévorés par les loups qu'il entend hurler chaque soir.

Soudainement, le mâle se précipite vers l'entrée de la caverne, prêt à l'attaque. Il a cru entendre des bruits suspects. Serait-ce un autre mâle plus puissant, espérant lui prendre sa femme et sa caverne? Est-ce un loup ou un lion, prêt à attaquer pour apaiser sa faim? Ou est-ce le vent? Il ne peut en être sûr. Il n'est jamais certain. C'est pourquoi il ne tourne jamais le dos à l'entrée de la caverne, préférant y faire face pour déceler toute menace à temps. C'est pourquoi, même quand il dort, il ne se repose jamais complètement. Il est toujours aux aguets, tendant l'oreille pour capter le danger.

Accroupi près du feu, il sent son coeur battre dans sa poitrine. Il a peur. Il a toujours peur. Mais il sait qu'il ne doit jamais laisser voir sa peur à sa femme et à ses petits. Sans son courage, toute leur confiance et tous leurs espoirs s'envoleraient. Sans lui, ils ne sont pas mieux que morts. Non, il doit être fort. Il doit se rappeler qui il est. Il est un homme! Il est un chasseur!

L'HOMME... GUERRIER DÉSUET

La vie de l'homme d'aujourd'hui semble n'avoir aucune relation avec la vie de son ancêtre primitif. Pourtant, il n'y a pas si longtemps, l'homme chassait encore pour procurer la nourriture à sa famille. Il devait être prêt à les défendre à tout instant, contre les Indiens ou les Anglais, par exemple.

L'homme de la fin du XXe siècle n'a plus besoin de chasser ou de se battre. Ces aptitudes qu'il a développées depuis des siècles ne lui sont plus nécessaires. Il n'y a plus de batailles, il n'y a plus d'ennemis, il n'y a plus de menace. Il est tout simplement devenu un «guerrier désuet».

12

Comment s'étonner alors que les femmes expriment les plaintes suivantes au sujet de leur homme?

«Il est toujours sur la défensive et, peu importe ce que je dis, il est prêt à la chicane.»

«Il a tellement de difficulté à s'ouvrir, à me montrer ses sentiments, c'est comme s'il devait toujours se montrer fort.»

«J'aimerais que mon mari soit capable d'accepter les autres hommes comme amis, mais il semble incapable de s'en rapprocher.»

«Robert prend son travail tellement au sérieux qu'il m'énerve. J'essaie de lui faire céder un peu de son ardeur mais il réagit comme si c'était une question de vie ou de mort de livrer un rapport aujourd'hui plutôt que demain.»

«Mon «chum» se fâche tellement lorsqu'il croit que quelqu'un le critique, le contredit ou le malmène. Il interprète n'importe quel désaccord comme une attaque, et attaque en retour avec sarcasme ou brutalité.»

«Lorsque mon mari est contrarié, il s'enferme en lui-même et devient froid, distant. Il me faut des jours et des jours d'insistance pour finalement savoir ce qu'il a.»

Je crois que vous pouvez voir ce qui reste de la mentalité de chasseur-guerrier, dans ces attitudes et agissements d'hommes d'aujourd'hui. Ils sont encore mus par des forces intérieures, dont ils sont absolument inconscients. Une théorie veut que les humains aient une «mémoire génétique», une espèce de conscience acquise du passé qui relie, par exemple, un comptable vivant paisiblement en banlieue avec tous les ancêtres qu'il ait jamais eus, en remontant jusqu'au début des temps.

C'est comme si l'homme se souvenait de ces règles du passé... de défendre, de ne jamais laisser voir sa faiblesse et de toujours garder le contrôle... et si c'étaient elles qui guidaient inconsciemment tous ses actes dans le quotidien.

———————— ✧✧✧ ————————

POURQUOI L'HOMME PRÉFÈRE CERTAINES PLACES AU RESTAURANT

Il y a quelques années j'ai vécu une expérience qui m'a convaincue de l'existence de la mémoire génétique. Je vivais alors une relation avec un homme qui était professeur et écrivain. Chaque fois que nous sortions dîner je remarquais quelque chose d'étrange. Nous entrions au restaurant, on nous conduisait à une table et je m'assoyais là où notre hôte ou hôtesse m'avait tiré une chaise. Si je tournais le dos au reste du restaurant mon partenaire s'assoyait en face de moi. Mais si j'avais une meilleure vue sur l'intérieur du restaurant mon compagnon paraissait très mal à l'aise jusqu'à ce que je change de place avec lui, à sa demande, bien entendu.

Les premières fois ça ne me dérangeait pas et je changeais volontiers. Mais un bon soir où j'étais d'une humeur plutôt coriace je répondis à sa demande par un «Non! Je veux rester ici. C'est toujours toi qui as la meilleure vue, cette fois je ne veux pas changer de place.»

Acceptant à regret, mon partenaire s'assit en face de moi, le dos tourné au restaurant. Nous avons commandé le repas et j'avais commencé à parler de sujets légers, de ma journée, etc., lorsque je le vis si perturbé qu'il se tortillait sur son siège. «Qu'est-ce que tu as?» lui demandai-je. «Je n'aime pas où je suis assis, je suis incapable de me détendre à cette place», répondit-il. «Je ne comprends pas, dis-je, qu'est-ce qu'il y a de si terrible à s'asseoir là?» «Je ne vois rien, dit-il, et je me sens mal de tourner ainsi le dos à la pièce, ça me rend nerveux.»

Pendant la prochaine demi-heure nous avons analysé la sensation bizarre que lui causait le fait de tourner le dos au reste du monde présent, et nous avons été tous deux très surpris de ce que nous avons découvert. Quoique cet homme n'y ait jamais pensé consciemment, il avait toujours insisté pour s'asseoir de façon à voir la pièce où il se trouvait, que ce soit dans un restaurant ou à une réception quelconque. Bien que sa raison lui dise qu'il n'y avait aucun danger, il ne se sentait pas en sécurité en tournant le dos. C'était en contradiction flagrante avec un sentiment très profond lui dictant d'éviter cette situation. C'était comme si une voix intérieure lui disait : «Attention! Sois sur tes gardes!»

Cet homme n'était pourtant pas ce qu'on appelle un «macho». Il était doux, gentil, bien éduqué. Ni son père à la maison, ni ses supérieurs dans l'armée ne lui avaient appris à s'asseoir «défensivement». Il n'avait même jamais été conscient de le faire. Nous n'avons pu trouver aucune autre explication que celle de la mémoire génétique pour expliquer son comportement. Il savait intérieurement qu'il ne devait jamais tourner le dos à «l'entrée de la caverne».

Depuis ce temps j'ai toujours demandé aux hommes de choisir leur place au restaurant. La majorité d'entre eux ont admis qu'ils se sentaient plus à l'aise lorsqu'ils pouvaient voir la pièce et les gens devant eux, et qu'ils n'aimaient pas avoir le dos tourné. Si vous voulez vous amuser vous pouvez faire votre propre recherche en ce domaine. Naturellement, ce n'est pas un conseil que je vous donne, mais si vous voulez vraiment voir un homme contrarié, vous pouvez toujours le forcer à s'asseoir le dos tourné à la pièce, puis le regarder se tortiller.

Pourquoi les hommes aiment dominer les femmes

Jusqu'à l'avènement de la pilule contraceptive les rôles masculin et féminin étaient déterminés par le simple fait que la femme puisse devenir enceinte et mettre au monde des enfants, alors que l'homme ne le peut pas. Dans notre lunette du temps, observons Joseph Primitif et sa Joséphine alors qu'ils chassent et travaillent ensemble. Pour ne pas être dominée par Joseph, Joséphine sait qu'elle ne doit pas avoir d'activités sexuelles avec lui, parce que, si elle s'adonne au sexe, elle deviendra enceinte et, si elle est enceinte, elle ne sera plus son égale. Bientôt elle deviendra grosse, lourde et incapable de courir. Ensuite elle aura un bébé qu'elle devra nourrir et éduquer, ce qui l'empêchera d'accompagner Joseph à la chasse, et à la cueillette de nourriture. Avec trois ou quatre enfants, elle doit dépendre entièrement de Joseph pour tous ses besoins, puisqu'elle est occupée à plein temps avec sa progéniture.

Pendant ce temps, Joseph et tous ses amis détiennent un pouvoir total sur leur femme, parce que ce sont eux qui chassent et distribuent la viande pour alimenter toute la famille. Et c'est le chasseur qui rapporte le plus de viande qui devient le chef. Les femmes et les enfants doivent se soumettre à tous les désirs et caprices de ces pourvoyeurs, sous peine de crever de faim, c'est aussi simple que cela. C'est peut-être pourquoi certains hommes réagissent très mal au désir de leur femme de se trouver un emploi. Ils sentent leur méthode fondamentale de domination menacée, du seul fait qu'elle puisse rapporter son propre argent. Bien sûr que, des siècles après que les hommes eurent cessé de chasser pour leur nourriture, les femmes étaient encore retenues au foyer à cause de leur instinct maternel et de leur talent d'éducatrices. Et les hommes, ayant conservé le pouvoir économique dans la famille, contrôlaient toujours.

L'EXPLICATION PSYCHOLOGIQUE DE LA DOMINATION MASCULINE

Vous êtes-vous déjà imaginé que l'homme qui vous maltraitait ou qui vous méprisait était au fond jaloux de votre situation ou se sentait menacé par vous? Certaines théories prétendent que les hommes ont été poussés à dominer les femmes par envie et par admiration secrète de leur pouvoir de reproduction. Le corps de la femme passe par des transformations mystérieuses que les hommes sont incapables de comprendre. Les femmes semblent avoir certaines capacités intuitives et créatives inaccessibles aux hommes. Et qui plus est, les femmes peuvent concevoir et donner naissance, certainement le pouvoir le plus magique qui soit pour l'homme. Tous ces facteurs peuvent avoir contribué au désir mâle de dominer la femme.

Une théorie plus récente veut que la domination masculine découle du besoin pour l'homme de se distancer du
monde féminin, et reflète son souci de se détacher de sa mère.
Comme modèle immédiat et relation privilégiée, le petit garçon s'identifie à sa mère, au féminin, jusqu'à ce qu'il fasse
quelque chose pour s'en détourner. C'est une attitude qu'on
voit souvent chez les jeunes approchant la puberté. Ils détestent se faire embrasser par leur mère, et vont parfois jusqu'à
affirmer haïr leur mère pour s'affirmer comme différents,
comme hommes. L'auteure de *The reproduction of mothering*
(La reproduction du maternage) Nancy Chodorow explique :

> «Intérieurement le garçon essaie de rejeter sa mère et
> nie l'attachement et la dépendance qu'il ressent encore
> envers elle. Il le fait en réprimant tout ce qu'il perçoit
> de féminin en lui-même et, de façon importante aussi,
> en dénigrant également tout ce qu'il considère comme
> féminin dans le monde extérieur.»

——————— ✧✧✧ ———————

**Le petit garçon rebelle qui sommeille en chaque
homme, voulant toujours prouver qu'il n'est pas sa
mère, persiste à vouloir dominer les femmes et à les
considérer inférieures comme s'il voulait affirmer :
«Tu vois, je te contrôle.
Alors, je suis meilleur que toi.
Donc, je ne suis PAS toi!»**

——————— ✧✧✧ ———————

Plus loin dans ce livre, j'expliquerai comment ce désir
d'autonomie de petit garçon vis-à-vis de sa mère affecte encore
la conduite des hommes adultes que nous aimons.

Comment les hommes sont entraînés
à être inaptes à l'amour

«C'est un garçon!» annonce le médecin, et à partir de
ce moment ce petit mâle est traité différemment de toutes les
petites femelles autour de lui. Voici des faits compilés à partir
d'une multitude de recherches et d'études.

- Les parents de nouveau-nés mâles ont tendance à les qualifier de solides, costauds, forts, vigoureux et alertes. Par contre, les parents de nouvelles petites filles les décrivent comme adorables, douces, petites, jolies et délicates. Ces parents croient réellement que leurs perceptions sont justes, même si d'après les rapports hospitaliers il n'y a que peu ou pas de vraie différence entre les enfants des deux groupes.

- Les parents tendent à exiger davantage de leurs petits garçons que de leurs petites filles, s'attendant à ce qu'ils soient plus décisifs et assument plus de risques.

- Les parents poussent davantage les garçons que les filles à l'indépendance. Ils sont moins portés à consoler leurs garçons apeurés ou blessés. Ils leur donnent aussi plus de liberté, et à un plus jeune âge, qu'aux filles.

- Les parents incitent les garçons à contrôler leurs émotions alors qu'ils encouragent les filles à les exprimer. On dit aux jeunes garçons qu'il n'est pas masculin de ressentir des émotions fortes, non pas seulement les émotions considérées «faibles» comme la peur ou la tristesse, mais également la passion, le désir et l'amour intense. Dans son livre *Male sexuality* (La sexualité masculine) le docteur Bernie Zilbergeld explique comment on enseigne aux garçons à considérer l'expression des émotions.

> «Ils apprennent tôt que seule une gamme restreinte d'émotions est permise... l'agressivité, la colère, la compétitivité et le sentiment de contrôle. En vieillissant on y ajoute les sensations sexuelles. La faiblesse, la confusion, la peur, la vulnérabilité, la tendresse, la compassion et la sensualité ne sont permises qu'aux filles et aux femmes. Tout garçon qui ose démontrer de tels attributs féminins s'expose au ridicule et à des qualificatifs dérisoires comme celui de «fillette», le plus injurieux de tous.»

De nos jours les nouveaux parents font des efforts conscients pour éviter les stéréotypes sexistes avec leurs enfants. Mais la plupart des hommes adultes que nous fréquentons sont encore victimes de ce conditionnement de leur petite enfance.

Comment la télévision enseigne les rôles sexistes

Comme enfants nous avons presque tous appris à nous voir comme mâle ou femelle, non seulement à travers nos parents mais au cours de milliers d'heures passées devant la télévision. Des études fascinantes décrivent comment les hommes et les femmes sont représentés à la télévision. Leurs résultats sont souvent inquiétants.

* Les personnages masculins sont ambitieux, aventuriers, forts et dominants, alors que les personnages féminins sont dépendants, soumis et faibles.

* Les mâles ont des activités stimulantes pour lesquelles ils sont grandement récompensés, alors que les femmes jouent des rôles d'appui moins importants et très peu gratifiants.

* Les réclames publicitaires montrent des femmes inquiètes, tendues, préoccupées par les odeurs de bols de toilette, les migraines et les vêtements sales, alors qu'elles nous font voir des hommes sûrs d'eux-mêmes, solides et parfois même macho.

* Les films western des années 50 et 60, encore fort prisés par les petits garçons, font voir leur fameux héros, le cowboy, comme un solitaire, qui fait ce qu'il doit faire, puis disparaît à l'horizon dans le soleil couchant, sans responsabilité aucune et sans engagement, libre comme l'air.

Imaginez votre homme d'aujourd'hui alors qu'il était petit garçon devant la télévision, regardant une émission après l'autre, avec des publicités à travers, lui faisant voir une succession de héros masculins, forts, solides, calmes et sans émotion, contrôlant toujours la situation et n'ayant peur de rien. Que ses héros aient été Batman, Zorro, les «cowboys» de Bonanza, les détectives invincibles ou les durs de tout acabit, il rêvait déjà dans sa tête à ce qu'il voulait être dans la vie. Incidemment, ces émissions ne montraient jamais la femme de Batman, de Zorro, des détectives ou des durs, et les gars de Bonanza étaient célibataires ou veufs. Non, dans toutes ces représentations modèles l'intimité signifiait la présence d'un cheval ou d'un compagnon plus ou moins brillant, mais jamais d'une femme.

Peu importe si votre homme a plutôt connu la radio que la télévision dans son enfance, le contenu était sensiblement le même puisque la télévision a longtemps copié la radio à ses débuts.

Le défi des temps nouveaux

Déjà vous commencez à comprendre pas mal pourquoi les hommes sont comme ils sont, pourquoi être un homme c'est réprimer ses émotions, éliminer la compétition, lutter pour survivre, tenir à son indépendance et contrôler son entourage. Les hommes sont mus par des traditions transmises de génération en génération. Ils sont conditionnés par leurs parents et la société qui leur transmettent des valeurs excluant l'intimité.

———————— ✧✧✧ ————————
**En choisissant d'être un «vrai homme»,
comme la société le lui a enseigné,
l'homme assume justement les qualités
qui l'empêcheront d'exprimer ses sentiments,
et d'atteindre l'intimité qu'il souhaite,
avec la femme qu'il aime.**
———————— ✧✧✧ ————————

Le tableau suivant illustre les incroyables défis émotionnels que doivent affronter les hommes d'aujourd'hui.

Ce que les hommes ont appris	Ce que nous demandons aux hommes
être défensifs et soupçonneux	être confiants et ouverts
cacher leurs émotions	étaler leurs émotions
paraître forts, invulnérables	exprimer leur vulnérabilité
savoir compétitionner	savoir collaborer
dominer le monde extérieur	dominer leur monde intérieur
être solitaires, indépendants	réaliser leur besoin de nous
garder le contrôle	laisser tomber leur contrôle

Alors, nous voilà, femmes des années 90, en train de dire à nos hommes que les traits de caractère qu'ils ont eu tant de mal à acquérir sont justement ceux qui nous énervent et nous repoussent, et que les qualités que nous voulons les voir développer sont exactement celles qui leur ont été décrites comme faibles et antimasculines, et qu'ils ont combattues si ardemment. La situation ainsi exprimée, il devient facile de voir pourquoi les hommes n'ont pas l'air de vouloir changer, pourquoi ils croient que nous les pressons indûment, pourquoi ils semblent si malhabiles à fonctionner dans une relation qui, pour nous, paraît si simple.

—————— ✧✧✧ ——————

Nous attendons des hommes une compétence pour laquelle ils n'ont jamais été préparés, dans des domaines qui sont l'apanage des femmes, comme la capacité d'exprimer des émotions, de partager leur intimité, et d'être attentifs et aimants.
—————— ✧✧✧ ——————

Durant les dix dernières années j'ai travaillé avec des milliers d'hommes et je peux vous assurer qu'ils veulent s'ouvrir, approfondir leurs sentiments et les exprimer à la femme qu'ils aiment. Cette transformation difficile fait même peur à certains, et j'espère qu'après avoir lu ce chapitre vous comprenez pourquoi. Les hommes que vous aimez ont besoin de toute la compassion, de toute la patience et de tout le support que votre coeur peut leur offrir, afin de pouvoir vous ouvrir le leur.

Le proverbe chinois du début de ce chapitre dit : «Que vous viviez en des temps qui évoluent!» et le temps que nous vivons évolue sûrement. Les vieilles formules de vie et d'amour ne fonctionnent plus, mais nous n'avons pas encore mis au point de nouvelles recettes. Entre-temps nous continuons à vouloir vivre des relations humaines qui n'apportent trop souvent que déception et confusion. Mais le défi du changement repose sur l'opportunité incroyable d'atteindre de nouveaux niveaux de sagesse et de croissance personnelle. Ce livre veut vous aider à transformer vos difficultés avec les hommes en d'agréables aventures amoureuses.

2 ◁▷ Les six
◁▷ erreurs capitales
◁▷ des femmes avec
◁▷ les hommes

* Avez-vous parfois eu l'impression que tout votre code de conduite envers les hommes était erroné?

* Avez-vous déjà été choquée de sa réaction négative, alors que vous étiez certaine d'avoir fait ce qui lui plaisait?

* Pensiez-vous avoir reçu le mauvais mode d'emploi lorsque rien de ce que vous faisiez ne fonctionnait comme prévu?

Si vous avez répondu «oui» à l'une ou l'autre de ces questions, vous n'êtes pas toute seule. J'ai travaillé avec des milliers de femmes dans mes séminaires et groupes d'appui. La plupart sentaient bien que quelque chose n'allait pas dans leurs rapports avec les hommes, mais elles étaient incapables d'identifier le problème ou de le corriger. Pour améliorer vos relations avec tout homme, que ce soit votre «chum», votre mari, votre père, votre patron ou un compagnon de travail, il ne suffit pas de comprendre son comportement, il faut aussi que vous analysiez sérieusement le vôtre.

Comment sont vos relations avec les hommes?

Au moyen du test suivant vous pourrez découvrir les forces et les faiblesses de votre comportement avec les hommes. Pour chaque affirmation, encerclez la lettre qui correspond à votre opinion, entre :

(a)   presque toujours;
(b)   souvent;
(c)   occasionnellement;
(d)   rarement;
(e)   presque jamais.

Qualifiez chaque affirmation le plus honnêtement possible, en choisissant la qualification qui convient la plupart du temps.

Attention!

N'indiquez pas ce que vous devriez faire
mais plutôt
indiquez ce que vous faites habituellement!

Affirmations

Lorsque je rencontre un homme qui me plaît ou qui m'attire...

1- je perds un peu mes moyens, ma capacité de communiquer est diminuée, je cherche son approbation, j'oublie mes propres besoins ou je deviens trop consciente de moi-même;

(a)   (b)   (c)   (d)   (e)

2- je me sens toujours responsable des hommes dans ma vie; je me crois obligée de voir à ce qu'ils accomplissent tout ce qu'ils ont le devoir d'accomplir;

(a)   (b)   (c)   (d)   (e)

3- je permets aux hommes de me traiter comme je n'accepterais jamais qu'une femme ne me traite;

(a)   (b)   (c)   (d)   (e)

4- je me sers de ma sexualité pour obtenir ce que je veux des hommes, en les flirtant, en les agaçant, en bougeant de manière suggestive, etc.;

(a)   (b)   (c)   (d)   (e)

5- parce que j'ai peur de ses réactions, je m'empêche de faire ce que j'aimerais ou de dire ce que je pense devant lui;

(a)   (b)   (c)   (d)   (e)

6- j'en veux aux hommes pour ce qu'ils m'ont fait dans le passé, ou pour la façon dont ils me traitent à présent;

(a)   (b)   (c)   (d)   (e)

7- je suis totalement désemparée, confuse devant les hommes, parce que je veux qu'ils m'aiment, qu'ils s'occupent de moi, et parce que j'ai peur qu'ils se fâchent contre moi;

(a)   (b)   (c)   (d)   (e)

8- je suis satisfaite du respect et de l'appréciation que me rendent les hommes que je connais;

(a)   (b)   (c)   (d)   (e)

9- je n'ai pas peur de demander ce dont j'ai besoin et ce que je veux, de la part des hommes qui me tiennent à coeur;

(a)   (b)   (c)   (d)   (e)

10- en présence d'un homme en position d'autorité, patron, père ou autre, je ne modifie aucunement mon comportement, pour paraître trop insistante, ou trop timide.

(a)   (b)   (c)   (d)   (e)

Pour évaluer votre comportement, faites maintenant le total des points attribués à chacun de vos choix, parmi les cinq qualificatifs suggérés, selon le tableau suivant.

Pour les questions 1, 2, 3, 4, 5, 6 et 7 :

(a) = 2 points
(b) = 4 points
(c) = 6 points
(d) = 8 points
(e) = 10 points

et pour les questions 8, 9 et 10 :

(a) = 10 points
(b) = 8 points
(c) = 6 points
(d) = 4 points
(e) = 2 points

Évaluation

De 80 à 100 points

Votre maîtrise de vous-même et votre comportement rapportent des dividendes. Félicitations!

Vous savez vous montrer à la fois aimante et sûre de vous avec les hommes de votre vie. Vous savez maintenir une haute opinion de vous-même, même en présence d'hommes qui ont une grande importance pour vous, et vous savez que les bonnes communications sont essentielles à la création et au maintien de relations saines et durables. Pour éviter quelque difficulté dans l'avenir, travaillez quand même à améliorer les situations où vous êtes plus faible selon vos réponses.

De 60 à 79 points

Votre comportement avec les hommes pourrait s'améliorer.

La plupart des femmes sont dans cette catégorie. Vous devrez faire attention à certains signes de danger, pour éviter que des problèmes plus sérieux surgissent plus tard. Appliquez-vous à mieux exprimer vos pensées et vos besoins. Évitez les six erreurs les plus courantes des femmes vis-à-vis les hommes, telles que décrites plus loin dans ce chapitre. Vous méritez beaucoup plus d'amour que vous en exigez.

De 40 à 59 points

Vos relations avec les hommes sont en sérieuse difficulté.

Certaines habitudes néfastes vous empêchent, sur le plan émotif, d'être réceptive à l'amour et à l'appréciation que vous méritez. Vous n'arriverez jamais à vous faire respecter comme vous le désirez si vous continuez à céder du pouvoir aux hommes en leur présence, à faire le tapis devant eux, et à prétendre que tout est beau dans le meilleur des mondes. Il est temps de changer. Le premier pas consiste à reconnaître honnêtement que ce comportement vous rend malheureuse. Mettez en pratique ce que vous pouvez apprendre dans ce livre. Demandez l'aide de vos amies, et commencez à vivre, comme la femme solide et en pleine possession de ses moyens que vous méritez de devenir.

39 points ou moins

Au secours! Vos relations avec les hommes sont très malades!

Vous souffrez et vous vous sentez mal aimée depuis si longtemps que vous avez probablement oublié comment être vous-même avec un homme qui vous tient à coeur. Vous n'avez peut-être même pas la notion d'une relation saine avec un homme. Il vous faut agir immédiatement mais vous ne pouvez le faire seule. Commencez par trouver d'autres femmes qui peuvent vous aider. Voyez un(e) thérapeute compétent(e) et compréhensif(ve). Joignez-vous à quelque groupe d'appui que vous puissiez trouver, utilisez le plus possible les renseignements et conseils de ce livre, et faites tout ce que vous pouvez pour retrouver l'estime de vous-même. Combattez vigoureusement l'indifférence, le négativisme et le ressentiment qui vous habitent. Cessez de jouer à la victime! Vous seule pouvez vous changer, et vous méritez beaucoup mieux que cela.

Commencez par mettre en pratique les principes de ce livre, puis refaites ce test après quelques semaines. Vous remarquerez une amélioration se reflétant dans votre score, et vous vous situerez sur la voie qui mène à une relation amoureuse saine et satisfaisante avec un homme, comme vous le méritez.

PROVOQUEZ-VOUS LE PIRE CHEZ LES HOMMES QUE VOUS AIMEZ?

Consciemment ou non, il se peut que votre propre comportement puisse être la cause des réactions que vous déplorez chez les hommes.

Je ne dis pas que ce sont les femmes qui sont responsables de tous les problèmes dans les relations homme-femme, ni que notre comportement est erroné ou mauvais, ni que seules les femmes doivent changer, et pas les hommes. Je dis plutôt que la façon d'agir des femmes avec les hommes doit naturellement compter dans 50 pour cent des problèmes.

——————— ❖❖❖ ———————
Beaucoup des comportements que nous avons adoptés, en tentant d'être de bonnes amoureuses pour nos hommes, sont justement ceux qui risquent le plus de nuire à nos relations avec eux.
——————— ❖❖❖ ———————

Bien sûr que nous ne faisons pas ces erreurs par exprès. Nous avons presque toutes appris ces comportements de nos mères, et elles les avaient appris de leurs mères auparavant. Cependant, lorsque nous mettons en pratique ces vieux rôles et ces vieilles habitudes, nous en arrivons à nous sentir déficientes comme femmes, et à encourager les hommes à nous maltraiter.

LES **6** ERREURS CAPITALES DES FEMMES ENVERS LES HOMMES

1 Les femmes agissent en mère et traitent les hommes comme des enfants.

2 Les femmes se dévaluent et se placent au deuxième rang derrière l'homme qu'elles aiment.

3 Les femmes tombent amoureuses du potentiel de leur homme.

4 Les femmes camouflent leur compétence et leur excellence.

5 Les femmes cèdent leur pouvoir aux hommes.

6 Les femmes agissent en petites filles, pour obtenir ce qu'elles veulent des hommes.

Erreur numéro 1

LES FEMMES AGISSENT EN MÈRE ET TRAITENT LES HOMMES COMME DES ENFANTS

Avez-vous déjà dit à votre homme des choses comme...

Chéri, as-tu pensé à emporter ton portefeuille?
N'oublie pas de passer chez le nettoyeur en revenant.
As-tu pensé à payer la facture d'électricité?
As-tu vu que le réservoir d'essence est presque vide?
As-tu pensé aux réservations? Laisse faire! Je vais m'en occuper.
Combien de fois dois-je te rappeler de ne pas laisser tes serviettes mouillées par terre.
Tu penses pas que tu vas avoir froid avec ce veston léger?

Comme moi, vous avez dû vous mordre les lèvres en lisant cette liste. Cette erreur numéro 1 est l'une de nos mauvaises habitudes les plus courantes avec les hommes. Nous traitons vraiment nos hommes comme des enfants, nous présumons qu'ils sont incapables de prendre soin d'eux-mêmes, nous agissons comme s'ils étaient totalement incompétents et avaient absolument besoin de nous pour mener leur vie.

Bon, je sais ce que vous pensez... que dans plusieurs cas nos prétentions sont vraies. Vous avez peut-être raison, mais là n'est pas le problème. Ce qui importe c'est ce qui suit.

——————— ✧✧✧ ———————

Tant que vous traiterez votre homme comme un enfant il agira comme un enfant, et aussi longtemps que vous le considérerez incompétent il demeurera incompétent.

——————— ✧✧✧ ———————

COMMENT LES FEMMES AGISSENT EN MÈRE ET TRAITENT LES HOMMES COMME DES ENFANTS

1- En prenant les devants, et en faisant pour eux ce qu'ils doivent faire par eux-mêmes.

Chercher ses clefs pour lui; ramasser derrière lui; aller à sa place chercher des objets dans une autre pièce, au sous-sol ou à l'étage; choisir et préparer ses vêtements pour lui le matin, etc.

2- En procédant par questionnaire pour savoir ce qu'ils désirent.

On dit par exemple : «Bon, tu as faim. Aimerais-tu des céréales? Non? Veux-tu des rôties? Ah bon! Une bonne soupe peut-être? T'en as pas envie, alors voyons... je sais, je pourrais te faire un sandwich, aimerais-tu ça?»

3- En présumant qu'ils seront distraits et oublieront tout, puis en leur rappelant ce qu'ils devraient se rappeler eux-mêmes.

«Oublie pas de m'appeler en arrivant.»
«Oublie pas de prendre Sylvie à ses cours de danse.»
«Oublie pas de sortir les déchets ce soir.»
«Oublie pas ton rendez-vous chez le médecin.»

4- En les chicanant comme des enfants.

«Où penses-tu que tu vas sans ton veston, tu ne sais pas qu'il fait froid dehors?»

«Combien de fois dois-je te dire d'éteindre les lumières avant de monter te coucher?... notre compte d'électricité peut bien être cher!»

«Tu as mangé une pizza puis tu as bu trois bières avec ton ami Roch en regardant le match, pas surprenant que tu aies mal à l'estomac.»

5- En vous chargeant de certaines activités que vous les croyez incapables de mener à bien.

«Si je laisse Robert faire des réservations il oublie de demander la bonne table et se trompe d'heure, alors j'aime mieux le faire moi-même.»

«La dernière fois que Jules est allé acheter des vêtements aux enfants ils sont revenus avec des choses qu'ils n'ont même pas pu porter pour aller à l'école, alors je préfère y aller moi-même maintenant pour ne jamais avoir à revivre un pareil désastre.»

«J'ai demandé à Michel de réserver une bonne chambre à Québec il y a des mois et imagine-toi qu'il a oublié. Nous y allons dans trois semaines et c'est moi qui dois appeler maintenant pour arranger ça. J'aurais bien dû m'en occuper moi-même aussi!»

6- En les reprenant et en les dirigeant.

«Non chéri, le couple que nous avons rencontré en vacances ne venait pas de Chicoutimi, ils étaient de Rimouski.»

«Bien voyons, Minou, pas un habit... un complet!»

«Je pense que tu devrais prendre la route 15 pour arriver à la 20 en évitant la circulation, chéri; si j'étais toi je me rangerais tout de suite à gauche pour tourner.»

«Tu vas appeler ta mère et lui dire que les petits ne sont pas bien, et puis dis-lui que tu as beaucoup de travail au bureau ces jours-ci; dès qu'elle commencera à s'inquiéter tu lui diras qu'on ne viendra pas la visiter dimanche, mais fais bien attention de ne pas lui dire qu'on est allé chez ma mère dimanche dernier.»

POURQUOI LES FEMMES MATERNENT LES HOMMES

Je sais que vous n'aimez pas penser que vous agissez comme une mère avec votre homme, mais sachez que vous êtes loin d'être seule dans ce cas. Pourquoi traitons-nous nos hommes comme des mamans traitent leurs enfants?

Non seulement les femmes ont-elles un instinct maternel mais on les entraîne au maternage avec l'espoir de récompenses en bout de ligne.

Le modèle de comportement constant qui vous a été donné dans votre enfance était celui de votre mère. En la voyant prendre soin de vous, de vos frères ou soeurs, vous avez appris comment choyer, soigner, se donner, être attentive au moindre besoin des autres. Et si votre maman agissait aussi en tant que mère auprès de votre père, votre conditionnement en a été renforcé d'autant.

Par exemple, si vous avez toujours vu votre mère traiter votre papa de façon maternelle plutôt que romantique, vous avez dès l'enfance assumé que c'est là la manière correcte pour une femme d'agir envers son homme. En grandissant, dès votre première relation de couple, vous avez sans doute commencé à materner inconsciemment votre homme, puisque c'était pour vous la façon correcte de faire.

Julie était l'épouse de François depuis trois ans quand elle est venue à moi, se plaignant de l'insatisfaction de sa relation. «Je ne me sens pas du tout comme la femme de François, dit-elle avec amertume, je me sens comme sa mère! Il agit tellement en bébé, comptant sur moi pour ramasser derrière lui, pour penser pour lui, et pour prendre toutes les responsabilités à sa place. Il est de plus en plus paresseux et moi je deviens de plus en plus frustrée!»

Julie ne se rendait même pas compte qu'elle maternait François à ce point. Elle blâmait son immaturité à lui depuis si longtemps qu'elle n'avait jamais pensé que son propre rôle avait quelque chose à voir dans ce problème. En discutant de son enfance, de ses parents, il était facile de remonter à la naissance de son jeu de maman. «Je ne me rappelle aucun moment intime ou romantique entre mon père et ma mère, dit-elle tristement. Mon père voyageait beaucoup pour son travail et je me souviens surtout de ma mère en train de lui préparer sa valise, de déballer ses affaires à son retour, lui rappelant tous ses rendez-vous lorsqu'il demeurait en ville, et soignant très méticuleusement ses vêtements. Je pense que lorsque nous étions devenus des adolescents papa était comme l'un de nous, les enfants. Maman nous chicanait et le chicanait aussi. Elle lui lançait son lunch, comme elle nous lançait le nôtre. J'ai dû conclure qu'aimer un homme, c'était le traiter comme maman traitait papa.»

Jusqu'à tout récemment, une mère à la maison exerçait la plus respectable profession pour une femme, suivie de près par une infirmière et une institutrice peut-être. Nous avons grandi en voyant nos mères appréciées et récompensées pour le noble rôle qu'elles remplissaient, et nous étions nous-mêmes gratifiées lorsque nous assumions la moindre partie de ce rôle. «Bravo, ma belle Suzie, de prendre soin de ton petit frère comme ça!» «Sois gentille, Johanne, apporte les pantoufles à papa. T'es une bonne fille!»

——————— ✧✧✧ ———————
Pour nous faire aimer d'un homme, nous nous en remettons souvent à notre manie de materner.
——————— ✧✧✧ ———————

Après quinze ans de mariage Danielle décrit ainsi sa situation : «Lorsque je trouve que Christian ne s'occupe pas assez de moi, je commence automatiquement à jouer la mère. Je lui prépare ses desserts préférés, je fais de l'ordre dans ses choses, je fais tout ce que je peux pour lui. Ce que je veux en réalité, c'est l'affection, l'attention d'un amoureux, et non pas seulement d'un mari. Naturellement, c'est tout à fait le contraire que j'en retire. Sa gratitude est exactement celle d'un petit garçon devant la sollicitude de sa maman.»

Nous maternons les hommes
pour leur devenir indispensables

Lorsque vous mettez beaucoup d'efforts pour satisfaire les besoins de votre homme, il devient de plus en plus dépendant de vous. Vous souvenez-vous de ces messages publicitaires à la télévision où l'on voyait papa aux prises avec le repas des enfants en l'absence de maman? On le montrait comme un parfait incompétent, qui ne sait rien faire en l'absence de sa femme. Plus vous prenez soin d'un homme, plus il se fie à vous, et plus vous lui devenez indispensable. Parce que nous, les femmes, avons parfois bien peur d'être abandonnées, nous essayons souvent de rendre notre homme tellement dépendant qu'il n'ait jamais envie de nous quitter. Nous nous disons inconsciemment : «S'il a assez besoin de moi, il ne partira jamais.»

Les hommes aiment se faire chouchouter par une mère

Récemment, au cours d'un de mes séminaires, j'ai demandé à un groupe de femmes : «Pourquoi les femmes acceptent-elles d'être des mères pour leur homme?» J'ai immédiatement entendu crier du fond de la salle : «Parce que les hommes aiment ça!» Un éclat de rire général s'en est suivi naturellement, parce que nous savions toutes que ce cri du coeur exprimait une vérité incontestable. Les hommes vont-ils se plaindre si leur femme les gâte comme une mère? Quelquefois peut-être, mais sûrement pas la plupart du temps.

─────────── ✧✧✧ ───────────
Lorsque vous agissez comme une mère,
votre homme se sent aimé.
─────────── ✧✧✧ ───────────

L'homme grandit sous les soins de sa mère et, devenu adulte, il accepte facilement de laisser la femme qu'il a choisie continuer à jouer ce rôle maternel. Ceci est particulièrement vrai pour votre homme s'il a lui-même vu sa mère traiter son père ainsi. Il peut même aller jusqu'à donner au mot «épouse» le sens de «mère» plutôt que celui de «compagne», «amoureuse» ou «partenaire». Et si dans sa jeunesse votre compagnon de vie n'a pas reçu de sa mère tout l'amour et toute l'attention qu'il croyait mériter, il se fera un grand plaisir de vous laisser combler ce vide.

COMMENT LE MATERNAGE PEUT DÉTRUIRE VOTRE RELATION AMOUREUSE

Bien que ce rôle de mère puisse vous procurer au départ de grandes joies et beaucoup de satisfaction, il aura à la longue un effet dévastateur sur votre relation.

1- Votre homme finira par se rebeller contre vous et vous faire des reproches.

Dans le premier chapitre nous avons parlé du besoin psychologique qu'a le petit garçon de s'affirmer indépendant de sa mère, de se différencier du monde féminin, et de se définir lui-même comme mâle. Il est donc inévitable que l'homme pour lequel vous vous serez catégorisée comme mère développera bientôt du ressentiment à votre endroit, et finira par se rebeller contre vous. Il ne se plaindra peut-être pas de votre conduite, il peut même insister pour que vous poursuiviez ce comportement, mais il lui sera impossible d'échapper au besoin fondamental de chaque petit garçon de secouer le joug de sa maman, un jour ou l'autre.

Catherine, 52 ans, m'a consultée parce qu'elle venait de découvrir que son mari la trompait avec une secrétaire de son bureau, une jeune fille de 24 ans. Elle n'arrivait pas à comprendre pourquoi Léon, son mari, avait trahi leur engagement. «Il a toujours paru si satisfait, me dit-elle dans mon bureau. Je sais que je l'ai gâté. Il avouait lui-même qu'il n'avait jamais été aussi cajolé par sa mère, et il m'assurait qu'il aimait être ainsi chouchouté et choyé. Là il me dit qu'il se sent frustré, prisonnier de notre relation, et qu'il a besoin de liberté. Après vingt-sept ans de mariage, je ne sais pas ce qui s'est passé. Je n'y comprends rien!»

Dès que j'ai rencontré Léon mes soupçons se sont confirmés. Il avait nettement l'impression de laisser tomber une mère pour gagner une amoureuse, en délaissant sa femme pour cette jeune personne. Même les mots qu'il employait, pour décrire sa relation avec Catherine (frustré, emprisonné et besoin de liberté), sont ceux d'un jeune garçon qui a hâte de quitter la maison pour faire sa vie. L'attitude maternelle, que Catherine croyait être celle d'une bonne épouse, avait fini par lui faire très mal en faisant fuir Léon.

2- Votre homme finira par se sentir incompétent.

Malheureusement, à force de le traiter comme un incompétent, il est inévitable aussi que votre homme se sente de plus en plus incompétent. Plus il se sent incompétent, plus il perd l'estime de lui-même et plus il devient en effet incompétent.

C'est un cercle vicieux dont il ne peut se sortir, et qui va comme ceci :

a) traité comme un enfant... il se sent critiqué et jugé;

b) à force d'être critiqué... il perd confiance en lui;

c) n'ayant pas confiance en lui... il se conduit en incompétent;

d) devant son incompétence... vous le traitez comme un enfant;

e) et le cercle recommence.

Si votre homme finit par perdre son amour-propre, il cessera bientôt de vous aimer vous aussi.

C'est le sens de sa propre compétence qui permet à un homme d'être fier de lui-même. Alors, si votre homme n'est pas satisfait de ce qu'il accomplit, en quelque sphère de sa vie que ce soit, il lui sera de plus en plus difficile de s'aimer lui-même et de vous aimer, vous. En montant en épingle chaque faiblesse ou incompétence de votre homme, en le traitant comme un enfant, vous êtes certaine de détruire sa capacité de vous aimer.

Il y a aussi l'envers de la médaille. Plus votre homme vous paraîtra incompétent, plus vous trouverez difficile de lui conserver votre affection. Les femmes sont attirées par la compétence des hommes, alors vous serez inévitablement repoussée par son inaptitude.

3- Vous finirez par éliminer la passion de votre relation.

———————— ✧✧✧ ————————

Le moyen le plus rapide de tuer la passion dans votre relation, c'est de jouer la mère avec votre homme.

———————— ✧✧✧ ————————

Plus vous agirez comme la mère de votre homme, plus il vous traitera comme sa mère. Mais un homme ne désire pas coucher avec sa mère. Le tabou sexuel, qui empêche un homme d'être attiré vers une personne projetant ce genre d'énergie maternelle, est tellement ancré dans l'inconscient, qu'il sera impossible à votre partenaire de continuer à vous percevoir sous un angle romantique ou érotique, si vous passez votre temps à enlever des mousses sur ses vêtements, à lui dire ce qu'il doit faire et, en général, à le traiter comme votre fils.

Bien sûr, le fait de voir votre homme comme un enfant va sûrement éteindre vos ardeurs amoureuses envers lui aussi. Il est difficile de vous sentir romantique avec un homme en fin de journée, quand en le voyant vous vous dites : «Aujourd'hui, il a été incapable de trouver ses propres vêtements, il a encore perdu ses clefs, et il a fallu que j'appelle le plombier à sa place.» Comment pouvez-vous encore avoir des élans amoureux pour une personne que vous avez perçue comme un enfant de trois ans toute la journée?

Je crois que cette erreur numéro un est l'une des causes premières de la carence d'activités sexuelles satisfaisantes dans la plupart des ménages. Vingt ans de vie commune, des difficultés financières, et l'expérience traumatisante d'avoir élevé une famille, sont toutes des causes de tension qui peuvent atténuer la passion dans le couple. Mais aucune n'est aussi néfaste que la transformation du tandem homme-femme en une relation mère-fils.

COMMENT CESSER D'ÊTRE LA MÈRE DE VOTRE MARI

1- Ne faites plus les choses qu'il doit faire lui-même.

Cette habitude de traiter les hommes comme des enfants est comme une drogue, et comme pour une drogue, il n'y a qu'une façon de s'en défaire, c'est d'en arrêter l'usage. Cela veut dire que, lorsque votre partenaire vous demande où sont ses clefs, vous lui dites simplement : «Je ne sais pas» et vous le laissez chercher. Lorsqu'il se prépare pour une sortie vous ne lui dites plus comment s'habiller. Et vous cessez de ramasser tout ce qu'il laisse traîner, ses vêtements surtout.

Votre homme étant habitué de vous voir faire des choses à sa place, il devra évidemment s'adapter à votre changement de comportement. Ce pourrait être difficile au début. Vous devrez faire face à sa frustration devant des tâches qu'il n'a pas eu à assumer depuis longtemps, des années peut-être. Et ne vous étonnez pas si votre vie en est passablement désorganisée pendant un certain temps.

Vous pourriez être en retard à une réception parce qu'il a égaré ses clefs. Il aura peut-être la cravate un peu croche en quittant la maison. Mais il apprendra vite à s'occuper de ses affaires. Il se rappellera sa frustration et s'assurera de toujours mettre ses clefs au même endroit. Il se souviendra des remarques faites sur sa cravate et verra à passer devant le miroir avant de sortir. Autrement dit, il grandira, il apprendra à prendre soin de lui-même, comme un petit garçon qui devient un homme... enfin!

Mais attention! Je ne vous ai pas dit que la prochaine fois que votre mari vous demandera si vous avez vu ses clefs vous devez lui répondre : «Trouve-les toi-même, je ne suis pas ta mère!» Et je ne vous ai surtout pas dit de ne plus être tendre et attentive envers votre homme, ou de cesser de le supporter dans ses efforts. Je vous ai tout simplement dit d'être plus près de lui, comme une partenaire et une amoureuse, mais jamais comme une mère.

2- Traitez votre homme comme une personne compétente et fiable.

Ne lui rappelez pas ce dont il doit se souvenir lui-même. Ne vous substituez pas à son calendrier, son agenda ou son cerveau. Traitez-le comme un adulte compétent sur qui on peut compter. Il est probablement devenu paresseux à force de vous laisser faire les choses à sa place, et, inconsciemment, il peut encore se fier à vous pour ne pas rater ses rendez-vous, ou pour ne pas oublier certaines tâches. Alors, quand il ne vous aura plus comme mère, il pourra lui arriver de rater un rendez-vous, d'oublier de payer un compte ou de sortir les poubelles. Dans ces circonstances, ne lui faites surtout pas de reproches, ne le chicanez pas, sympathisez simplement avec lui et poursuivez vos propres occupations.

Disons que votre partenaire a un rendez-vous chez le dentiste jeudi. Embrassez-le et souhaitez-lui une bonne journée comme d'habitude à son départ, jeudi matin. Lorsqu'il reviendra en fin de journée en disant : «Je m'en veux tellement, on m'a téléphoné aujourd'hui pour me rappeler mon rendez-vous chez le docteur Gendron et j'avais complètement oublié.» Dites tout simplement : «Dommage, chéri! J'espère que tu as pu reporter ton rendez-vous.» Vous verrez qu'après un certain nombre d'oublis et de ratés, votre partenaire aura enfin appris à mieux contrôler son propre agenda, et son éducation d'homme aura fait de grands pas.

3- Ne lui parlez pas en «langage bébé».

Astreignez-vous tout de suite à ne plus lui parler comme à un enfant de cinq ans. Cela veut d'abord dire ne pas le chicaner! Vous pouvez parfaitement lui faire savoir que vous n'êtes pas contente de son comportement, que vous êtes fâchée, mais en lui parlant d'adulte à adulte, et non pas comme une maman à son petit garçon tannant. En fait, peut-on parler «bébé» dans une relation amoureuse? Je pense que ce genre de langage a un peu sa place dans une relation où l'on accepte d'exposer sa vulnérabilité à l'autre dans un climat très intime. Cependant, si votre partenaire et vous parlez souvent «bébé» au cours de moments intimes, et particulièrement pendant vos échanges sexuels, c'est un problème. Dépêchez-vous de transformer ces rapports en une véritable relation adulte.

4- Décidez quelles tâches il doit assumer en exclusivité et, quoi qu'il arrive, tenez-vous-en à votre décision.

Je sais comment ce sera difficile pour beaucoup d'entre vous d'agir ainsi. Cela exigera que vous cédiez le contrôle et que vous ayez confiance que les choses finiront par s'arranger. Même si elles ne se passaient pas comme vous le vouliez.

Par exemple, votre mari qui devait faire une réservation au restaurant pour ce soir, vous téléphone en fin d'après-midi, pour vous dire qu'il n'a pu en obtenir, parce qu'il a appelé trop tard et qu'il n'y avait plus de place. Alors vous lui répondez : «Ah! c'est dommage, chéri, mais je serai prête à huit heures tel qu'entendu, je suis sûre que tu auras trouvé un endroit où aller; à bientôt!» Il se sentira d'abord ridicule d'avoir appelé trop tard, puis content que vous ne l'ayez pas chicané. Et surtout, il prendra ses précautions la prochaine fois qu'il a l'intention de vous emmener dîner au restaurant.

Attention! Il est très difficile de résister à la tentation d'intervenir lorsque les choses se gâtent.

Si les vacances approchent et que votre mari ait oublié de réserver les billets d'avion, ou si votre «chum» a décidé de faire une lasagne, et que vous le voyiez mettre trop de sauce, retenez-vous, ça vaut le coup!

——————— ✧✧✧ ———————
Résistez à la tentation de le sauver du désastre.
——————— ✧✧✧ ———————

Laissez-le faire ses propres erreurs et en subir les conséquences. C'est à ce prix seulement qu'il peut apprendre à agir différemment la prochaine fois.

COMMENT J'AI EMPÊCHÉ UN HOMME
DE ME «RENDRE FOLLE»

Ayant materné les hommes moi-même pendant une quinzaine d'années, je me considère malheureusement experte en la matière, et j'aimerais vous raconter ma propre expérience en élimination de «manie maternelle». Je vivais avec un homme qui oubliait tout. Il manquait ses rendez-vous, il oubliait de rappeler les gens au téléphone, il dépassait les délais pour payer ses comptes, il oubliait même où il allait en se rendant à un endroit, et passait outre sur l'autoroute.

Pendant deux ans je me suis faite sa conscience, lui rappelant constamment quoi faire et où aller. Quand nous allions quelque part en auto, quoique ce fût lui qui conduisait, je ne relâchais jamais mon attention, surveillant chaque croisée de chemins et chaque sortie d'autoroute, pour assurer que nous arrivions à temps et à bonne destination.

Finalement, j'en ai eu assez de tout assumer pour lui comme une mère, et j'ai compris qu'il ne pourrait en arriver à porter attention que si je cessais de le faire pour lui. Un beau week-end nous sommes partis pour un centre de santé dans le sud de la Californie. Nous y étions déjà allés et, bien entendu, j'en connaissais le chemin par coeur. Nous roulions depuis une heure environ lorsque nous est apparue l'enseigne indiquant où nous devions tourner quelques milles plus loin. Je jetai un coup d'oeil pour voir sa réaction mais... rien! J'en avais un noeud dans l'estomac. Je me disais intérieurement : «Tu as décidé de ne rien dire, tais-toi!» Ma nervosité augmentait à mesure que nous approchions de la sortie en question, et puis voilà!... nous avons passé tout droit. Il l'avait manquée! Je serrai les dents pour ne pas crier.

Nous avons roulé sur dix milles, vingt milles, trente milles, et le jour commençait à tomber. Soudainement, il me dit : «Est-ce que cet endroit te paraît familier?» Je lui répondis doucement : «Non!» Et il dit : «Il me semblait bien, j'ai dû me tromper de chemin.» Il s'arrêta dans un poste d'essence, pour apprendre qu'il avait en effet dépassé sa sortie de quelque quarante milles, et que nous serions très en retard sur l'heure où nous étions attendus au centre de santé. J'ai eu toute la misère du monde à me contrôler pour ne rien dire. Alors qu'il faisait demi-tour pour reprendre la route, il me regarda d'un air gêné, et il dit : «Tu savais que j'avais manqué la sortie, hein?» Je lui fis un petit sourire et il me sourit aussi. Nous savions tous les deux qu'il venait de prendre une leçon importante de la vie, en conduisant quelques dizaines de milles de trop, et comme jamais il n'aurait pu le faire si je lui avais signalé son erreur, ou si je l'avais engueulé.

5- Faites une liste des manières que vous avez de materner.

Assoyez-vous et inscrivez sur un papier toutes les manières que vous avez eues de «jouer à la mère» avec lui, ou avec tout autre homme dans votre vie. Surveillez-vous pendant quelques semaines, et ajoutez à la liste toutes les actions en ce sens que vous vous surprendrez à faire. Vous serez probablement étonnée de la longueur de votre liste. De toute façon, le premier pas vers la correction de ce comportement consiste à en devenir consciente, ce que vous viendrez de faire.

6- Entendez-vous avec votre homme pour travailler ensemble à remplacer cette relation mère-fils par une véritable relation adulte.

Je vous suggère sérieusement de faire lire ce livre à votre partenaire pour qu'il vous comprenne mieux, qu'il se comprenne lui-même et qu'il comprenne la situation à corriger. Discutez sérieusement du contenu de ce chapitre avec lui, en vous assurant qu'il exprime ses opinions sur le sujet. Puis faites une entente selon laquelle vous allez travailler ensemble, tous les deux, selon des critères clairement établis entre vous, pour redresser la situation et en arriver à une relation adulte, équilibrée.

7- Soyez tenace.

Il est essentiel que vous mettiez de la constance dans vos efforts pour respecter vos propres règles et éviter de répéter les erreurs du passé. Respectez vos engagements, peu importe les conséquences. Supposons que vous ayez convenu que vous ne ramasseriez plus les vêtements sales de votre mari et qu'il devra nettoyer la salle de bains après usage. Après une semaine, vous remarquez une pile de vêtements sur le plancher de la salle de bains, il ne reste plus une serviette propre sur la tablette et plus de sous-vêtements propres dans son tiroir. Ne touchez surtout pas à cette pile de vêtements! Attendez qu'il se plaigne qu'il n'a plus de serviettes ou de sous-vêtements, puis indiquez-lui que toutes ses serviettes et sous-vêtements sont sur le plancher où il les a laissés. Il ne sera peut-être pas de bonne humeur mais il aura compris le message. Si, parce que vous aimez tellement l'ordre et la propreté, ou parce que vous attendez de la visite, vous cédez et reprenez vos anciennes habitudes avec l'intention de recommencer plus tard, il ne prendra plus jamais vos résolutions au sérieux, et ne respectera plus sa propre parole non plus.

Il n'est pas facile de briser cette habitude de «jouer à la mère» mais si vous y arrivez vous vous sentirez beaucoup plus femme, et lui se sentira plus homme, pour le plus grand bien de votre relation de couple, et pour votre bonheur à tous les deux.

Erreur numéro 2

LES FEMMES SE DÉVALUENT EN SE PLAÇANT AU DEUXIÈME RANG DERRIÈRE L'HOMME QU'ELLES AIMENT

Vous venez de passer plusieurs heures à lui préparer un repas de gourmet, un filet de sole amandine. Vous allez servir les assiettes quand vous réalisez que l'une des portions est plus grosse que l'autre. En supposant que votre partenaire et vous avez un appétit équivalent, allez-vous lui donner la plus grosse ou la plus petite portion?

La plupart des femmes auxquelles j'ai posé la question m'ont admis timidement qu'elles n'ont pas à réfléchir long-temps pour me répondre. Naturellement qu'elles serviraient la plus grosse portion à l'homme, parce qu'elles ont tellement l'habitude de servir leur homme en premier, et de s'accommo-der de ce qui reste. En fait, beaucoup de ces femmes m'ont dit qu'elles se sentiraient même coupables de prendre la plus grosse portion. Elles qualifiaient cette dernière attitude d'égoïste, de chiche et de contraire à l'amour.

L'erreur numéro 2 découle donc de notre façon à nous, les femmes, de sacrifier notre identité et de nous placer au second rang, derrière l'homme que nous aimons. Comment fait-on cela?

1- Nous abandonnons nos intérêts, nos passe-temps et nos activités préférées.

Sarah, 31 ans, étudiait et pratiquait couramment le yoga et la méditation. Cela l'aidait à se détendre et la mainte-nait en santé. Elle rencontre Bernard, un conseiller en infor-matique de 36 ans, qui méprisait ces «chinoiseries orientales», comme il les appelait. Pour éviter tout conflit Sarah aban-donna ses pratiques mensuelles de yoga et se mit à espacer ses séances de méditation, jusqu'à ce qu'elle ait complètement cessé peu de temps après. Quand on lui demandait pourquoi elle avait fait ça, elle répondait qu'elle avait atteint une diffé-rente phase de sa vie, et que ces choses avaient perdu leur importance pour elle. Un an et demi après, il y eut rupture entre Sarah et Bernard. En moins de deux semaines, Sarah avait repris sa méditation et affirmait : «C'est incroyable ce que ça m'a manqué.»

Émilie avait toujours aimé danser. Elle avait suivi des cours de ballet et de jazz dans sa jeunesse et adorait aller danser avec des amis en fin de semaine. Elle en retirait une sensation de vivacité, de grâce et de liberté. Elle avait 29 ans quand elle a rencontré André, 31 ans. Ils se sont fréquentés, sont tombés amoureux, et se sont mariés deux ans plus tard.

Rencontrant Émilie récemment dans un magasin, je lui ai demandé comment ils allaient, André et elle, et j'ai mentionné la danse. Apparemment très mal à l'aise, Émilie me dit : «Bien, je ne danse plus beaucoup, André n'a jamais vraiment aimé ça. Il se sentait gauche, malhabile, et même si les premiers temps je l'emmenais dans les bars et les salles, il restait assis et refusait de venir sur la piste. Ce n'était pas très intéressant de le voir bouder dans son coin toute la soirée, alors, nous avons cessé d'y aller. Il m'a encouragée à aller danser sans lui, à ne pas sacrifier mon plaisir pour lui, mais après une ou deux sorties avec des amis, je me sentais coupable de le laisser seul à la maison. Je pense que ça me manque, mais... pas vraiment. Après tout, c'est pas très important, hein?»

Ces femmes ont fait ce que beaucoup d'entre nous ont tendance à faire, abandonner nos activités, ou nos passe-temps préférés, parce que notre homme n'y est pas intéressé. Nous ne réalisons même pas que nous faisons ces sacrifices. Nous finissons par nous convaincre que ça ne nous manque pas, que ça n'a pas d'importance. Mais ce n'est pas vrai! Souvent nous ne nous rendons compte de notre perte, d'avoir relégué nos propres intérêts au deuxième rang, que lorsque la relation se termine, et que nous reprenons ce que nous avions abandonné. C'est là que nous comprenons combien nous aimions notre danse, notre méditation, notre cyclisme, notre jardinage ou quelque activité que nous avons laissé tomber, parce que notre partenaire du moment n'y était pas intéressé.

2- Nous laissons tomber les parents et amis que notre partenaire n'apprécie pas.

Joanne, esthéticienne de 26 ans, a rencontré Christophe, antiquaire de 30 ans, lors d'une soirée. Joanne était pétillante, intelligente, très populaire dans son milieu et, bien qu'elle n'ait jamais fréquenté l'université, connaissait beaucoup de succès dans son domaine. Christophe était diplômé d'une université prestigieuse, et se considérait comme intellectuel. Dès leur première sortie, pour fêter l'anniversaire d'une amie de Joanne, leur relation connut des difficultés. En s'amusant, Joanne aperçut Christophe, seul dans un coin, et lui demanda : «Qu'y a-t-il, chéri?» D'un air dédaigneux il lui dit : «Je m'ennuie ici, je n'ai rien en commun avec tes amis à toi.» Christophe et Joanne se sont chicanés au retour de cette sortie. «Je suis peinée que tu penses que mes amis ne sont pas assez bons pour toi, cria Joanne. Ils ne sont peut-être pas allés à l'université, mais ce sont de bonnes gens et je les aime!» «Bon! Si tu veux passer ton temps avec eux tu peux le faire, mais ne t'attends pas à ce que je t'accompagne!» répondit Christophe. Même si Joanne était furieuse contre Christophe pour son attitude hautaine, elle se mit à douter intérieurement et à se demander s'il n'avait pas raison, si ses amis étaient vraiment assez bons pour elle. Elle craignait ce qui pouvait arriver si elle continuait à les fréquenter. Elle craignait surtout que Christophe décide de la quitter. Graduellement elle distança ses fréquentations, puis après quelques mois, cessa de voir ses anciens amis complètement. Ils lui manquaient sûrement, mais, après tout, elle avait bien Christophe auprès d'elle.

Une autre jeune femme très populaire, Jacqueline, savait que ses parents n'aimaient pas qu'elle fréquente Marcel, un confrère de collège. L'irritation des parents fut à son comble quand les deux jeunes gens décidèrent de cohabiter. Marcel buvait beaucoup et, quoiqu'il prétendît pouvoir arrêter s'il le voulait, il ne l'avait pas fait. Jacqueline aimait beaucoup Marcel, et lui l'aimait aussi, mais elle avait toujours eu peur de soulever la question de la boisson au cours de leurs conversations. Comme enfant unique elle avait toujours été très près de ses parents, mais tout cela avait bien changé depuis qu'elle demeurait avec Marcel. Chaque fois que Jacqueline mentionnait avoir parlé à sa mère, ou à son père, Marcel lui sautait dessus, lui criait qu'elle était encore trop dépendante de ses parents, qu'elle agissait comme une fillette, et qu'elle devait se détacher d'eux pour devenir sa propre personne. Coincée entre son amour pour ses parents et son amour pour Marcel, Jacqueline commença alors à espacer ses appels et visites, jusqu'à ce qu'elle n'ait pratiquement plus de contact avec parents. Marcel s'est dit fier d'elle, en admiration devant sa force de caractère. Mais Jacqueline se surprend encore maintenant à conduire jusqu'à la maison de ses parents, à stationner de l'autre côté de la rue, et à pleurer dans son auto, avant de repartir sans avoir vu personne.

Si je vous demandais : «Abandonneriez-vous un parent ou un ami, à la demande d'un homme?», vous me répondriez probablement avec force : «Jamais de la vie!» Et pourtant, c'est exactement ce que font beaucoup de femmes. Elles tournent le dos à des gens auxquels elles tiennent beaucoup, pour ne pas risquer de perdre l'homme qu'elles aiment.

Mais pourquoi certains hommes tentent-ils de vous séparer des gens qui vous tiennent à coeur?

——————— ✧✧✧ ———————
Les hommes souffrant d'insécurité chercheront toujours à vous isoler des autres personnes dont vous pourriez avoir besoin.
——————— ✧✧✧ ———————

Certains hommes sentent le besoin d'un contrôle absolu sur leur partenaire, parce qu'ils ont peur d'être contrôlés eux-mêmes. Une façon d'exercer ce contrôle sur vous, peut être de tenter de vous couper de tout contact extérieur, avec toute personne ou tout groupe qui peut vous influencer ou vous apporter un support moral, comme votre famille, vos amis, votre groupe social ou religieux, etc. Il peut en résulter deux choses :

a) vous devenez de plus en plus dépendante de l'homme que vous aimez, puisque vous ne recevez plus d'affection de quelque autre source; ou

b) votre relation est de plus en plus à l'abri de critiques de la part des autres personnes qui vous aiment, et votre partenaire se trouve de ce fait protégé des reproches que pourrait lui mériter sa façon de vous traiter.

3- Nous sommes des «caméléons émotionnels», neutres au début d'une relation, puis devenant graduellement ce que nos hommes veulent que nous soyons.

L'une des manières les plus courantes qu'ont les femmes de se placer au second rang derrière les hommes, c'est d'accepter d'étouffer leur propre personnalité, pour devenir ce que leur homme veut qu'elles soient. C'est ça que j'appelle «être un caméléon émotionnel» : accepter de changer, de modifier son apparence, son comportement et même ses croyances, pour devenir la femme idéale de l'homme qu'on aime. «Je serai la femme de ses rêves», disons-nous, en commençant à nous transformer en une personne qui correspond mieux à l'image de la femme qui, d'après notre homme, mériterait son amour.

Voici l'histoire triste, mais vraie, d'une femme qui a ainsi sacrifié sa propre personnalité pour un homme. Josée, une chanteuse de 32 ans, s'est présentée à mon bureau, la rage et l'amertume au coeur. Elle venait de terminer une relation de trois ans avec Tony, un technicien du téléphone. «Savez-vous comment j'ai passé chaque fin de semaine depuis trois ans?» me demanda-t-elle. «Je suis allée à des combats de lutte! Pas au cinéma, pas au théâtre, à des maudits combats de lutte! Et que pensez-vous que nous avons regardé à la télé quand nous restions à la maison? Je connais tous les lutteurs, je sais qui ils aiment et qui ils haïssent, et je connais toutes les prises possibles!»

«Je ne comprends pas, lui dis-je, vous ne m'avez pas encore dit quel était votre problème.»

Josée m'a regardée avec des poignards dans les yeux et m'a dit en grognant : «Je déteste la lutte! En fait, je déteste tous les sports! mais Tony aimait tellement ça, et je faisais ce que Tony voulait que je fasse. Je suis devenue une fanatique de la lutte, juste pour lui plaire. Je me suis même convaincue que j'aimais ça. Je voyais ça comme un sacrifice d'amour. Maintenant, j'ai envie de vomir quand j'y pense. Je m'en veux tellement d'avoir été si idiote!» Josée était entrée en relation, blanche comme neige, prête à colorer sa propre personnalité de la teinte qu'il fallait pour gagner l'amour de Tony.

Vivant à Los Angeles, je rencontre souvent des femmes qui poussent cette erreur néfaste à l'extrême, au point même d'altérer leur apparence physique en ayant recours à la chirurgie esthétique, parce que l'homme qu'elles fréquentent aime telle ou telle allure chez une femme.

J'ai même eu à conseiller des dizaines de femmes, à qui leur homme avait «ordonné» de se faire grossir les seins, ou de se faire relever les fesses, et qui se sont soumises à la chirurgie, mais qui souffrent maintenant d'une forte humiliation, et qui ont beaucoup de mal à contenir leur rage.

4- Nous abandonnons nos propres rêves pour aider notre homme à réaliser les siens.

Il y a tellement de cas, par exemple :

a)   une femme qui quitte ses études pour supporter son partenaire étudiant en médecine, et qui réalise quinze ans plus tard qu'elle a sacrifié son rêve d'enseigner à des enfants souffrant de déficience mentale;

b)   une femme qui abandonne son emploi dans une grande compagnie pour devenir comptable de la petite entreprise d'importation de son partenaire, et qui, lors de leur rupture trois ans plus tard, réalise qu'elle l'avait fait pour lui, et non pour elle, et qu'elle se retrouve devant absolument rien.

Je suis sûre que, si vous n'avez pas fait cela vous-même, vous connaissez au moins une femme qui l'a fait. C'est tellement triste de constater que nous, les femmes, sommes prêtes à sacrifier nos propres aspirations, pour travailler uniquement à celles de l'homme que nous aimons.

POURQUOI LES FEMMES SE SACRIFIENT
POUR LEURS RELATIONS

Cette question est peut-être superflue pour vous. Comme me l'a dit une amie : «Le sacrifice, c'est notre nature!»

Mais on peut relever plusieurs raisons pour lesquelles les femmes font ce genre de sacrifice.

Les hommes s'attendent que nous leur cédions la place.

Depuis des siècles, on leur a inculqué que les femmes étaient des citoyens de seconde classe, de moindre importance. Après tout, on trouve encore des pays où les femmes doivent marcher derrière les hommes sur la rue, en signe de soumission. Alors, pouvons-nous encore nous étonner que les hommes s'attendent que nous soyons celles qui doivent se sacrifier?

Nous avons été entraînées à prendre le deuxième rang.

Nous avons vu — du moins beaucoup d'entre nous — nos mères et nos grands-mères sacrifier leurs talents, leurs intérêts, leurs rêves et leur carrière pour devenir le support de nos pères et de nos grands-pères. On nous a appris que c'était «égoïste» que de se placer au premier rang.

Nous glorifions le sacrifice, plutôt que de réaliser nos rêves.

C'est beaucoup plus facile, et bien moins exigeant pour nous, de dire : «J'aurais pu devenir avocate, mais je me devais d'être à la maison quand Henri faisait son Droit, alors j'ai décidé d'en faire le sacrifice.»

LES RÉSULTATS DE CES SACRIFICES D'AMOUR

Lorsque vous décidez ainsi de prendre le second rang dans votre couple, vous croyez bien que votre homme va vous aimer davantage pour cela. Parfois c'est vrai, parfois pas. Mais regardons ce qui arrive vraiment.

Lorsque vous sacrifiez votre propre personnalité pour vous faire aimer davantage, vous vous aimez moins vous-même.

Chaque fois que vous abandonnez un parent, un ami ou un rêve, dans l'espoir de gagner l'amour de quelqu'un, vous cédez un peu de vous-même. Plus vous en sacrifiez, moins il en reste, jusqu'à ce qu'un jour vous vous sentiez complètement vide. Il ne reste plus rien de vous. Vous n'êtes plus vous-même. Vous avez tout laissé partir, morceau par morceau, pour vous faire accepter, et dans ce processus vous avez perdu l'essentiel de votre être, vous avez perdu votre âme de femme!

Cette perte entraîne habituellement la colère et la dépression. Vous vous en voulez tellement de ce que vous avez fait, d'avoir laissé se perdre autant de votre amour-propre. Et vous en voulez à l'homme pour qui vous avez tout sacrifié, et qui, la plupart du temps, ne vous a pas aimée comme vous l'aviez désiré.

LA SOLUTION : COMMENT CESSER DE VOUS SACRIFIER À VOS RELATIONS

1- Dressez une liste de toutes les manières dont vous vous êtes sacrifiée par amour dans le passé.

Cet exercice n'est pas un plaisir mais je vous recommande de le faire quand même. C'est une technique assez puissante, pour vous dégoûter à tout jamais de l'envie de vous placer au deuxième rang, et pour vous motiver à agir.

2- Dressez une liste des gens, des intérêts, des activités et des croyances qui vous tiennent à coeur.

Ceci devrait vous aider à préciser qui vous êtes, et ce que vous aimez. Ce devrait être beaucoup plus difficile pour quiconque de vous convaincre ensuite de préférer la pêche, le golf, la motocyclette ou les émissions sportives à la télévision, selon les goûts de l'homme qui veut entrer dans votre vie.

3- Engagez-vous à réaliser vos rêves, et faites en sorte d'être une personne autonome, plutôt qu'un «caméléon émotionnel», prêt à s'adapter aux désirs des autres.

Plus vous deviendrez cette femme entière et autonome qu'il vous faut être, moins vous risquerez de tomber dans ce genre de relation où vous vous accrochez à quelqu'un d'autre pour vous épanouir, même au prix du sacrifice de votre propre personnalité, quand il le faut.

Dans le dernier chapitre de ce livre, je vous ferai des suggestions pour arriver à l'épanouissement féminin que vous vous savez en mesure d'atteindre.

Erreur numéro **3**

LES FEMMES TOMBENT AMOUREUSES DU POTENTIEL DE LEUR HOMME

Croyez-vous que vous avez la capacité d'amener un homme à donner ce qu'il a de mieux?

Avez-vous déjà pensé qu'avec un peu de temps et de la bonne volonté votre homme deviendra ce que vous voulez qu'il soit?

Avez-vous déjà pensé que, si votre homme n'a pas réussi comme il aurait voulu, c'est qu'il n'avait pas à ses côtés une personne qui l'aime, et qui l'encourage, comme vous seule pouvez le faire?

Je ne sais pas comment ces questions vous frappent, mais, pour moi, elles ont quelque chose de douloureusement familier. Jusqu'à tout récemment je faisais de cette erreur numéro 3 mon occupation permanente, je tombais amoureuse du potentiel d'un homme. J'étais devenue une spécialiste de la découverte des hommes en difficulté, et de la concentration de mon temps et de mes énergies pour les aider, pour travailler à leur redressement. Quelquefois mes efforts portaient fruit et mon homme parvenait aux succès, parfois c'était un échec total, mais toujours il y avait une répercussion désastreuse sur ma propre vie. J'en arrivais à oublier ma propre carrière, à mettre de côté mes propres aspirations, en m'appliquant à secourir quelqu'un d'autre. Depuis que j'ai souvenance, j'ai toujours choisi des hommes qui en étaient à un certain point de leur vie où ils avaient besoin de secours.

Les uns avaient besoin d'aide, pour libérer certains sentiments. Certains cherchaient un apaisement de la douleur laissée par une enfance difficile. D'autres voulaient être aidés à prendre des décisions, à s'organiser, à utiliser leurs talents pour gagner de l'argent. D'autres encore devaient apprendre à mieux parler ou écrire, à se vêtir correctement ou à repolir leurs manières en amour. Alors, je courais à leur secours. Je les aidais à comprendre leur situation. Je leur prodiguais mon amour, mon argent, mon énergie et mes conseils. Ma famille et mes amis m'exprimaient leur désaccord et me disaient que je perdais mon temps, mais ça ne m'a jamais arrêtée. Et, même si mon homme ne semblait pas s'améliorer, ou s'il avait du mal à accepter mon assistance, je ne cédais pas, parce que je croyais à mon engagement.

En rétrospective, je pense que, chaque fois, ce n'était pas une véritable relation amoureuse que je vivais, je travaillais à un projet. Et je n'étais pas vraiment tombée amoureuse d'un homme, j'avais adopté une cause.

———————— ✧✧✧ ————————
**Je n'aimais pas l'homme tel qu'il était,
j'aimais le potentiel que je voyais en lui.**
———————— ✧✧✧ ————————

Après des années de frustration, de maux de tête et de déceptions, je me suis réveillée un jour pour m'apercevoir que j'avais atteint la trentaine, sans avoir encore réalisé les objectifs que je m'étais fixés dans ma carrière.

C'est alors que je me suis dit : «Barbara, si tu avais consacré à ta propre cause et à ta propre vie la moitié de l'énergie, de la créativité et du dévouement que tu as consacrés à aider les hommes à réaliser leur potentiel, qui sait jusqu'à quel point tu aurais pu atteindre le succès et la satisfaction?»

C'est exactement ce que j'ai commencé à faire et vous en constatez présentement le résultat en lisant ce livre.

COMMENT NOUS TOMBONS AMOUREUSES
DU POTENTIEL D'UN HOMME

1- Nous partons en mission émotionnelle, à la recherche d'hommes incapables de s'aider eux-mêmes, pour essayer de les secourir.

Un jour, j'ai reçu dans mon bureau une agente d'immeuble de 32 ans, Aline, et en cours de conversation je me suis aperçue que son problème découlait, non pas de sa profession dans l'immeuble, mais de son autre occupation à plein temps, celle de prendre soin de son ami Hubert. Aline vivait avec ce comédien de 37 ans depuis trois ans. «J'aime beaucoup Hubert, dit-elle, il a vécu une enfance malheureuse, puis un premier mariage désastreux, et quand je l'ai rencontré, il souffrait d'insécurité et se livrait à des abus de toutes sortes. Il fumait beaucoup et usait de cocaïne. Je l'ai fait cesser, ce qui était très bien. Maintenant, je l'aide à se fixer des objectifs bien définis et à respecter un cheminement progressif. Je sais que vous allez me trouver folle de rester avec lui, mais je suis sûre qu'il peut vraiment réussir, je le sens.»

Aline croyait en son Hubert bien plus qu'il ne croyait en lui-même. Elle aimait le potentiel qu'elle voyait en lui, et non l'homme qu'elle regardait vivre jour après jour. Quelque part dans son esprit, Aline avait conclu qu'elle réussirait sa vie seulement quand Hubert serait sur la bonne voie. Alors, peu importe ses succès en carrière, elle se sentait ratée tant que le progrès d'Hubert ne correspondait pas à ses plans.

2- Nous trouvons des hommes qui ne nous aiment pas, qui nous traitent mal, et nous nous entêtons à essayer de leur faire donner tout ce que nous croyons avoir trouvé de bon en eux.

Un exemple parfait de cette erreur numéro 3 c'est celui d'Érika, 45 ans, mariée depuis dix-neuf ans à Julien, et malheureuse depuis ce temps. «Je ne suis pas seulement tombée amoureuse du potentiel de Julien, je l'ai marié!» admit-elle en pleurant. «Il n'a jamais été un homme affectueux ou attentif, il est émotivement bloqué et très critique. Mais à l'intérieur de lui se cache un petit garçon doux, apeuré, qui se laisse voir de temps en temps et qui ne demande qu'à être aimé. Quand nous nous fréquentions, j'entrevoyais des parcelles de cet être fragile et je m'effondrais devant lui. Je me souviens du soir où il m'a demandée en mariage. Pour la première fois depuis que je le connaissais il a fondu en larmes. J'ai compris qu'il avait des problèmes mais je me suis dit : «Si j'arrive à l'aimer suffisamment, il va s'épanouir.» Mes parents s'opposaient à notre mariage, mais je leur ai dit qu'ils ne connaissaient pas Julien comme je le connaissais.»

«Eh bien, dix-neuf ans et trois enfants plus tard, Julien n'a pas changé d'un brin. J'ai vécu toutes ces années de mariage sans jamais être aimée ou appréciée, et je n'en peux plus! Je l'aime encore, et je vois encore en lui ce côté caché qui m'attire, mais j'ai enfin compris qu'il ne changera pas. Je sais que j'ai raison de le laisser, mais je sens encore, d'une certaine manière, que si je l'avais aimé encore plus, ou si je l'avais aidé davantage, il aurait peut-être fini par se révéler.

Érika a passé une grande partie de sa vie à espérer voir poindre la personnalité cachée de Julien, au lieu d'accepter ce qu'elle savait être la réalité : qu'il ne contribuait pas grand-chose à leur relation. Je peux comprendre comment Érika se sentait, parce que j'ai fait exactement la même chose dans l'une de mes relations de couple. J'ai passé plusieurs années avec un homme que j'aimais beaucoup, qui non seulement ne réalisait pas son propre potentiel, mais qui n'était pas tout à fait honnête avec moi. Lui aussi retenait cet ultime dix pour cent d'abandon émotionnel et d'engagement personnel qui étaient essentiels à notre relation. Et je m'étais alignée sur la faillite parce que, moi aussi, je pensais comme Érika.

Si je l'aime assez, il va changer.

EN VÉRITÉ, SI UN HOMME S'AIME ASSEZ LUI-MÊME, IL VA CHANGER!

Souvent, les femmes qui tombent amoureuses du potentiel d'un homme se sentent inadéquates. Elles pensent qu'elles doivent être performantes pour être aimées. Nous choisissons des hommes qui présentent un défi émotionnel, puis nous travaillons à les aimer, en dépit de ce qu'ils sont. Ensuite nous pouvons dire : «Regardez comme je suis patiente, aimante, tolérante et compatissante. Je dois mériter d'être aimée alors, non?»

J'ai fini par apprendre que :

Pour vivre une relation saine avec un homme, il faut l'aimer pour ce qu'il est maintenant, et non pas en dépit de ce qu'il est aujourd'hui, ou dans l'espoir de ce qu'il pourrait être dans le futur.

POURQUOI UNE FEMME TOMBE AMOUREUSE
DU POTENTIEL D'UN HOMME

a) En assumant la responsabilité du sort d'une autre personne, nous évitons de prendre soin de nos propres obligations, et de faire face à notre propre avenir.

b) La démonstration de nos capacités d'aimer, d'aider et d'endurer nous rend fière de nous-même.

c) Notre perfection en prend pour son rhume, et nous nous punissons nous-même, lorsque notre homme n'atteint pas le niveau de succès visé.

d) Comme femme, nous avons tendance à améliorer les gens et les choses. Nous aimons transformer une maison, une chevelure ou n'importe quoi. Ainsi se manifeste l'impulsion créatrice que la nature a mise en nous. Il nous est donc bien difficile de résister à cette envie naturelle de transformer ce que nous aimons, particulièrement un homme...

COMMENT SAVOIR SI VOUS AVEZ UNE ÂME DE SECOURISTE ÉMOTIONNELLE

Voici quelques signes évidents que vous êtes susceptible de faire l'erreur numéro 3 :

a) vous vous dites que votre homme a encore besoin d'un petit peu plus de temps pour se réformer, et vous vous le répétez de mois en mois;

b) vous vous dites que personne n'a encore assez aimé cet homme pour l'amener à se réformer, et que vous êtes la personne qui peut le faire;

c) vous croyez que personne d'autre ne comprend votre homme comme vous, que vous seule connaissez la vraie personne qui se cache en lui, et vous dites à qui vous en parle : «Vous ne le connaissez pas comme moi!»;

d) vous offrez des excuses aux parents et amis qui vous font part que votre homme vous traite mal, qu'il se conduit mal, ou qu'il ne réussit pas;

e) vous croyez ne pas pouvoir laisser tomber cet homme, parce que cela renforcerait les sentiments d'impuissance et de rejet qui l'empêchent de changer;

f) bien que votre homme ne vous livre jamais la personnalité cachée que vous aimez en lui, vous vous convainquez que ce qu'il vous apporte justifie encore la poursuite de votre relation.

LA SOLUTION

COMMENT ÉVITER DE TOMBER AMOUREUSE DU POTENTIEL D'UN HOMME

Pour aider à vous guérir de ce «secourisme émotionnel» compulsif, permettez-moi quelques suggestions pratiques.

1- Mettez toutes vos énergies positives au service de votre propre vie, de votre propre carrière, et non de votre homme.

Dressez une liste de vos rêves, de vos aspirations, et un plan concret pour leur réalisation. Suivez fidèlement votre plan et n'y dérogez pour rien ni personne. Cela veut dire que si vous avez à choisir entre assister à une réunion d'affaires, qui peut améliorer votre sort, et aider votre homme à déménager ou placer son appartement, vous allez à votre réunion! Déterminez ce qui importe pour vous dans la vie, avant même d'entamer une nouvelle relation amoureuse, et ne changez plus vos priorités.

2- Dressez une liste des choses de votre propre vie que vos activités à secourir les hommes vous permettent d'éviter.

La plupart du temps vous n'êtes pas consciente de toutes les émotions, de tous les défis, de toutes les satisfactions personnelles que vous avez sacrifiées, parce que vous avez volé au secours de votre homme, ou des hommes. Une liste vous aiderait à en réaliser le nombre et l'importance.

3- Trouvez un homme qui s'assume lui-même, qui prend ses propres responsabilités, pour ne pas devoir tout porter sur vos épaules.

Il n'y a pas de mal à supporter l'homme que vous aimez dans sa croissance personnelle, ou à l'aider à réussir les changements qu'il désire apporter lui-même, dans sa personne ou dans sa vie. Quand deux personnes s'aiment réellement, elles travaillent ensemble, en équipe, à développer leur potentiel individuel. Mais quand vous aidez votre homme à s'épanouir, il faut qu'il mette au moins autant d'efforts que vous à le faire.

Je vous suggère de demander à votre homme, en tout début de relation, quelles sont ses aspirations personnelles et professionnelles, et comment il entend les réaliser. Vous pourriez découvrir qu'il n'a pas, pour lui-même, les mêmes ambitions, le même désir d'expression émotionnelle, que vous avez pour lui, et vous saurez tout de suite qu'il n'est pas pour vous. S'il désire s'améliorer, dans le même sens que vous aimeriez le voir s'améliorer, offrez-lui votre amour et votre support, et accordez-lui un peu de temps. Vous ferez le point sur la situation dans quelques mois, avant de poursuivre la relation. Si vous ne percevez pas le changement que vous espériez, parlez-en avec lui et cherchez la cause, en vous rappelant toujours que

—————— ✧✧✧ ——————
Les actions parlent plus fort que les paroles.
—————— ✧✧✧ ——————

Erreur numéro **4**

LES FEMMES CAMOUFLENT LEUR COMPÉTENCE ET LEUR EXCELLENCE

Avez-vous la mauvaise habitude de vous abaisser devant l'homme que vous aimez?

Avez-vous de la difficulté à accepter les compliments?

Avez-vous des talents et des qualités que votre partenaire ne connaît pas?

La plupart des femmes ont tellement de facilité à commettre l'erreur numéro 4, qu'elles ne s'en rendent même pas compte. Nous camouflons notre intelligence, nos réalisations et nos capacités, pour ne pas être perçues comme une menace par l'homme de notre vie, et pour faire en sorte qu'il se sente bien avec nous. Et nous faisons cela de plusieurs façons.

1- Nous nous déprécions en parlant, utilisant des termes peu flatteurs, nous blâmant pour la moindre erreur, et projetant une bien piètre opinion de nous-mêmes.

«Ah que je suis stupide d'avoir oublié votre réunion d'affaires. Des fois je me demande si je suis capable de me rappeler quoi que ce soit.»

«Mon patron dit que mon rapport est intéressant, mais je pense que je n'ai pas fait un très bon travail. J'étais plutôt mêlée dans les projections financières, et je ne savais pas vraiment de quoi je parlais.»

61

«J'ai tellement engraissé que ça m'écoeure. Regardez-moi donc la cellulite!»

2- Nous contredisons les hommes qui tentent de nous complimenter, et nous faisons tout pour atténuer quelque impression positive qu'ils puissent avoir de nous.

«Comment, tu aimes cette robe-là? Bah! je l'ai depuis deux ans puis je pense qu'elle ne me va pas très bien, mais il faut que j'use mon linge. Merci quand même.»

«Bien non, ça n'a pas été si difficile que ça d'organiser la réception pour ton anniversaire. Je veux dire, c'était rien du tout, ça n'a pas pris de temps, et puis j'ai eu de l'aide. T'as pas besoin de me complimenter pour ça.»

«Vous avez aimé ma présentation? Bien, en réalité, j'ai fait ça à la course parce que je suis passée la dernière et que je n'étais pas certaine que ce serait bien reçu. Je pense que tout le monde était bien soulagé que la réunion se termine, et c'est pour ça qu'on m'a applaudie si longtemps.»

3- Nous cachons nos talents et nos réalisations à nos hommes.

Sandra commettait l'erreur numéro 4 tout naturellement. Mariée à Gilles depuis sept ans, elle avait acquis une expertise dans l'art de paraître moins intelligente et moins talentueuse que lui. Elle me dit d'une voix douce : «Je suppose que vous pouvez dire que je me suis toujours dépréciée pour lui, depuis que je l'ai rencontré.» Elle minimisait encore la vérité, car elle n'avait même jamais avoué à Gilles qu'elle avait remporté les plus grands honneurs à l'université, et qu'on lui avait accordé une bourse prestigieuse pour parfaire ses études. Il ne savait pas non plus qu'elle parlait plusieurs langues, et qu'un poste intéressant à l'étranger lui avait été offert avant qu'ils se connaissent. Sandra avait omis de dire ces choses à Gilles parce que, comme elle le disait, «ce n'est plus très important maintenant».

Hélène, 37 ans, et son mari, André, 39 ans, formaient un couple à deux carrières. Il était conseiller en placement dans une importante firme de courtage, et elle était agente de relations publiques pour un manufacturier de vêtements. Ils sont venus me consulter parce qu'ils connaissaient certaines difficultés dans leur mariage. «Je ne trouve pas qu'André m'apprécie comme il devrait, dit Hélène, je travaille aussi fort que lui mais nous discutons toujours de ses problèmes à lui, et pas des miens.»

«C'est vrai qu'on passe plus de temps à parler de mon travail, mais je suppose que c'est parce que mes fonctions sont plus complexes que les tiennes», répondit André. Hélène bondit en entendant André dire que son travail à lui était le plus important des deux.

Après avoir conversé un temps avec Hélène et André, j'ai fini par déceler la cause du problème. Hélène commettait l'erreur numéro 4 constamment. Elle dissimulait ses réussites, et diminuait l'importance de son travail, pour qu'André se sente plus important. Bien sûr qu'elle ne le faisait pas consciemment, c'était un réflexe qu'elle avait développé dans son enfance. Comme grande soeur talentueuse d'un frère plus jeune, ses parents lui répétaient toujours : «Écoute, Hélène, il ne faut pas te vanter à Jonathan de tes succès scolaires, tu sais comme il a de la misère à l'école.»

Bien obéissante, Hélène adopta ce genre de conduite avec son petit frère, et poursuivit tout naturellement cette habitude ensuite avec son mari. Elle ne lui parlait jamais des clients importants qu'elle était appelée à rencontrer, elle ne discutait jamais de l'admiration que lui vouaient ses pairs, et elle ne partageait presque jamais ses objectifs et ses rêves avec lui. «Pas étonnant que je trouve qu'André ne m'apprécie pas», conclut Hélène après que je lui eus parlé de l'erreur numéro 4. «Je ne me suis pas appréciée moi-même. Et comment peut-il savoir que j'ai tant de valeur, si je le lui cache?»

Nous sommes des millions d'Hélène, des femmes talentueuses, compétentes et actives qui ne savent pas comment partager l'appréciation juste de leur valeur et de leurs talents avec leur André, l'homme qu'elles aiment.

POURQUOI NOUS CACHONS NOTRE COMPÉTENCE ET NOTRE EXCELLENCE

Nous dissimulons notre valeur et nos talents, parce que nous pensons que les hommes nous aimeront mieux.

Comme jeune fille, vous a-t-on déjà dit des choses comme ceci?

«Au jeu, si tu laisses le garçon gagner il t'aimera davantage.»

«Ne te montre pas trop brillante devant les hommes si tu veux qu'ils t'invitent à sortir. Tu dois faire en sorte qu'ils se sentent plus intelligents que toi.»

───────── ✧✧✧ ─────────
Comme femmes, nous avons appris à faire en sorte que nos hommes paraissent et se sentent plus intelligents, et meilleurs que nous, pour nous assurer qu'ils nous aiment.
───────── ✧✧✧ ─────────

En entamant une relation avec un homme, nous nous disons que si nous paraissons trop bien pour lui, il ne voudra pas de nous. Alors nous mettons beaucoup d'efforts à nous faire moins bien paraître nous-même, et à le faire mieux paraître, lui.

Nous cachons notre compétence et notre excellence, parce que nous avons peur de paraître vaniteuses ou arrogantes.

Vous a-t-on jamais donné des conseils comme ceux-ci?

«Bon! Suzanne, je suis bien contente des notes de ton bulletin, mais il ne faudrait pas le dire à tout le monde. Ce n'est pas bien de se vanter, et une jeune fille doit toujours être modeste.»

«Ginette, arrête de te regarder dans le miroir comme ça! Une vraie femme ne doit pas être vaniteuse, et les jeunes filles orgueilleuses ne sont pas populaires.»

Alors que je commençais mon secondaire, ma mère m'a dit que, plus j'atteindrais le succès et la popularité, plus on serait jaloux de moi, et moins j'aurais d'amis, et que je devais prendre soin de ne pas intimider les gens avec mon talent. Comme toutes les mères, elle était bien intentionnée, et je ne peux nier que j'ai vu des réactions de ce genre dans ma vie. Elle ne faisait que me transmettre la philosophie traditionnelle que sa mère lui avait enseignée, et que la plupart d'entre nous ont reçue dans leurs années de croissance : qu'une femme ne devrait pas trop bien paraître, parce que ce n'est ni féminin ni attrayant.

———————— ✧✧✧ ————————
Les femme cachent leur splendeur
pour montrer qu'elles sont «bonnes filles».
———————— ✧✧✧ ————————

POURQUOI ÇA NE MARCHE PAS DE CAMOUFLER SA COMPÉTENCE

1- Vous tuez la passion en dissimulant votre compétence.

Lorsque nous minimisons nos succès et cachons notre excellence, nous pensons nous rendre moins menaçantes et plus attrayantes pour l'homme que nous aimons mais, en réalité, c'est le contraire qui se produit.

———————— ✧✧✧ ————————
C'est la compétence qui attire les hommes,
alors que la médiocrité les repousse.
———————— ✧✧✧ ————————

Les hommes aiment les femmes compétentes. Ils sont entraînés à la compétence eux-mêmes, et elle les attire chez les autres. Dans ma recherche pour ce livre, j'ai interrogé des centaines d'hommes, et presque tous m'ont dit être attirés par les femmes qui paraissent sûres d'elles-mêmes. Ils respectent ces femmes, et les prennent davantage au sérieux.

Le paradoxe, c'est que les femmes croient qu'en cachant leur valeur, et en paraissant humbles, les hommes les aimeront davantage, alors que c'est justement ce comportement qui tue la passion dans leur relation.

3- À force de cacher votre compétence aux hommes, vous finirez par ne plus la voir vous-même.

Le dicton «loin des yeux, loin du coeur» peut s'appliquer à cette erreur numéro 4. Plus vous cachez vos réalisations et vos qualités à votre homme, moins vous en êtes consciente vous-même, et moins vous avez d'importance, pour lui comme pour vous-même. De plus, moins vous lui donnez de raisons tangibles de vous aimer, plus il est susceptible de vous ignorer, de vous oublier même!

LA SOLUTION : COMMENT CESSER DE CAMOUFLER
VOTRE COMPÉTENCE

1- Dressez une liste de vos qualités, de vos capacités, de vos qualifications et de vos réalisations, et examinez cette liste avec votre partenaire.

J'ai fait cette suggestion aux femmes dans mes séminaires et on m'a rapporté certains résultats extraordinaires qui en ont découlé. Beaucoup de femmes m'ont dit que le seul fait d'écrire ainsi leurs qualités et leurs succès leur avait rappelé des choses qu'elles avaient complètement oubliées, et qu'elles n'avaient naturellement jamais fait savoir à leur compagnon. Pour leur part, les hommes se sont dits surpris et enchantés d'avoir découvert de nouvelles raisons d'admirer et d'aimer leurs partenaires.

2- Compensez chaque refus de compliment, chaque minimisation de vos talents ou de vos succès, par une glorification de votre valeur ou de votre splendeur.

Observez-vous. Vous serez surprise de constater combien de fois vous commettez cette erreur numéro 4, et comment cela est devenu une habitude totalement inconsciente. Chaque fois que vous vous surprendrez à le faire, changez cette habitude de vous diminuer pour une franche reconnaissance des faits. La prochaine fois qu'un homme vous fera un compliment, retenez la réponse instinctive que vous aviez l'habitude de donner, prenez une grande respiration, et dites-lui : «Merci beaucoup!» Ne ratez pas une occasion de constater votre valeur et vos mérites, parlez-en très honnêtement avec vos proches, votre partenaire surtout, mais sans jamais vous vanter naturellement, et tant pis pour la modestie!

3- Recherchez un homme qui ne prend pas ombrage de vous.

Nous savons toutes que beaucoup d'hommes, pour toutes sortes de raisons, n'aiment pas être avec une femme qui paraît trop confiante ou puissante. Il est impossible pour vous de briller aux côtés d'un homme qui n'aime pas vous voir rayonner. Choisissez plutôt un partenaire qui accepte de vous aider à vous épanouir, et qui sera fier de vous voir atteindre les sommets visés.

Erreur numéro **5**

LES FEMMES CÈDENT LEUR POUVOIR AUX HOMMES

Je le déplore, mais je dois le dire, cette phrase «les femmes cèdent leur pouvoir aux hommes» est redondante pour beaucoup d'entre nous. Comme nous l'avons vu jusqu'ici, le rôle de la femme à travers l'histoire a toujours été de céder son pouvoir à l'homme. Alors, il s'agit beaucoup plus d'un malheureux fait accompli que d'une erreur véritable. Croyez-moi, je vous parle d'expérience. Vous verrez qu'en découvrant comment vous cédez votre pouvoir aux hommes, et en apprenant comment cesser de le faire, vous franchirez l'une des plus importantes étapes conduisant à l'établissement de saines relations amoureuses.

J'ai un nom pour celles qui donnent ainsi leur pouvoir à un homme, en espérant qu'il les aime davantage, je les appelle des «martyres d'amour». Une martyre, c'est une personne qui se sacrifie volontairement pour une cause. En ce qui nous concerne nous, les femmes, nous sacrifions souvent notre amour-propre, notre dignité personnelle, notre intégrité et notre fierté, dans le but de gagner l'amour d'un homme.

ÊTES-VOUS UNE MARTYRE D'AMOUR?

Voici un test qui vous aidera à mesurer le degré que vous avez atteint, comme martyre d'amour. Vous y trouverez les dix signes d'alarme du tableau-indicateur de la martyre d'amour. Vous avez le choix de baser vos réponses sur votre relation actuelle, une relation passée, ou vos relations avec les hommes en général.

Répondez par l'un des termes ci-après, et comptez les points qui correspondent au terme choisi parmi :

(a)	très fréquemment	= 0 point
(b)	souvent	= 4 points
(c)	occasionnellement	= 8 points
(d)	rarement ou jamais	= 10 points

Donnez votre perception honnête de la situation. Vous pourriez trouver pénible de vous faire certaines admissions à vous-même, mais, pour corriger une quelconque situation, il faut d'abord en prendre conscience et y faire face.

Les dix signaux d'alarme d'une martyre d'amour

1- Vous devez porter des gants blancs, pour ne pas fâcher votre partenaire ou lui déplaire.

(a)   (b)   (c)   (d)

2- Votre partenaire ne vous donne pas toujours le respect que vous méritez.

(a)   (b)   (c)   (d)

3- Vous êtes plus à l'aise, plus confiante, au travail ou avec des amis, qu'en présence de votre partenaire.

(a)   (b)   (c)   (d)

4- Vous êtes nerveuse et inquiète d'exprimer votre désaccord, ou d'apporter des informations déplaisantes à votre partenaire.

(a)   (b)   (c)   (d)

5- Vous avez peur d'exprimer vos besoins ou vos désirs à votre partenaire, et vous vous demandez si vous n'êtes pas trop exigeante ou insécure.

(a)   (b)   (c)   (d)

6- Trouvez-vous que votre partenaire vous traite moins bien que vous le traitez vous-même?

(a)   (b)   (c)   (d)

7- Lorsque votre partenaire est plutôt froid, vous vous montrez plus chaleureuse pour tenter de gagner son affection.

(a)   (b)   (c)   (d)

8- Vous pensez devoir travailler à mériter l'affection, l'amour, l'égalité ou la liberté, auprès de votre partenaire.

(a)   (b)   (c)   (d)

9- Vous devez défendre ou apporter des excuses pour la conduite de votre partenaire, ou pour votre situation.

(a)   (b)   (c)   (d)

10- Vous vous en voulez de ne pas pouvoir résister à un homme et, même si vous vous promettez de réagir, vous vous laissez traiter encore moins bien que vous ne le méritez.

(a)   (b)   (c)   (d)

Maintenant, additionnez vos points et évaluez votre situation d'après les explications qui suivent.

De 80 à 100 points

Félicitations! Vous préservez votre propre pouvoir avec les hommes de votre vie, et vous ne sacrifiez pas votre personnalité pour être aimée. Pour éviter tout problème futur, appliquez-vous quand même à consolider les domaines où vous avez compté moins de points.

De 60 à 79 points

Vous n'êtes pas une martyre d'amour à cent pour cent, mais vous sacrifiez encore trop souvent votre pouvoir aux hommes, en certains domaines de vos relations. Remarquez comme vous vous empêchez de demander ce qu'il vous faut à votre partenaire, par crainte de désapprobation ou de rupture. Essayez de vous aimer davantage, et appliquez-vous à réduire la compromission.

De 40 à 59 points

Attention! Même si vous n'aimez pas l'admettre, vous êtes une victime plutôt facile dans vos relations avec les hommes. Vous permettez qu'on abuse de vous, et vous ne savez pas vous défendre. Vous êtes tellement ancrée dans le sacrifice d'amour, que vous n'êtes plus jamais à l'aise avec un homme. En suivant attentivement les conseils de ce chapitre, commencez donc à vous accorder un peu de l'amour que vous donnez si facilement aux hommes.

De 0 à 39 points

Votre cas est grave, vous êtes une vraie martyre d'amour professionnelle! On peut conclure que vous avez perdu tout respect de vous-même, en voyant comme vous vous laissez maltraiter par vos hommes. Tant que vous n'aurez pas commencé à vous aimer vous-même, vous perdrez votre temps à espérer qu'on vous aime. Il est temps de vous relever, de cesser de faire le tapis, et d'agir en vraie femme. Mais ça presse! Vous devez le faire maintenant! Suivez les conseils de ce livre, soumettez-vous à une thérapie appropriée, et arrêtez vite de vous sacrifier, pour recommencer à vivre dans la dignité au plus tôt.

COMMENT NOUS SACRIFIONS NOTRE DIGNITÉ DE FEMME

Pour savoir si vous le faites, demandez-vous si :

- vous vous laissez traiter comme vous n'aimeriez pas qu'un homme traite votre fille;

- vous ne vous défendez pas quand vous devriez le faire;

- vous vivez dans la crainte de la désapprobation ou des critiques de votre partenaire;

- vous vous contentez de moins d'amour ou d'attention, que vous êtes consciente d'en mériter.

———————— ✧✧✧ ————————

Vous perdez un peu d'amour, et de respect de vous-même, chaque fois que vous concédez du pouvoir à un homme, en le laissant vous maltraiter.

———————— ✧✧✧ ————————

Voici ce qui se passe dans ce que j'appelle un cercle négatif d'estime de soi. Vous permettez à un homme de vous maltraiter, de vous crier toutes sortes de noms, de ne pas vous réconforter lorsque vous en avez besoin, de faire une crise d'enfant lorsque vous essayez de discuter sérieusement de votre situation, ou de se montrer insensible à vos sentiments. Vous êtes incapable de vous défendre, ce qui vous dérange, vous déprime et vous laisse avec une très mauvaise opinion de vous-même. Lorsque vous avez une mauvaise opinion de vous-même votre confiance en vous diminue. Et plus votre confiance en vous-même est basse et moins il vous reste de courage pour résister aux prochains abus de votre homme. Puis, le cycle recommence, à l'infini, selon le tableau suivant :

a)   votre homme vous maltraite;

b)   vous lui cédez du pouvoir en le tolérant;

c)   vous êtes déçue de vous-même;

d)   votre confiance en vous diminue;

e)   vous êtes de moins en moins capable de résister à ses mauvais traitements.

Il n'y a évidemment qu'une façon de briser ce cercle vicieux. Il faut se tenir debout et maintenir sa dignité, quoi qu'il arrive. Ne vous laissez plus jamais traiter avec moins de respect, moins d'amour que vous en méritez, et vous réussirez à renverser la vapeur. Vous serez fière de vous, et vous rebâtirez votre confiance. Et quand vous serez traitée dignement, vous connaîtrez à nouveau le bonheur d'être aimée pour vous-même, d'être en pleine possession de vos moyens, et d'avoir compris qu'il ne faut jamais céder son pouvoir aux hommes, dans le but de tenter de se faire aimer.

VOUS ÊTES-VOUS HABITUÉE À VOS MAUVAIS TRAITEMENTS?

Avez-vous acheté une voiture neuve pour réaliser, en la conduisant pour la première fois, comment votre ancienne auto était difficile à conduire?

Avez-vous déménagé pour réaliser, seulement après, comment vous étiez à l'étroit dans votre ancienne demeure?

Avez-vous déjà réalisé l'inconfort de vos vieux souliers, en chaussant une paire de chaussures neuves?

Se pourrait-il que vous ayez cédé votre pouvoir aux hommes, que vous vous soyez soumise à leurs mauvais traitements, seulement parce que vous aviez développé l'habitude d'être maltraitée?

Avez-vous remarqué comme nous nous accommodons souvent du confort relatif d'une situation, quand celle-ci est devenue une habitude? Nous ne réalisons notre malaise que quand nous en sommes sorties, quand nous avons changé l'ancienne situation pour une nouvelle. On dirait que ça nous tombe dessus tout d'un coup (la différence entre deux paires de souliers, deux logements, deux automobiles ou deux relations amoureuses), et qu'à ce moment-là seulement nous admettons que nous étions mal à l'aise avant de changer.

———————— ✧✧✧ ————————
**Comme femmes, nous sommes capables de nous
habituer aux mauvais traitements, au manque
de respect et de dignité, à tel point que
nous en arrivons à permettre aux hommes de
nous aimer moins que nous le méritons.**
———————— ✧✧✧ ————————

Jusqu'à tout récemment, je cédais mon pouvoir à tous les hommes que j'aimais. J'ai permis qu'on ne m'apprécie pas. J'ai toléré des traitements que j'aurais conseillé à n'importe laquelle de mes patientes de ne pas tolérer de la part de son homme. J'ai sacrifié mes besoins et mes désirs pour accommoder mon partenaire. J'ai vécu dans une constante crainte de désapprobation.

Est-ce que j'avais conscience d'être une martyre d'amour? Non! J'aurais juré que j'agissais en femme confiante, assurée, en possession de tous ses moyens et de tout son pouvoir. En vérité, je m'étais tellement installée confortablement dans l'habitude de céder mon pouvoir, que je ne savais même pas que je le faisais.

73

Est-ce que je peux blâmer les hommes que j'ai aimés? Pas du tout! Je ne me suis pas aimée suffisamment moi-même, et ils n'ont eu qu'à suivre mon exemple, c'est tout!

Pour la première fois de ma vie, je suis en train d'apprendre maintenant à conserver ma dignité dans mes relations amoureuses, et ce n'est pas facile! Cette vieille habitude d'être une martyre d'amour cherche à remonter à la surface, et à m'inciter à tout sacrifier par amour, comme avant. Cependant, à l'aide des techniques indiquées dans ce livre, avec le support de mes amies et l'encouragement de l'homme de ma vie, qui lui aussi veut me voir conserver mon pouvoir (et qui déteste me voir m'écraser), je suis en train de devenir la même femme forte et épanouie en amour, que celle que j'ai tant travaillé à devenir dans ma carrière.

LA «PETITE BREBIS» DEVIENT «VACHE»
LES FEMMES COMMENCENT PAR CHOUCHOUTER
LES HOMMES PUIS SE RETOURNENT CONTRE EUX

Après neuf mois de fréquentation, Louis, 36 ans, et Linda, 32 ans, sont venus me consulter. «Linda est en train de me rendre fou, me dit Louis en arrivant. Quand je l'ai rencontrée, j'ai cru qu'elle était gentille et aimante, en plein le genre de femme avec qui je rêvais de passer ma vie. Mais après deux ou trois mois, elle a complètement changé, elle est devenue agressive, sarcastique, parfois même indifférente. J'ai essayé de lui en parler, mais elle me dit seulement qu'elle est comme ça, et que je ne dois pas essayer de la changer. Je n'aime pas dire ça mais, je pense qu'elle est devenue pas mal «vache» avec moi.» Pendant que Louis me racontait sa version des faits, Linda était assise sur le fauteuil avec un air sévère qui me fit comprendre que je n'arriverais pas à lui tirer quoi que ce soit en présence de Louis, alors je demandai à ce dernier de sortir.

«Parlez-moi de vous, Linda, lui dis-je. Quelles sortes de relations avez-vous eues avant Louis?»

«J'ai été fiancée à un gars pendant deux ans, lorsque j'avais vingt-neuf ans, dit-elle, j'étais folle de lui et j'aurais fait n'importe quoi pour lui faire plaisir. En fait, c'est comme ça que je suis venue en Californie. Lorsqu'il a été transféré ici, j'ai dû quitter mon emploi, et le Texas aussi. Il avait sept ans de plus que moi, et je le mettais sur un piédestal.»

Je voyais qu'en parlant de son ex-fiancé Linda avait les larmes aux yeux, et je lui ai demandé gentiment : «Comment en êtes-vous venus à vous séparer?»

«J'ai été tellement stupide, dit-elle, il ne m'a jamais bien traitée, mais j'acceptais tout. Il m'a fait manger tellement de merde, et puis il remettait toujours la date de notre mariage. Un jour, je suis revenue plus tôt du travail, et je l'ai trouvé au lit avec une secrétaire de son bureau. Savez-vous qu'il a même essayé de me convaincre que d'avoir fait l'amour avec elle ne voulait rien dire, et qu'il n'était pas nécessaire de rompre nos fiançailles pour ça?»

Linda fondit en larmes dans mes bras, et j'avais compris la nature de sa relation avec Louis. Elle avait pendant longtemps cédé son pouvoir à son fiancé par amour, et cela lui avait fait si mal par la suite, qu'elle avait inconsciemment décidé d'adopter un comportement totalement opposé, afin qu'aucun homme ne puisse jamais lui faire autant de mal. D'une minoucheuse soumise elle était devenue «vache». Après avoir traité aux petits oignons son fiancé antérieur, elle s'était révoltée contre Louis avec qui elle était devenue très dure. Pas surprenant que Louis n'arrivait pas à comprendre ce changement de personnalité chez Linda.

Beaucoup de femmes connaissent un tel changement dans leur vie. Après avoir vécu une relation dans laquelle elles ont tout donné, incluant leur pouvoir, et dans laquelle elles ont agi en «petite brebis», elles se jurent de ne plus jamais avoir ce genre de comportement, et elles expriment leur révolte en devenant «vache» avec le prochain homme dont elles tombent amoureuses. Ensuite, quand elles s'aperçoivent que cela ne marche pas, elles redeviennent «petite brebis», et le cycle recommence.

Dans une variante du même problème, la femme passe de «petite brebis» à «vache», et vice versa, au cours d'une même relation amoureuse. J'ai une amie qui exaspère son mari par un comportement semblable. Elle est chaleureuse et minoucheuse pendant une semaine, puis, s'en voulant d'avoir été si molle, elle devient dure, distante et froide la semaine suivante. Fatigué de ce comportement, son mari se fâche contre elle, tempête. Alors, elle se perd en excuses, et recommence à agir en «petite brebis», jusqu'à sa prochaine révolte.

Voilà le genre de comportement qui incite les hommes à utiliser envers les femmes des qualificatifs comme : imprévisibles, instables, capricieuses et exaspérantes. La solution consiste sans doute à trouver un juste milieu entre «petite brebis» et «vache», de vivre en accord avec ses propres valeurs, pour se libérer de ce terrible cycle soumission-rébellion.

LA SOLUTION : CESSER DE CÉDER VOTRE POUVOIR AUX HOMMES

Voici quelques suggestions pour éviter l'erreur numéro 5.

1- Cessez de récompenser les hommes qui vous maltraitent.

Véronique et son mari, David, viennent d'avoir un accrochage sérieux. Cela a commencé lorsque Véronique a demandé à David de l'aider à choisir un nouveau revêtement mural pour leur cuisine, et que David s'est montré totalement désintéressé. Plus Véronique insistait, plus David se fâchait, jusqu'à ce que, exaspéré, il la traitât de «maudite vache qui veut tout contrôler». Puis il sortit en claquant la porte.

Véronique est maintenant tout en larmes, étendue sur son lit, regrettant de ne pouvoir revenir dans le temps, avant la dispute. Elle entend David qui revient à la maison, qui se rend dans la salle de séjour et allume le téléviseur. Elle descend le retrouver, s'approche en silence et appuie la tête sur ses genoux, pleurnichant un peu pendant qu'il regarde son émission. Après quelques secondes, elle sent la main de

David lui caresser les cheveux et comprend qu'il n'est plus fâché.

Véronique tend alors les bras à David en disant : «Chéri, je suis contente que tu sois revenu, tu m'as manqué, tu sais, et je n'ai pas envie de me chicaner avec toi.»

«Moi non plus, je n'ai pas envie qu'on se chicane», dit David avec un soupir de soulagement. Ils s'embrassent, puis s'installent pour une soirée agréable.

Debout au milieu de leur appartement, Carole et son «chum» Éric se chicanent royalement. Éric vient d'apprendre à Carole qu'il a rendez-vous pour dîner avec une ex-amie de coeur qui ne sait rien de sa cohabitation avec Carole. Lorsqu'elle lui demande s'il a dit à son amie qu'il vivait avec elle, il répond qu'il ne l'a pas fait parce que cette fille est plutôt instable, émotivement, et qu'il ne veut pas lui faire de la peine.

Carole est furieuse parce qu'elle trouve qu'Éric n'a pas agi honnêtement en ne faisant pas état de leur relation. «Tu te soucies bien plus des sentiments de ton ex-petite amie que des miens, lui crie-t-elle en l'accusant. Si je compte pas plus que ça dans ta vie, au moins viens pas m'écoeurer avec tes petites amies!» Éric se met à crier, et, claquant la porte derrière lui, quitte pour le travail.

Toute la journée Carole est malheureuse, imaginant Éric et sa petite amie au dîner, et se rappelant comme il a été insensible envers elle ce matin. Avec les heures son angoisse augmente, et elle en arrive à craindre de perdre Éric. Elle sait qu'il rentrera tard ce soir, alors elle décide de lui préparer une surprise. Elle lui fait son gâteau favori, sort une bonne bouteille de vin et décore la table de chandelles. Dès qu'il se présente à 11 h 30, Carole l'accueille à la porte et lui saute au cou en disant : «Bienvenu, chéri, tu m'as manqué! Je ne voudrais jamais te perdre.» «Je ne veux pas te perdre non plus», répond Éric, soulagé que Carole soit de si bonne humeur. Et ils passent des heures délicieuses ensemble.

Qu'avez-vous ressenti en lisant ces deux récits? Avez-vous trouvé qu'ils se terminent bien? Pensez-vous que ces deux femmes savent comment bien traiter leur homme? Si oui, vous avez tort! Véronique et Carole pensaient peut-être qu'elles étaient compréhensives, aimantes et clémentes, mais elles ne sont que des martyres d'amour de la pire espèce. Elles récompensent l'homme qui les maltraite!

———————— ✧✧✧ ————————
L'une des pires erreurs des femmes envers les hommes, c'est de les récompenser pour leurs mauvais traitements.
———————— ✧✧✧ ————————

Comment fait-on cela? Nous embrassons et caressons un homme qui nous a dit des bêtises; nous ne répliquons pas à un homme qui nous crie après, puis nous nous excusons de l'avoir fait fâcher; nous faisons l'amour avec un homme qui nous a maltraitée, quelques instants ou quelques heures auparavant, et qui ne s'en est jamais excusé; nous minouchons un homme qui a tout fait pour nous faire de la peine, pour lui montrer que nous l'aimons toujours.

Quel message transmettons-nous aux hommes en agissant ainsi? Nous leur disons très clairement : «Tu peux me traiter comme tu veux, je vais t'aimer quand même. En fait, plus tu vas me maltraiter, plus je vais te craindre, et plus je vais t'aimer.»

Pour une situation équivalente qui peut vous aider à comprendre, imaginons que vous avez un petit chien, que vous découvrez en entrant à la maison que le petit chéri vous a laissé un «caca-cadeau» sur le beau divan blanc que vous venez d'acheter, et que vous vous empressez d'aller à la cuisine lui chercher un bon biscuit pour le récompenser. Voilà ce que signifie embrasser un homme qui vient de vous faire du mal.

Les spécialistes de l'entraînement animal insistent sur l'importance de discipliner son chien, de lui mettre le nez dans son «caca» et de lui donner une tape sur le museau avec un journal, par exemple, pour qu'il comprenne votre déplaisir. C'est ainsi que vous lui dites : «Ne fais plus «pou-pou» sur le divan, sinon...!» Non, je ne suggère pas que, la prochaine fois que votre homme aura mal agi, vous le tapiez avec un journal, mais je dis qu'en le récompensant pour sa mauvaise conduite vous lui transmettez le mauvais message et l'encouragez à recommencer.

QUOI FAIRE QUAND UN HOMME VOUS TRAITE D'UNE FAÇON INACCEPTABLE?

1- dites-lui comment sa conduite vous a blessée et fâchée;

2- attendez qu'il vous dise qu'il comprend vos sentiments, et qu'il s'excuse de sa conduite;

3- convenez d'une façon d'agir, pour la prochaine fois qu'une situation semblable se présentera;

4- et alors seulement, réconciliez-vous et embrassez-vous!

2- Dressez deux listes séparées, indiquant comment vous cédez votre pouvoir...

a)   aux hommes en général
b)   dans une relation personnelle

Il est important d'écrire ces informations. Le fait d'expliquer sur papier comment vous agissez en tant que martyre d'amour vous rend plus consciente de vos agissements et devient un premier pas vers le changement qui s'impose. Et pour mieux vous engager dans la réforme, confiez une copie de vos listes à une amie intime qui peut en discuter avec vous, et vous encourager à ne plus jamais céder votre pouvoir aux hommes.

3- Établissez une série de règles qui vous indiquent quels comportements adopter, et lesquels éviter, dans vos relations futures avec un homme.

Je vous expliquerai davantage comment vous faire un code de conduite dans le dernier chapitre de ce livre.

4- Maintenez votre dignité.

J'aime tellement cette petite phrase. Je l'écris sur des bouts de papier que je place un peu partout, pour me rappeler qui je suis vraiment. Quelquefois, lorsque je me retrouve en flagrant délit de «martyre d'amour», je ferme les yeux, et je médite pendant quelques instants sur cette phrase et sur tout ce qu'elle signifie. Cela me ramène toujours à un juste milieu, dans le maintien du respect de moi-même. Vous aussi ressentirez ce que cette phrase signifie pour vous, et comme il est important de maintenir votre dignité de femme.

———————— ✧✧✧ ————————

Souvenez-vous que maintenir votre pouvoir avec les hommes ne signifie pas utiliser ce pouvoir contre eux pour les dominer, mais qu'il s'agit plus simplement de maintenir le pouvoir que vous avez de vous traiter et de vous faire traiter avec respect et amour par les hommes que vous aimez surtout.
———————— ✧✧✧ ————————

Erreur numéro **6**

LES FEMMES AGISSENT EN PETITES FILLES, POUR OBTENIR CE QU'ELLES VEULENT DES HOMMES

Quand vous étiez petite fille, on vous admirait parce que vous étiez mignonne, douce et vulnérable. Vous ne réalisez peut-être pas à quel point vous utilisez encore ces attraits auprès des hommes, particulièrement quand vous voulez qu'on vous aime et qu'on vous apprécie. Cela me fait tellement de peine de voir les femmes utiliser ce stratagème, l'erreur numéro 6, avec les hommes. Et je trouve encore pire de voir les hommes dévorer ce comportement avec avidité.

COMMENT AGISSEZ-VOUS AINSI?

1- Vous vous montrez naïve ou ignorante, même si vous savez de quoi il s'agit.

Ainsi, vous faites en sorte que les hommes se sentent intelligents, qu'ils paraissent savoir ce qu'ils font. En provoquant un gonflement artificiel de leur «estime de soi» vous leur permettez de se sentir bien avec vous, non pas parce qu'ils vous respectent, mais parce qu'ils se sentent supérieurs.

2- Vous vous montrez peinée quand, en réalité, vous êtes fâchée.

Pleurez-vous quand vous êtes enragée?

Faites-vous la moue au lieu de dire à un homme qu'il a mal agi, et que vous en avez assez?

Préférez-vous bouder, plutôt que de vous en aller?

Comme on nous a toujours enseigné qu'il n'était pas bien pour une fille de se fâcher, nous refoulons notre colère, nous la camouflons sous des sentiments plus féminins, plus acceptables, comme la tristesse, la peur ou la culpabilité, laissant la rage bouillonner en nous, bien cachée. Nous agissons ainsi pour paraître moins menaçantes, donc plus attirantes, pour les hommes dont nous voulons être aimées.

3- Vous vous montrez confuse, quand vous y voyez pourtant très clair.

Voilà l'une de nos pires habitudes comme femmes. Nous faisons semblant de ne pas savoir ce que nous voulons, ou comment nous nous sentons, ou quoi faire. Nous nous arrangeons pour paraître mentalement incompétentes, ce qui invite l'homme à courir à notre rescousse. Et, quelle surprise! Il se sent soudainement si utile, si compétent, si puissant!

Nous utilisons la confusion pour camoufler d'autres émotions plus adultes, plus déplaisantes, comme la peur, la colère, la culpabilité et le ressentiment. Combien de fois ai-je entendu des femmes me dire : «Je ne comprends plus rien à notre relation. Je ne sais pas ce qui m'arrive.» Et quand je leur demande d'expliquer, elles ajoutent quelque chose comme : «Mon mari me trompe, nous n'avons pas de relations depuis deux ans. J'ai l'impression que je ne vaux rien, et je suis toute mêlée.»

Naturellement, ce genre de situation semble assez claire, mais en invoquant la confusion ces femmes évitent deux choses déplaisantes : prendre des décisions et assumer la responsabilité de leur propre vie.

4- Vous traitez l'homme que vous aimez comme votre papa.

Il n'y a rien de mal à laisser l'homme que vous aimez prendre soin de vous avec une sollicitude paternelle, de temps en temps. Mais vous mettez votre relation en danger, si vous le traitez comme un père trop souvent. Cela peut s'exprimer par des comportements comme :

a) l'appeler «papa» la plupart du temps;
b) vous asseoir sur ses genoux et faire la moue;
c) lui avouer que vous avez été «mauvaise fille» aujourd'hui;
d) le laisser contrôler tout le budget, et vous donner une allocation hebdomadaire ou mensuelle.

Je n'entrerai pas dans les conséquences psychologiques, plus sérieuses, de ce genre de comportement. Qu'il suffise de dire qu'aussi longtemps que vous traiterez votre partenaire comme un papa, vous demeurerez une enfant, avec tout ce que cela comporte.

5- Vous parlez à votre homme d'un ton larmoyant, comme une fillette, et non comme une femme.

Nous, les femmes, recourons parfois à notre petite voix de fillette, spécialement quand :

a) nous avons peur de dire ce que nous pensons;
b) nous craignons la réaction d'un homme;
c) nous nous attendons à un désaccord.

Quand on parle ainsi en petite fille à un homme, c'est une façon de lui dire : «Regarde, je ne suis qu'une petite fille. Ne me fais pas mal, et ne sois pas trop dur avec moi, d'accord?»

6- Vous faites un beau mélange de votre vie pour qu'un homme vienne à votre secours.

Vivez-vous d'une crise à l'autre?

Avez-vous toujours quelque chose d'urgent, qui requiert l'avis ou l'assistance d'un homme?

Dans votre for intérieur, aimez-vous être secourue?

Ce jeu de petite fille consiste souvent à se placer en situation de désarroi, pour qu'un homme vienne à son secours. Peut-être le faites-vous parce que votre vrai papa n'était jamais disponible pour cela dans votre enfance? Peut-être est-ce pour vous un test de disponibilité, pour voir si votre homme est disponible, si vous pouvez compter sur lui. Le problème vient du fait que vous restez ainsi dépendante d'un état permanent de crise, pour attirer l'attention, une tactique typique de fillette.

COMMENT CE JEU DE «PETITE FILLE» AFFECTERA VOTRE HOMME

Il ne vous respectera plus

Votre homme est-il sensible à ce jeu? Bien sûr! Cela lui permet de se sentir grand et fort, en plein contrôle de la situation. Il est facile de le prendre au jeu, et il se peut même qu'il aime ça. Mais ce n'est pas ainsi qu'il pourra continuer à vous respecter. Il continuera à vous traiter comme une fillette, et non comme la femme que vous êtes. Cela voudra dire : moins de romantisme, moins de passion et, évidemment, moins d'amour véritable.

Il aura du ressentiment pour vous

En agissant comme une petite fille avec lui, votre homme se sentira responsable de vous. Or, comme nous le verrons tout au long de ce livre, les hommes se sentent déjà écrasés par les responsabilités de la vie. Alors, même si votre homme se porte volontaire à votre moindre appel au secours, il finira par développer un fort ressentiment à votre égard.

LA SOLUTION : CESSER D'AGIR EN PETITE FILLE AVEC LES HOMMES

1- Faites une liste des manières que vous avez de jouer à la fillette avec les hommes.

Même si vous pouvez trouver cela gênant, embarrassant, ou même humiliant, croyez-moi, en faisant cette liste vous entreprendrez, de la meilleure façon possible, la correction de cette erreur numéro 6. La prochaine fois que vous vous surprendrez à jouer avec vos cheveux, à parler d'une petite voix chantonnante, ou à faire la fillette de n'importe quelle façon possible, souvenez-vous de votre liste et vous serez gênée, dégoûtée même, puis vous y mettrez fin très très vite.

2- Quand vous vous surprendrez encore à pleurer, demandez-vous si vous n'êtes pas plutôt fâchée. Et si oui, pourquoi?

Cette démarche est importante, surtout si vous trouvez difficile de ressentir et d'exprimer des sentiments de colère. Vous pourriez découvrir que, même si vos pleurs semblent exprimer de la peine, ils sont en réalité l'expression de la colère qui brûle en vous. Alors, vous pouvez choisir d'exprimer vos véritables sentiments comme une adulte, au lieu de les camoufler dans vos larmes. Naturellement cela ne veut pas dire que vous ne devez plus jamais pleurer, ou que chaque fois que vous pleurez vous dissimulez la colère. Mais c'est quelque chose à surveiller, et à analyser, lorsque vous cherchez à déceler et à éliminer une habitude aussi néfaste que cette erreur numéro 6.

3- La prochaine fois que vous vous sentirez dépourvue et confuse, demandez-vous ce que vous pourriez ressentir, si vous n'étiez pas confuse.

Voilà un très bon exercice pour éclaircir une situation qui nous semble confuse à première vue. Avant d'appeler un homme à votre secours au premier signe de confusion, explorez d'abord la possibilité d'y voir clair par vous-même. Certaines de vos habitudes de petite fille sont profondément ancrées en vous, et il ne sera pas facile de les déloger. Mais ce sera tellement agréable d'être enfin aimée et appréciée, comme la femme que vous êtes, que le jeu en vaut amplement la chandelle.

J'espère que j'ai pu vous aider à voir un peu plus clair dans vos relations avec les hommes, en vous communiquant mes connaissances sur ces six erreurs capitales. Je suis sûre que vous avez compris aussi que je n'ai pas dressé cette liste à partir de recherches dans des livres et revues de psychologie, mais que j'ai commis chacune de ces six erreurs plusieurs fois moi-même.

Comme la majorité des femmes, j'ai fait tout ce qu'il ne fallait pas faire pour tenter de me faire aimer par un homme, et j'ai pris de très dures leçons en le faisant. Je crois que vous, au moins, trouverez la vie un peu moins difficile, maintenant que vous connaissez certains pièges à éviter, et certaines techniques à appliquer, dans vos relations amoureuses.

Il est souvent pénible de briser nos vieilles habitudes, même avec la meilleure des volontés. Dans les prochains jours, les prochaines semaines, vous vous surprendrez à faire certaines des choses que je vous ai décrites jusqu'ici. À ce moment-là prenez courage, et rappelez-vous que le premier pas dans la correction de tout comportement qui vous est nuisible consiste à en prendre conscience.

Alors, apprenez ces six erreurs par coeur, pratiquez tous les exercices, partagez cette information avec vos amies, et recrutez le support qu'il vous faut pour devenir la femme épanouie, en pleine possession de ses moyens, que vous voulez être.

3 ◁▷ Remplir les vides ◁▷ émotionnels : ◁▷ Comment cesser ◁▷ de donner plus que ◁▷ vous ne recevez, ◁▷ en amour

«Je donne et je donne et il m'aime pour ça, mais parfois je me demande s'il m'aimerait autant si je cessais de lui donner tout le temps.»

«J'ai toujours été celle qui donne le plus dans notre relation. Mon rêve, c'est de trouver un homme qui me donne autant que je lui donne, mais je crois qu'un tel homme n'existe pas.»

«Je sens que c'est moi qui fais que notre relation tienne encore sur le plan émotionnel, que si je cessais de mettre autant d'efforts à la faire tenir, mon mari ne saurait pas quoi faire, et notre mariage s'effondrerait.»

Avez-vous déjà ressenti, comme les femmes qui ont fait ces affirmations, que vous donniez plus que vous ne receviez dans vos relations amoureuses? Avez-vous déjà souhaité secrètement qu'un homme vous aime autant que vous l'aimez? Ce chapitre concerne la plus grande erreur que les femmes commettent dans leurs unions sentimentales, c'est-à-dire, aimer beaucoup plus qu'elles ne sont aimées en retour. J'ai décidé de consacrer un chapitre entier à cette erreur, plutôt que de l'inclure dans ma liste des six erreurs capitales, parce que je trouve que ce comportement est trop important pour en parler brièvement.

Ce chapitre a été le plus pénible et le plus douloureux à écrire pour moi, parce qu'il me touchait si profondément. Dans la nuit précédant le jour où je devais commencer à l'écrire, j'ai fait un cauchemar après l'autre, des rêves sombres, pleins de peur et de confusion, de tristesse et de vide. Au matin, je ne comprenais pas pourquoi j'avais été ainsi perturbée dans mon sommeil. Mais une fois installée à l'ordinateur pour écrire, j'ai tapé le titre de ce chapitre, et je me suis mise à pleurer.

En relisant les mots à travers mes larmes, j'ai soudainement compris ce qui m'avait fait passer cette nuit de cauchemars, et ce qui m'avait fait aussi éclater en sanglots, à ce moment précis. C'était la douleur que ressentait mon coeur brisé, la douleur qui vient à force d'avoir toujours donné sans compter en amour, toute sa vie, sans jamais recevoir autant en retour; c'était la douleur qui vient après des années d'effort pour faire marcher des relations sentimentales, alors que son partenaire n'accepte pas d'y mettre autant que soi, la douleur de constater que j'étais devenue experte à aimer les autres, mais incapable de m'aimer moi-même.

Ce jour-là, je n'ai pas seulement pleuré pour moi-même, j'ai aussi pleuré pour vous. Je sais par expérience que beaucoup d'entre vous ont aussi le coeur brisé, par manque d'amour. Je ne saurais compter les fois où j'ai entendu une femme me raconter en pleurant le genre de relation qu'elle vivait avec son mari, ou son ami, et où j'ai vu la douleur dans ses yeux, lorsqu'elle me demandait : «Je ne comprends plus rien, je l'aime tant, je lui donne autant que je peux mais, lui est incapable de m'aimer autant que je l'aime. Qu'est-ce que je fais mal?» Et, à chacun de mes séminaires intitulés comment faire marcher l'amour, il se trouve inévitablement une femme, qui se lève et qui se tourne vers son mari en disant : «Chéri, tu sais comme je t'adore, mais ça me déchire le coeur de toujours devoir te supplier de me dire que tu m'aimes, de constater que tu ne me donnes jamais ton amour directement comme je te donne le mien.»

LA PETITE FILLE LA PLUS «AIMABLE» DU MONDE

Il était une fois une petite fille qui, plus que tout au monde, voulait être heureuse pour toujours. Lisant des contes de fées elle admirait les princes, les princesses et leurs amours à toute épreuve. Elle était bien décidée à chercher et chercher, une fois devenue adulte, jusqu'à ce qu'elle ait trouvé la relation idéale, comme dans les livres. Elle se dit alors qu'il valait mieux commencer à préparer tout de suite sa destinée romantique. En cherchant un prince charmant, le seul qu'elle réussit à trouver fut son père. Comme toutes les petites filles, elle savait que son papa était parfait, et qu'elle appréciait beaucoup son amour. Alors il devint tout naturel que, dans sa vie, son père soit l'homme sur lequel elle pouvait compter pour la rendre heureuse.

Un jour, son père fit ses valises et dit à la petite fille qu'il s'en allait. Il lui expliqua que, même s'il l'aimait beaucoup, il ne pouvait plus vivre avec sa maman, et qu'il devait partir. La petite fille courut à sa chambre et se jeta sur son lit en pleurant. «Comment peut-il me laisser, se disait-elle; s'il m'aimait vraiment il resterait; alors je ne dois pas être assez aimable?» Et, dès ce moment, la petite fille résolut qu'elle deviendrait tellement aimable, qu'elle aimerait tellement son papa, qu'il lui reviendrait.

Alors, elle se mit en frais de devenir la petite fille la plus aimable de la terre. Elle se demanda ce qu'elle pouvait faire pour plaire à son père, et elle entreprit de le faire. Elle réussit brillamment à l'école, prit des cours de théâtre et commença à jouer des rôles sur scène et dévora des livres et des livres. Elle s'appliqua surtout à prouver à son père qu'elle le croyait merveilleux, parce qu'elle avait découvert que, plus que pour toute autre raison, son papa l'aimerait lorsqu'il se sentirait lui-même aimé. Elle écoutait attentivement toutes les histoires qu'il lui racontait, riant quand c'était drôle, et se montrant apeurée dans les passages terrifiants. Elle disait à son père qu'il était le plus beau et le plus intelligent des hommes, et elle évitait soigneusement de le critiquer, de le contrarier, parce qu'elle savait qu'il l'aimerait moins dans de telles circonstances.

Le papa de la petite fille ne revint jamais vivre à la maison, mais il lui montra beaucoup d'amour et la traita comme son enfant chérie. Alors, elle conclut que son plan avait bien fonctionné.

Comment séduire un petit prince de septième année

La petite fille grandit et, lorsque vint le temps de tomber amoureuse, elle était convaincue qu'elle savait comment agir. «Le secret, confiait-elle à ses petites copines de septième année, c'est de tellement aimer ton «chum», d'être si gentille avec lui et de t'assurer qu'il se sente si bien avec toi, qu'il ne puisse plus vivre sans toi.» Et c'est exactement ce qu'elle fit. Elle trouva un gars qui l'attirait, et se mit à l'aimer. Elle laissait des notes dans sa case chaque jour. Elle était toujours au premier rang à l'encourager lorsqu'il participait à des matches sportifs. Elle se faisait un devoir de toujours lui dire comme elle le trouvait merveilleux. Elle l'aima et l'aima et l'aima, jusqu'à ce qu'il se dise : «Hé! personne ne m'a jamais aimé comme ça, pas même mes parents, alors je suppose que je suis son amoureux.»

Pendant un certain temps la jeune fille se sentait heureuse et se disait : «Il est mon prince et je suis sa princesse.» Mais, après quelque temps, elle s'aperçut que, même si elle avait un «chum», elle n'était pas vraiment heureuse. Elle commençait à réaliser que, même si elle le traitait comme un prince, lui ne la traitait sûrement pas comme une princesse. Il lui arrivait de courir à sa chambre, de se jeter sur son lit et de pleurer en pensant : «Il m'aime moins que je l'aime, comment est-ce possible, puisque je lui donne tant d'amour?» Et elle n'arrivait pas à comprendre.

La reine de coeur

Les années ayant passé, la jeune fille était devenue femme, les garçons étaient maintenant des hommes, et les fréquentations d'adolescents avaient fait place à des aventures amoureuses, ou à des mariages en bonne et due forme. Quoique la nature des relations ait changé, la procédure était encore la même. Elle cherchait désespérément à garder son homme, en travaillant très fort à l'aimer, et en essayant de mériter son amour à lui. Au lieu de laisser des notes dans une case et de distribuer des compliments dans les corridors d'une école, elle avait maintenant recours à des moyens beaucoup plus puissants. Elle étonnait son amoureux par ses poèmes, ses notes et autres écrits. Elle l'inondait d'un flot constant de cadeaux et de surprises. Elle se rendait indispensable, par son aide précieuse et ses conseils judicieux. Elle le couvrait de louanges, d'affection et d'attentions sexuelles, jusqu'à ce qu'il se croie l'homme le plus aimé du monde.

Le même stratagème se répétait chaque fois, avec chacun de ses amoureux. Il lui disait qu'il la trouvait sensationnelle, que personne ne l'avait jamais aimé autant qu'elle, et qu'il se comptait bien chanceux qu'elle soit sa «dame de coeur». Elle était si occupée à donner qu'elle ne prenait même pas le temps de se demander ce que lui lui donnait en retour, jusqu'à ce qu'un jour elle constate que son homme était très bon receveur, mais très mauvais donneur. Elle s'aperçut que lorsqu'elle cessait de le combler, il ne se retournait même pas pour s'occuper d'elle. Elle réalisa que, même s'il était là à côté d'elle, elle se sentait très très seule.

Très bientôt son homme lui dit : «Je pense que je ne t'aime pas autant que tu m'aimes», et ils se séparèrent. La femme se jeta sur son lit dans sa chambre, et se mit à pleurer en pensant : «Comment ça se fait qu'il m'arrive toujours la même chose? J'ai mis tant d'efforts à être la femme la plus aimante du monde. Pourquoi suis-je incapable de trouver un homme qui m'aime autant que je l'aime?» Et, après tant d'années à pleurer sur son lit, elle ne comprenait toujours pas.

Travailler très fort à se faire aimer

La femme, dont je viens de vous raconter l'histoire, n'est pas une de mes clientes ou patientes, ou une femme qui a assisté à l'un de mes séminaires. Cette femme, c'est moi! Et mon histoire, c'est l'histoire de ma vie. J'ai été cette petite fille, qui a décidé de gagner l'amour d'un homme. J'ai été cette adolescente, qui a appris à envelopper un garçon d'amour et d'attention, jusqu'à ce qu'il soit son amoureux. Et cette femme c'est aussi moi qui, jusqu'à tout récemment, ai mis tant d'efforts à donner aux hommes de ma vie, que j'ai oublié de remarquer qu'ils ne me rendaient jamais ce dont j'avais besoin en retour.

Comme beaucoup d'entre vous, je croyais qu'il fallait que je fasse quelque chose pour qu'un homme m'aime. Je suis devenue une donneuse professionnelle et, malheureusement, j'ai connu le succès dans ce rôle. Je donnais tellement à un homme, qu'il croyait m'aimer, alors qu'en réalité ce qu'il aimait c'était ce que je lui donnais.

Pas surprenant que je ne me sentais jamais aimée d'un homme. Pas surprenant qu'après toutes ces relations manquées je me sentais trahie, même quand c'était moi qui l'avais abandonné. Il faut maintenant constater les résultats que cela a donné dans ma vie.

Je me suis ramassée avec les mauvais hommes

J'étais tellement prise à vouloir que l'homme m'aime que je ne prenais jamais le temps de me demander si, moi, je l'aimais vraiment.

Je me préoccupais tellement que l'homme sache que j'étais la bonne femme pour lui, que j'oubliais de me demander s'il était le bon homme pour moi.

Ainsi, je vivais des relations amoureuses avec des hommes que je m'efforçais d'aimer, mais qui ne me plaisaient pas vraiment, ou qui ne m'étaient pas compatibles; les mauvais hommes, quoi! Tout ça parce que je ne me questionnais pas sur mes propres sentiments.

Je ne laissais pas aux hommes l'occasion de prendre conscience de leurs véritables sentiments envers moi.

J'étais tellement occupée à me «vendre» à l'homme que j'aimais, que je ne lui laissais jamais assez d'espace pour me désirer par lui-même. La petite fille en moi était incapable de croire qu'un homme voudrait de moi, seulement parce que j'étais moi. Alors elle travaillait comme une folle, pour que je paraisse indispensable à un homme, au point où il croie ne plus pouvoir se passer de moi, ne plus pouvoir vivre sans moi.

COMMENT LES FEMMES COMBLENT
LE VIDE ÉMOTIONNEL

Je parle ainsi de ce que je faisais, et de ce que tellement de femmes font. J'appelle ça «combler le vide émotionnel dans une relation». Nous nous faisons une idée de ce que devrait être une relation amoureuse, nous trouvons un homme que nous aimons et nous nous efforçons de créer avec lui cette relation, telle que nous l'imaginons, sans que lui ait une participation bien importante dans l'affaire. C'est comme si nous lui disions : «Tu n'as qu'à être présent chaque jour, moi je vais m'occuper de la partie émotionnelle de notre relation, de l'intimité, des activités sociales, des conversations et de l'orientation; tout ce que je te demande, c'est d'accepter d'être mon partenaire.» Le danger dans cette pratique, c'est que nous en arrivons souvent à développer une relation avec... nous-même! Nous travaillons tellement fort pour que notre relation ait l'air bonne, et pour nous faire croire que nous l'avons bâtie ensemble, pendant que dans la réalité nous offrons un numéro solo, et l'homme, lui, n'est qu'un spectateur.

Dans la liste suivante des différentes façons que nous, les femmes, avons de «combler les vides émotionnels dans une relation, recherchez laquelle ou lesquelles vous reconnaissez.

1- Combler les vides dans les activités sociales

C'est vous qui décidez et qui planifiez presque toutes les activités sociales de votre couple.

- Vous lisez le journal, notez les événements et spectacles en ville, et convainquez votre partenaire d'y aller.

- Vous influencez votre partenaire, selon les activités que vous aimeriez avoir en fin de semaine.

- Vous pensez à l'avance à la semaine prochaine, au mois prochain, et vous planifiez des activités précises.

- C'est vous qui planifiez les vacances et autres activités spéciales à faire ensemble.

- C'est généralement vous qui téléphonez aux parents et aux amis, y compris les siens, pour les visiter ou pour les inviter.

- C'est habituellement vous qui suggérez des choses nouvelles et intéressantes à faire, des endroits nouveaux où aller, des restaurants nouveaux à essayer, etc.

- Quand vous le pouvez, vous vous arrangez pour discuter de sites et de plans de vacances.

2- Combler les vides sexuels

C'est vous qui initiez les contacts physiques et sexuels, la plupart du temps.

- Vous vous approchez la première, vous donnez une caresse, ou en demandez une en premier.

- Vous prenez la main de votre partenaire en premier au cinéma, dans la rue, ou simplement devant la télévision.

- Vous l'embrassez en premier, la plupart du temps.

- Vous vous approchez de votre partenaire, vous accourez à ses côtés, d'où que vous soyez dans une pièce.

- Vous prenez la peine de vous déplacer vers son côté du lit, pour une caresse avant de vous endormir.

- C'est vous qui initiez les activités sexuelles, ou qui vous plaignez de ne pas faire l'amour assez souvent.

N.B. Cette dernière activité pourrait bien être la seule dans cette catégorie qui revient à votre homme.

3- Combler les vides dans votre intimité

C'est vous qui initiez la plupart des occasions de vous retrouver dans une situation d'intimité.

- Vous rappelez occasionnellement à votre partenaire que vous n'avez pas vécu de moments intimes et romantiques depuis un certain temps.

- Vous êtes toujours celle qui aborde le sujet de votre engagement, ou de l'avenir de votre couple.

- C'est généralement vous qui créez une ambiance propice à l'intimité, avec de la musique, des chandelles, un décor particulier, etc.

- C'est habituellement vous qui pensez à laisser des petites notes, à présenter des cartes de souhaits ou des cadeaux, et même à écrire des lettres.

- C'est presque toujours vous qui faites les premiers pas vers la réconciliation, après une dispute.

4- Combler les vides dans les communications

C'est vous qui entretenez les communications dans votre couple.

- Vous parlez plus que votre partenaire, quand vous êtes ensemble.

- Vous lui posez plus de question qu'il vous en pose.

- Son silence vous énerve et, après un certain temps, vous devez lui demander à quoi il pense, et comment il se sent.

- Lorsque votre partenaire ne s'exprime pas sur ce que vous discutez, vous avez tendance à lui suggérer des idées, et à tenir seule, pour ainsi dire, les deux côtés de la conversation.

- Vous cherchez à comprendre comment votre partenaire se sent, ou à deviner ce qu'il pense, puisqu'il ne vous le dit pas volontairement.

- Vous suggérez à votre partenaire comment parler à son patron, à un employé, à sa mère ou aux enfants, et vous lui dites même quoi dire.

5- Combler les vides dans la créativité

C'est vous qui contribuez le plus à la créativité dans votre couple.

- C'est vous qui apportez le plus d'idées nouvelles et de concepts nouveaux à discuter.

- C'est vous qui suggérez le plus de changements dans votre relation, dans vos habitudes, dans la décoration intérieure de votre logement, etc.

- Vous aimez faire connaître à votre partenaire de nouveaux mets, de nouveaux livres, de nouvelles musiques, etc.

Il nous arrive, à toutes, d'être les initiatrices de ces diverses activités à l'occasion. Cependant, si vous êtes plus souvent celle qui le fait, vous avez clairement l'habitude de combler les vides émotionnels.

COMMENT VOUS POUVEZ DÉTRUIRE VOTRE RELATION EN COMBLANT LES VIDES

Vous accumulez du ressentiment envers l'autre

Lorsqu'en début de relation vous comblez ainsi les vides, vous êtes d'abord heureuse parce que vous avez l'impression que vos efforts sont récompensés, et que vous êtes en train de «gagner» l'affection et l'amour de votre partenaire. Après un certain temps cependant, vous commencez à accumuler du ressentiment envers votre partenaire, parce que vous constatez que vous êtes seule à porter le fardeau émotionnel du couple.

L'union de Suzanne et Gérard était déjà en crise lorsqu'ils sont venus me consulter. «Je dois tout faire toute seule dans notre couple, dit Suzanne. Je fais tous les plans, j'appelle nos amis, je suggère qu'on discute de nos problèmes. Nous sommes mariés depuis sept ans, et je crois que Gérard n'a jamais assumé des responsabilités depuis ce temps.»

Gérard, lui, paraissait surpris des affirmations et de la fureur de sa femme. «J'ai toujours pensé que tu aimais faire toutes ces choses-là, dit-il. Tu as toujours organisé nos fins de semaine et nos vacances depuis que nous nous connaissons. Alors, je m'y suis habitué, et j'ai assumé que tu aimais ça diriger, c'est tout.»

J'ai aidé Suzanne et Gérard à voir et à comprendre la routine dans laquelle ils s'étaient installés. Suzanne en voulait à Gérard, parce qu'elle se sentait négligée, et Gérard n'arrivait pas à comprendre pourquoi, tout à coup, elle s'était révoltée contre les choses qu'elle avait semblé aimer faire pendant si longtemps pour lui. Les tactiques que Suzanne avait employées pour forcer Gérard à l'aimer s'étaient retournées contre elle, et elle se sentait maintenant prisonnière du rôle qu'elle avait choisi en assumant toutes les responsabilités du couple.

Vous ne laissez pas assez de place à votre partenaire pour qu'il comble les vides lui-même

Une fois que vous avez pris l'habitude de combler les vides dans le couple, vous le faites en premier, sans attendre, et votre partenaire n'a ni le temps ni l'occasion de le faire, ou même de s'essayer. C'est là que vous vous sentez frustrée parce qu'il ne prend pas ses responsabilités, sans réaliser que c'est vous qui ne lui donnez aucune chance de le faire!

─────────── ✧✧✧ ───────────

Les hommes sont fiers de prendre charge, ou d'initier l'action, alors, quand vous ne leur en laissez pas la chance, ils se sentent émasculés, et en tirent du ressentiment.

─────────── ✧✧✧ ───────────

Hélène et Ronald vivaient ce dilemme lorsqu'ils sont venus à mon séminaire, après trois ans de mariage. «J'aime beaucoup Ronald, dit Hélène, mais nous avons un gros problème de sexe. Je n'arrive plus à l'attirer, et c'est toujours moi qui dois initier toute action sexuelle, ou qui dois aller l'embrasser ou le caresser en premier. Quand on fait l'amour, c'est quand même sensationnel, mais j'aimerais qu'il prenne l'initiative plus souvent.»

«C'est vrai, dit Ronald, je suppose que je ne prends pas les devants assez souvent avec Hélène. Quand j'y pense, j'ai l'impression qu'elle ne m'en laisse pas la chance. C'est toujours elle qui vient à moi, en me disant qu'elle me désire. Elle me saute dessus dans la cuisine, ou dès que j'entre du travail. Pour dire vrai, je ne pense même pas à l'approcher. Je n'ai pas besoin de le faire, je sais qu'elle va m'embrasser, et qu'elle va tenter de me séduire. Alors, je suppose que je suis tombé dans la facilité, et que je n'ai même plus envie d'essayer.»

Hélène ne donnait plus à Ronald la chance de la désirer. Aussitôt qu'elle sentait quelque relâche que ce soit dans leurs activités sexuelles, elle s'empressait de combler les vides. Il finit par se sentir émasculé, elle finit par ne plus se sentir aimée, et ils accumulèrent tout naturellement du ressentiment l'un envers l'autre.

Comme Ronald, beaucoup d'hommes auront des sentiments ambivalents devant une partenaire qui comble ainsi les vides. D'un côté, ils se sentent soulagés de la responsabilité d'avoir à apporter une contribution constante à leur relation, et de l'autre côté, ils sont frustrés qu'on leur ait enlevé toute possibilité de combler ces vides eux-mêmes.

———————— ◇◇◇ ————————

**En comblant tous les vides dans votre couple,
vous empêchez votre homme de se développer
en amour, donc vous lui enlevez la chance
de s'épanouir.**
———————— ◇◇◇ ————————

Vous risquez d'entretenir l'illusion que tout va pour le mieux dans votre relation

Quand vous êtes devenue experte à combler les vides, vous pouvez très bien avoir l'impression de vivre une relation idéale, alors qu'en réalité il n'existe aucune relation véritable. Je n'aime pas l'avouer, mais ça m'est arrivé plusieurs fois dans ma vie.

Laissez-moi vous parler d'une relation que j'ai vécue, avec un homme que j'appellerai Simon. Lorsque je l'ai rencontré, je savais que je lui plaisais, alors j'ai décidé que nous allions vivre ensemble un roman fabuleux. J'ai donc commencé à combler les vides qui se présentaient. J'ai planifié des sorties merveilleuses. J'ai fait de superbes poèmes à Simon. Je lui ai révélé ce que j'avais de plus intime et de plus vulnérable, dans de magnifiques lettres. Je l'entraînais dans des sujets de conversation sérieux et hautement philosophiques; je lui donnais mon opinion sur tout, et je discutais avec lui pendant des heures. Je lui apprenais mes plus récentes découvertes, au sujet de nos relations, et naturellement, j'essayais de l'entraîner au lit le plus souvent possible!

Simon résistait-il à mes interventions pour combler les vides? Pas du tout! Au contraire, il adorait ça. Il pouvait ainsi éviter plusieurs choses, dans lesquelles il se sentait inadéquat, et le fait qu'une femme soit si entichée de lui flattait son orgueil.

Nous voguions allègrement dans une relation que toutes mes amies trouvaient fantastique, lorsque je leur en parlais. Tous ceux qui nous voyaient ensemble trouvaient que nous avions l'air vraiment heureux. Quand je me demandais si je vivais réellement une bonne relation, je repensais à notre dernier weed-end au bord de la mer, à nos plus récents ébats sexuels, ou au délicieux moment d'intimité que nous avions vécu quand je lui avais offert mon dernier poème, et j'étais rassurée. J'en concluais, tout naturellement, que notre relation était vraiment sensationnelle.

Puis un jour, Pan! Simon m'annonça qu'il me quittait. Il m'expliqua qu'il ne se sentait pas vraiment présent dans notre relation depuis quelque temps, et qu'il ne voulait plus me laisser m'illusionner. En l'écoutant, j'étais en état de choc absolu. Comment cela pouvait-il arriver, alors que notre relation semblait si merveilleuse? Au cours des semaines qui ont suivi, j'ai analysé certains aspects de mon comportement, et j'ai trouvé réponse à ma question : ma relation avec Simon n'avait été qu'un spectacle solo, dont j'étais la vedette, et Simon le spectateur. J'avais été si occupée à combler les vides, et à donner forme à notre relation, que j'avais oublié d'en évaluer la substance. De l'extérieur, notre relation avait l'apparence d'un succès éclatant, mais à l'intérieur il manquait quelque chose d'essentiel : la participation et l'engagement émotionnel de Simon.

EST-CE VOUS QUI RAMEZ DANS VOTRE BATEAU?

Voici une analogie qui illustre bien ce rôle que vous assumez en comblant les vides dans votre relation. Imaginez que votre partenaire et vous êtes en chaloupe, sur un lac. Vous tournez le dos à votre compagnon, qui commande une paire de rames comme vous. Vous présumez qu'il rame avec vous, puisque la chaloupe avance allègrement sur les eaux. «Quelle agréable promenade, vous dites-vous. Comme nous ramons bien ensemble!» Après un certain temps, vous vous sentez fatiguée, et vous décidez de vous reposer un peu, d'arrêter de ramer pour quelques minutes. Tout à coup, la chaloupe s'immobilise. En vous retournant pour voir ce qui se passe, vous apercevez votre partenaire, qui n'a même pas les rames aux mains, et vous vous rendez compte qu'il était simplement là, assis, endormi peut-être, à vous laisser ramer toute seule. Il n'était qu'un passager dans la chaloupe. C'était tout comme si, en vous retournant, vous aviez constaté qu'il n'y avait personne d'autre dans la chaloupe, que vous aviez été seule tout le temps.

—————————— ✧✧✧ ——————————
Pendant que vous travaillez à combler les vides, votre partenaire ne devient qu'un passager dans votre relation.
—————————— ✧✧✧ ——————————

Toute ma vie j'ai été si occupée à ramer que je n'ai pas souvent remarqué comment mon partenaire ne m'aimait pas autant que je l'aimais, ne me donnait pas autant que je lui donnais. En travaillant fort à devenir une bonne donneuse, on ne s'arrête pas pour se demander si on reçoit suffisamment en retour.

POURQUOI LES FEMMES COMBLENT LES VIDES

Il y a trois raisons principales pour lesquelles les femmes prennent l'habitude de donner plus qu'elles ne reçoivent en amour, de combler les vides.

1- Vous croyez devoir «gagner» l'amour.

Quand vous pensez que vous ne méritez pas d'être aimée, si vous ne faites pas quelque chose en retour, vous travaillez très fort à combler les vides dans vos relations amoureuses. Vous n'avez peut-être pas été assez aimée lorsque vous étiez enfant. Peut-être aviez-vous l'impression de devoir prouver à votre maman, à votre papa, ou aux deux, que vous méritiez leur amour. Peut-être que, comme moi, vous avez décidé très jeune que, si vous les aimiez suffisamment, les hommes dans votre vie ne vous quitteraient jamais. Peu importe la raison, le résultat est le même : vous devenez une spécialiste du travail ardu, pour mériter l'amour.

2- Vous croyez que votre relation périra si vous ne comblez pas les vides.

Si vous avez vécu en relation avec des hommes qui étaient émotionnellement paresseux, ou si vous avez vu votre mère combler les vides avec votre père, vous croyez que, si vous ne faites pas de même, votre relation ira mal, ou se terminera. Ou bien, vous vivez une relation où il manque d'engagement émotionnel, et de contribution de la part de votre partenaire. En comblant les vides, vous pensez pouvoir rétablir l'équilibre. Alors, vous pouvez constater comme votre relation paraît remplie d'amour, et vous convaincre que vous en retirez assez après tout.

3- Les femmes détestent le vide.

Vous est-il arrivé d'entrer dans l'appartement presque vide d'un homme, et d'avoir envie d'en faire l'ameublement et la décoration pour lui? Lorsque vous vous trouvez au milieu d'un groupe de personnes qui ne se connaissent à peu près pas et qui restent silencieuses, vous sentez-vous obligée d'entamer la conversation? Trouvez-vous difficile de laisser des armoires ou des tiroirs complètement vides? Sentez-vous le besoin de remplir tous les espaces libres? Quand il n'y a sur la table que de la vaisselle et des ustensiles, trouvez-vous qu'il y manque des fleurs, ou une décoration centrale?

Si vous avez répondu «oui» à l'une ou l'autre de ces questions, vous comprenez bien pourquoi je dis que «les femmes détestent le vide.» Les femmes aiment remplir les choses, réunir les choses, et créer quelque chose là où il n'y avait rien. Je crois que cela découle de notre envie créatrice de donner naissance, tout autant à des enfants, à l'intimité, à la beauté, à la conversation, qu'à la décoration d'une salle de bains.

En amour, les femmes ont instinctivement envie de combler les vides, de remplacer les silences par des mots, de compenser l'éloignement par l'affection, d'occuper le temps par des activités, de remplir la séparation par de l'amour. C'est au fond une grande qualité, et nous avons le don de bien le faire. Mais quand nous exagérons, nous nous retrouvons à ramer seules dans notre chaloupe.

COMMENT CESSER DE DONNER PLUS QUE VOUS NE RECEVEZ EN AMOUR

Si, en lisant ce chapitre, vous vous êtes demandé s'il y avait un rapport quelconque avec votre propre union, voici un moyen simple, de savoir si vous remplissez trop les vides en amour : cessez de ramer!

C'est exact! Arrêtez tout simplement. Cessez de planifier, cessez de courir vers votre partenaire pour l'embrasser, cessez de prendre l'initiative sexuelle, cessez d'initier des conversations intimes, cessez tout ce que vous faites et... voyez ce qui se passe! Si vous constatez alors que vous n'avez plus de rapports sexuels, que vous n'allez plus nulle part, que vous ne partagez plus de moments intimes, que vous ne discutez plus de choses importantes, et qu'il vous accorde trop peu d'attention, vous aurez la preuve que c'est vous qui comblez tous les vides dans la relation, et que votre partenaire ne fait pas sa part. Alors, ce sera le temps de passer à l'action.

1- Dressez une liste de toutes les façons que vous avez de combler les vides.

Étant moi-même une combleuse de vides en rémission, je relis ma liste chaque jour, pour me rappeler ce qu'il ne faut pas faire en amour. Et croyez-moi, ce n'est pas facile. Parfois, j'ai tellement envie de planifier nos activités pour les quatre prochaines fins de semaine, ou de lui dire que je l'aime à toutes les cinq minutes, ou encore de remplir tous les silences dans nos conversations. Lorsque je me surprends à vouloir faire l'une des choses que j'ai mises dans ma liste, je m'arrête, je ferme les yeux, je repense à toutes les promenades en chaloupe solitaires que j'ai faites dans ma vie, je me rappelle combien j'ai donné plus que je n'ai reçu en amour, je me retiens et je ne fais rien, absolument rien! En tout cas, vous devez dresser votre propre liste, pour être pleinement consciente de cette habitude.

2- Laissez à votre partenaire la chance de remplir les vides.

C'est la deuxième étape du processus que je viens de décrire. Alors, attendez que votre partenaire se rapproche de vous au lit, au lieu de vous glisser automatiquement de son côté pour vous coller; souffrez une pause dans la conversation, jusqu'à ce que votre homme aborde le prochain sujet; ne soyez plus toujours la première à faire des avances sexuelles, laissez-lui plutôt la chance de vous séduire; cessez de planifier les fins de semaine et, lorsque votre partenaire s'informera de ce que vous allez faire, répondez-lui : «Pense à quelque chose, chéri, et fais-moi une surprise!» Croyez-moi, il vous faudra beaucoup de ténacité et de courage pour aller jusqu'au bout. Moi, je sais que j'ai tellement eu l'habitude de combler les vides, que ça me prend encore beaucoup d'efforts conscients pour ne pas me mettre à donner, et à donner, sans arrêt.

Quand vous cesserez de combler les vides, il pourra se passer deux choses :

a) votre partenaire peut se montrer à la hauteur de la situation, et se mettre à ramer;

b) votre partenaire ne pourra plus cacher à quel point il n'est pas engagé, ni intéressé plus qu'il ne faut à votre relation, qui d'ailleurs se terminera fort rapidement.

Il y a évidemment un risque à ne plus combler les vides émotionnels dans votre couple. Vous pouvez découvrir que vous étiez seule à vivre cette relation. Vous pouvez constater que votre partenaire n'a vraiment pas grand-chose à offrir. Vous pouvez même réaliser que vous aimiez lui donner votre amour, mais que vous n'aimiez pas particulièrement cet homme. De toute façon, ça vaut le risque, croyez-moi!

3- Remplissez votre vie d'activités créatrices autres que celles que vous consacrez à votre relation amoureuse.

Quoi qu'il arrive, il faut, en effet, ne pas mettre tous vos oeufs dans le même panier, pour pouvoir vous épanouir, et pour éviter de vous faire faire mal. Plus vous serez une femme autonome, moins vous dépendrez de votre relation amoureuse pour être comblée. Poursuivez vos propres objectifs, prenez bien soin de vous, et assurez-vous que vous recevez autant que votre partenaire dans cette relation.

4- Discutez avec votre partenaire de cette manie que vous avez de combler les vides.

Une personne alcoolique réformée sait qu'une partie de la réhabilitation consiste à informer son partenaire de vie de son problème, et à lui demander son support. C'est la même chose pour la manie de combler les vides émotionnels. Dites-le à votre homme que vous avez cette mauvaise habitude de trop donner. Expliquez-lui comment vous le faites habituellement. Demandez-lui de vous aider à déceler tout comportement fautif. Dites-lui ce que vous attendez de lui, et entendez-vous sur le partage du fardeau émotionnel dans votre couple.

Cette étape est importante pour en arriver à revendiquer l'amour que vous méritez. Votre homme pourra sembler résister au début. Rappelez-vous qu'il peut penser que vous l'aimerez moins, alors, prenez soin de bien l'informer là-dessus. Faites-lui lire ce chapitre, ça l'aidera. Je souhaite qu'il soit d'accord pour collaborer avec vous à l'assainissement et à l'équilibre de votre relation, et que vous en arriverez vite à être capable de recevoir, comme de donner, l'amour que vous aimeriez partager.

Qu'est devenue la reine de coeur?

Pendant des années, j'ai travaillé très fort à maîtriser tous les aspects de l'art de créer une relation amoureuse saine et réussie. Mais il restait toujours un terrain inexploré, ma manie de combler tous les vides émotionnels en amour, que je n'avais jamais osé aborder. Lorsque j'ai réalisé quelle importante portion de ma vie j'avais consacrée à donner plus d'amour que je n'en recevais, je me suis juré de ne plus jamais travailler aussi fort pour me faire aimer.

Je peux vous dire avec plaisir que je vis présentement une relation avec un homme qui m'aime autant que je l'aime. Pour la première fois de ma vie, je n'ai pas à gagner l'amour que je reçois, ni à faire un numéro pour me faire aimer. Naturellement, il m'arrive encore de croire que je doive travailler à me faire aimer, mais mon partenaire s'en aperçoit comme moi, et me ramène vite à la raison en me disant de ne pas ramer si fort.

Un jour, au début de notre relation, alors que je discutais d'amour et d'intimité avec mon partenaire, je n'en finissais pas de lui dire combien j'avais appris, et de lui faire part de mes valeureux efforts pour donner autant que je pouvais. Il se rapprocha et me prit les deux mains en disant tout doucement : «Barbara, t'as plus besoin de courir après l'amour!»

Ses mots m'ont touchée au plus profond de moi-même, et je me suis mise à pleurer. Je dois vous dire que j'ai pleuré des larmes de peine, pour toutes les fois où la petite fille effrayée en moi a cru qu'elle devait travailler à mériter l'amour, et des larmes de joie, pour le cadeau que je m'étais offert, en décidant d'arrêter de quêter l'amour, et aussi pour le merveilleux cadeau de cet homme, d'une grande capacité d'aimer, que j'avais su attirer et garder dans ma vie.

Alors, je terminerai ce chapitre sur la relation homme-femme, en vous faisant ce rappel fort approprié : «Vous n'avez plus besoin de courir après l'amour!»

LES SECRETS SUR LES HOMMES

4 ◁▷ L'explication
◁▷ des trois
◁▷ plus grands
◁▷ mystères
◁▷ masculins

Nous voici maintenant dans la section «mode d'emploi» que vous attendiez, celle où nous allons tenter de comprendre les facettes les plus mystérieuses des hommes. Nous allons examiner ce que j'appelle les trois plus grands mystères masculins. Je sais qu'après avoir lu ce chapitre, vous aurez de moins en moins l'impression de devenir folle, à tenter de vous entendre avec les hommes dans votre vie.

Mes dix dernières années de travail m'ont appris qu'il y a trois questions qui, à certains moments, ont intrigué toutes les femmes qui ont essayé de comprendre les hommes qu'elles aimaient. Ces questions, auxquelles toutes les femmes aimeraient trouver réponse, sont les suivantes :

a) pourquoi les hommes détestent-ils avoir tort?

b) pourquoi les hommes n'aiment-ils pas que les femmes se montrent contrariées ou émotives?

c) pourquoi les hommes semblent-ils moins intéressés à l'amour et aux rapports sentimentaux que les femmes?

Mystère numéro 1

POURQUOI LES HOMMES DÉTESTENT-ILS AVOIR TORT?

Vous roulez en auto vers une réception privée, dans un quartier de la ville que vous ne connaissez pas beaucoup. Il vous semble que vous auriez dû être rendus depuis une demi-heure et que votre mari, qui est au volant, s'est égaré. Vous vous rendez compte qu'il n'a aucune idée d'où il va. Vous voyez que vous allez rater la réception. Calmement, vous lui faites la suggestion suivante : «Chéri, penses-tu qu'on devrait s'arrê-ter et s'informer?» Et soudainement, à votre grand étonne-ment, votre mari se fâche et devient impatient ou hostile, comme si vous lui aviez suggéré de se faire couper les bras, par exemple. Et vous entendez des reparties comme :

«Je sais où je m'en vais, fatigue-moi pas!»

«Veux-tu conduire? Non? Laisse-moi tranquille!»

«Je sais que la rue n'est pas loin d'ici. Donne-moi une chance, je vais la trouver!»

«Ah! oublie donc ça. On va retourner à la maison!»

«Quoi? Tu veux dire que t'as pas confiance en moi?»

Si vous avez de la chance, vous pouvez trouver, par hasard, la maison que vous cherchez, et assister à la réception malgré tout. Ou vous pouvez tourner en rond pendant des heures, parce que votre partenaire refuse de s'informer à qui que ce soit. Ou encore, et je sais que c'est arrivé à beaucoup d'entre vous, votre mari peut revenir à la maison et laisser tomber la réception, plutôt que d'avouer qu'il s'était égaré. Et là, dans l'auto, en jetant un coup d'oeil furtif à cet homme que vous aimez, vous vous dites : «Si j'étais ainsi perdue, moi, je n'aurais aucune objection à demander des renseignements. Pourquoi est-il incapable d'admettre qu'il a tort?»

C'est samedi, vous avez projeté de passer la soirée ensemble, et, à six heures du soir, votre mari vous téléphone en disant : «J'ai pensé que ce serait amusant d'aller manger dans un endroit différent ce soir. J'ai réservé dans un bon restaurant chinois du centre ville, ça t'intéresse?»

«C'est gentil, chéri, dites-vous, mais j'ai mangé des mets chinois hier avec mon patron. Je pense que j'aimerais mieux manger autre chose.»

Après un long silence, vous l'entendez dire d'une voix sèche, glaciale : «Oh! Bien, je sais pas. Écoute, comme t'es si capricieuse, tu pourrais choisir le restaurant toi-même peut-être?»

«Je suis pas difficile, dites-vous calmement, j'ai pas envie de mets chinois, c'est tout! C'est pas une raison pour te fâcher.»

«Je suis pas fâché, dit-il en élevant la voix, mais t'es tellement difficile à contenter des fois!»

Vous montez le ton aussi : «Je suis pas difficile à contenter, tout ce que j'ai dit, c'est que je veux pas aller à ce restaurant-là, c'est tout! On dirait que je t'ai insulté, que je t'ai critiqué pour avoir choisi le mauvais restaurant. C'est pas si important que ça!»

Et il devient sarcastique : «C'est pas important? Bien, pourquoi est-ce qu'on se chicane alors?»

Et vous pensez en vous-même : «Je comprends pas pourquoi il agit comme ça. Pourquoi est-ce qu'il peut pas simplement admettre que son choix de restaurant était pas le bon, puis en suggérer un autre?»

Regrettez-vous que ce genre d'incident vous semble un peu trop familier? Je sais que vous savez ceci, mais je vais vous le répéter quand même :

- les hommes détestent avoir tort;
- ils détestent se faire dire qu'ils ont tort;
- ils détestent même penser qu'ils peuvent avoir eu tort;
- et, par-dessus tout, ils détestent qu'une femme sache qu'ils ont eu tort, avant qu'ils le sachent eux-mêmes.

Et, le plus délicat de l'affaire, c'est que les hommes pensent que vous leur donnez tort, ou que vous leur reprochez quelque chose, quand vous ne leur dites absolument rien de semblable.

———————— ✧✧✧ ————————
Les hommes prennent vos suggestions, vos conseils et vos remarques pour des critiques ou des attaques.
———————— ✧✧✧ ————————

Quand une femme suggère innocemment à son mari de s'y prendre autrement pour faire quelque chose, quand elle veut lui donner une information qu'elle juge utile, ou quand elle lui demande un peu plus de quelque chose, ce qu'elle dit n'a pas tellement d'importance. Dans son oreille à lui il entend : «Tu es méchant! Tu as tort! Tu as fait une erreur! Tu n'es pas assez bon! Le tableau suivant peut vous aider à comprendre.

CE QUE LES FEMMES DISENT
ET CE QUE LES HOMMES ENTENDENT

Vous dites :	**Il entend :**
Chéri, tu devrais arrêter et demander des renseignements.	T'es donc stupide! Tu t'es égaré! Comment veux-tu que j'aie confiance en toi?
J'ai pas le goût de mets chinois.	T'as fait une erreur! T'as choisi le mauvais restaurant! Tu m'as déçue.

J'aimerais qu'on passe plus de temps ensemble, tout seuls, dans l'intimité.	T'es pas bon! T'as pas été capable de me satisfaire! Je ne suis pas contente de toi!
Si tu parlais à ton patron, il pourrait peut-être te donner plus de temps pour terminer ton travail.	T'es un raté! T'es jamais capable de terminer un travail à temps!
Tu devrais essayer de le faire comme ça!	Tu sais pas comment faire! T'es incapable de figurer ça par toi-même!
(au lit) Chéri, va plus lentement, attends-moi un peu, s'il te plaît.	T'es un mauvais amant! Tu ne sais pas comment faire!

N'est-ce pas frustrant de voir l'homme que vous aimez réagir violemment à une remarque ou à un commentaire totalement inoffensif, ou même gentil, que vous lui faites? Voilà ce qui amène certaines femmes à conclure qu'elles doivent traiter leur homme avec des gants blancs, et surveiller ce qu'elles lui disent.

POURQUOI LES HOMMES PENSENT QU'ILS DOIVENT TOUJOURS AVOIR RAISON

Pour comprendre ce mystère au sujet des hommes, il faut nous reporter à notre petite enfance, quand nous étions petites filles et petits garçons. Nous avons appris dans le premier chapitre que les hommes apprennent très jeunes que leur rôle consiste à maintenir un contrôle absolu sur le monde externe des actions et des réalisations, plutôt que sur le monde interne des pensées et des émotions. On apprend aux petits garçons que leur valeur personnelle dépend de ce qu'ils font, et de ce qu'ils accomplissent. Il se font dire des choses comme :

- Bon garçon! T'as lancé cette balle-là pas mal loin!

- Fiston, pendant que je serai parti, je veux que tu sois l'homme de la maison, que tu aides ta mère à accomplir toutes les tâches de la maison.

- T'as râtelé toutes ces feuilles déjà? Bravo! Tiens! deux dollars pour toi!

Tous les jeux traditionnellement masculins étaient caractérisés par des actions, ou des réalisations. Les jeux de blocs, de construction, les modèles d'autos ou d'avions à construire comprenaient tous une forme d'activité, de performance, ou de réussite mesurable. Alors, à partir de ces prémisses, les petits garçons concluaient que, pour être bons, il fallait bien faire. Devenus adultes, toute leur appréciation d'eux-mêmes vient de leurs réussites et de leurs aptitudes.

———————— ✧✧✧ ————————
L'estime de soi, chez l'homme, est proportionnelle à ses réalisations.
———————— ✧✧✧ ————————

Voilà pourquoi, lorsqu'il sent qu'une femme conteste sa capacité de faire quelque chose parfaitement, l'homme devient défensif. Son interprétation des signaux qu'elle lui transmet va à peu près comme ceci : «Tu l'as mal fait, alors, t'es un mauvais garçon!» Habituellement, il n'entend même pas en détail les suggestions ou commentaires qu'elle lui fait. Dès qu'il conclut initialement qu'elle pense qu'il a fait quelque chose d'incorrect, ses réflexes émotionnels sont actionnés, et il se branche automatiquement sur la défensive. Alors qu'elle s'attend à une réplique polie, lui sent qu'on l'attaque et qu'on lui donne tort. Alors, on voit facilement pourquoi il leur est impossible de s'entendre.

COMMENT J'AI ÉTÉ PRISONNIÈRE DANS UN GARAGE SOUTERRAIN

Je suis incapable de parler de ce mystère numéro 1, sans me rappeler un incident personnel qui illustre bien jusqu'où peut aller un homme pour ne pas admettre qu'il a tort. Il y a plusieurs années, je fréquentais un homme qui avait beaucoup de difficulté à reconnaître une erreur. Un soir, nous avions des billets pour un spectacle de Broadway qui se produisait à Los Angeles. Alors nous nous sommes vêtus avec la plus grande élégance, et nous nous sommes rendus au théâtre. Mon partenaire a garé la voiture dans un stationnement souterrain, puis nous sommes montés et nous avons apprécié une soirée des plus extraordinaires. Après le spectacle, nous avons pris l'ascenseur, pour redescendre à l'étage où il avait laissé l'auto.

Nous avons marché à travers les rangées de voitures, en cherchant pendant cinq minutes, puis dix minutes, sans trouver notre auto. Comme je portais des talons hauts, je commençais à avoir mal aux pieds. Il faisait aussi plutôt frais dans le garage, et je n'avais qu'un léger voile sur les épaules, alors je lui ai demandé : «Chéri, as-tu perdu l'auto?» Il m'a répondu : «Non! J'ai pas perdu l'auto, elle est ici quelque part. Panique pas, je vais la trouver!» Mais son regard me disait plutôt : «Comment oses-tu m'accuser d'être perdu? Je suis un homme, un guerrier, un grand explorateur! T'as pas confiance en moi?»

«Je ne panique pas, lui dis-je, mais on marche depuis dix minutes et j'ai mal aux pieds. On est peut-être au mauvais étage?»

«Non, c'est le bon étage, laisse-moi faire! D'ailleurs, l'exercice va te faire du bien.» (Croyez-le ou non, mais je vous jure qu'il m'a dit ça comme ça!)

Pendant encore dix minutes nous avons cherché l'auto, lui courant à l'avant, et moi tirant de la patte à l'arrière. Enfin, j'en avais assez et je lui dis : «Écoute, c'est stupide de tourner en rond comme ça, vas donc trouver l'un des surveillants en voiturette qu'on a vu tout à l'heure et demande-lui de t'aider à chercher.»

D'après le ton de sa réponse, on aurait dit que je lui avais suggéré de sauter dans un précipice. «J'ai pas besoin d'un stupide surveillant pour m'aider, je suis pas perdu! Puis, si tu m'énervais pas autant, je l'aurais déjà trouvée depuis longtemps! Comme toujours, t'es tellement inflexible. Tu peux pas juste te contenter d'être là, pour le moment?»

Là j'ai sauté! «Bien oui, je suis là pour le moment, puis en ce moment précis j'ai mal aux pieds à en mourir, j'ai froid, puis je veux rentrer à la maison. Alors, trouve-la ta maudite voiture, puis fais ça vite!»

Eh bien, après encore une quinzaine de minutes à chercher inutilement, mon partenaire s'est résigné à demander de l'aide à l'un des gardes de sécurité. Assis à côté de moi, à l'arrière de la voiturette blanche, comme un délinquant qu'on emmène au cachot, il me jetait un regard enragé à toutes les deux secondes. Inutile de dire que le surveillant nous a conduits à travers plusieurs autres étages, avant que nous trouvions notre voiture. Mon partenaire avait en effet oublié à quel étage il avait laissé l'auto. Sur le chemin du retour, j'ai pensé que si je l'agaçais un peu en riant de notre voiture, ça pourrait relâcher la tension. Mais ça n'a fait que le fâcher davantage.

«Tu parles d'une «Prima Donna», qu'il me dit, t'as pas le sens de l'aventure. Une petite marche après un spectacle ça peut seulement faire du bien à une femme en forme. Qu'est-ce que ça peut bien faire qu'on ait pris un peu de temps à trouver la voiture?»

«L'aventure?» que je lui ai crié. «T'étais perdu, puis t'es pas capable de l'admettre! Essaye pas de me blâmer! Je regrette, mais je trouve pas ça particulièrement amusant de marcher dans un garage souterrain pendant trois quarts d'heure, en robe de soirée puis en talons hauts!»

Et, assise là à frotter mes pieds douloureux, je n'en revenais pas que cet homme tenait plus à avoir raison qu'à mon confort, et que, même après coup, il ne pouvait se résigner à admettre qu'il s'était trompé, encore moins à s'excuser.

─────────── ✧✧✧ ───────────

Les hommes trouvent souvent difficile de s'excuser, parce que ce serait pour eux admettre qu'ils se sont trompés, donc qu'ils sont mauvais garçons.

─────────── ✧✧✧ ───────────

Cet incident s'est produit il y a bien des années. Naturellement qu'aujourd'hui, connaissant tout ce que j'ai appris sur les hommes, et sur les erreurs que font les femmes, j'agirais bien différemment dans les mêmes circonstances. Mais cette histoire m'a bien servie depuis, et je l'ai racontée tellement de fois à des groupes de femmes et d'hommes. En reconnaissant ce que je racontais, les femmes se mettaient à sourire... Les hommes, eux, avaient l'air gêné, et rougissaient. Je me demande chaque fois si cette expérience de prisonnière dans un garage souterrain n'en a pas valu la peine?

COMMENT GINETTE A AIDÉ SON MARI
À ÊTRE MOINS DÉFENSIF

Agente de bord pour une compagnie aérienne, Ginette a 37 ans, et son mari, Alex, est un avocat de 42 ans. «Notre mariage va pour le mieux, sauf pour une chose, dit Ginette, je dois toujours mettre des gants blancs pour parler à Alex. Tout va bien jusqu'à ce que je tente de lui faire une suggestion, ou de différer d'opinion avec lui. Alors, il devient froid et indifférent, ou bien il éclate pour une peccadille. Et je ne parle pas de lui faire une critique, je n'oserais jamais en prendre le risque. Je ne comprends pas pourquoi il interprète toujours mal ce que j'essaie de dire.» Comme beaucoup d'autres femmes, Ginette n'arrivait pas à percer ce mystère masculin. Je me suis assise avec Alex et elle, et je les ai entraînés à travers une série de conversations fictives. M'adressant d'abord à Alex : «Disons que tu planifies la fin de semaine, et que tu proposes à Ginette de faire, dimanche, une balade en auto à la campagne.» Puis, me retournant vers Ginette : «Et toi, tu n'as pas tellement le goût d'aller en auto, alors que répondrais-tu à Alex?» Après quelques instants de réflexion, Ginette me répond : «Je lui dirais : Tu sais, chéri, j'ai eu une semaine tellement chargée, et puis, vraiment, je préférerais que nous restions ici, ensemble, autour de la maison.»

«Bon d'accord, dis-je, et maintenant Alex, comment te sens-tu quand Ginette te dit ça?»

«Je deviens tendu, dit-il, je commence à me fâcher, mais je ne sais pas très bien pourquoi, et je n'ai plus tellement envie de poursuivre la conversation.»

«Et si tu fais abstraction des mots que Ginette a employés, que crois-tu qu'elle a voulu dire par ça?»

«Bien, dit Alex, je sens qu'elle veut dire que ma suggestion était mauvaise, que j'aurais dû savoir qu'elle n'avait pas envie d'une balade en auto, et que je ne sais pas très bien planifier des activités pour nous deux. Je me sens tout drôle en disant ça, mais j'ai comme le sentiment que si je suis incapable de faire quelque chose parfaitement, elle va penser que je suis stupide, ou raté.»

Ginette était stupéfaite d'entendre comment son mari, cet homme si sûr de lui, cet homme qui a réussi, puisse se sentir raté, mauvais garçon, après avoir fait une simple erreur. Alex et Ginette ont convenu de s'efforcer d'exprimer, le plus honnêtement possible, leurs sentiments l'un à l'autre, à l'avenir. Ginette a promis de surveiller soigneusement ses propos, afin qu'ils soient très clairs pour Alex, et Alex s'est engagé à consulter Ginette chaque fois qu'il aura l'impression qu'elle lui reproche d'être mauvais garçon, et à la croire si elle lui affirme qu'il n'en est rien.

Trois mois après, ils m'ont téléphoné pour me dire comme ça allait bien. «Les choses ont bien changé, dit Ginette avec satisfaction, même s'il nous arrive à l'occasion de retomber dans les mêmes habitudes.

Maintenant, nous nous surveillons et, sitôt que ça arrive, nous exprimons nos sentiments honnêtement, et nous nous rassurons mutuellement. Je me sens beaucoup plus à l'aise qu'avant avec Alex et, même quand il lui arrive parfois de prendre encore une attitude défensive, je comprends pourquoi il le fait, et j'en suis beaucoup moins troublée.»

POURQUOI LES FEMMES NE CRAIGNENT PAS DE FAIRE DES ERREURS

Voilà qu'en lisant cette section vous pouvez très bien vous demander : «Qu'est-ce qu'il y a de si important dans le fait de faire des erreurs? Quand ça m'arrive, ça me fait rien qu'on me fasse des suggestions ou qu'on me donne des conseils.»

Encore une fois, on doit remonter à la différence entre l'éducation des petits garçons et celle des petites filles. On a enseigné aux fillettes que, comme femmes, elles auraient à rendre la vie plus agréable, à voir au confort de papa, à se faire plus belles, à garder la maison à l'ordre. Alors, lorsqu'une femme fait une erreur, elle se demande tout simplement : «Comment puis-je corriger ça? Comment puis-je améliorer la situation?» Nous pouvons déplorer la chose, nous pouvons regretter les remarques négatives qui s'ensuivent, mais nous nous appliquons habituellement à y remédier le plus tôt possible.

C'est l'une des raisons qui font que les femmes s'engagent à fond dans des activités d'épanouissement personnel, telles que la lecture de livres comme celui-ci, la consultation professionnelle, et l'assistance à des séminaires ou conférences. Tout naturellement, le contraire est aussi vrai.

——————— ✧✧✧ ———————

Pour un homme, lire un livre de croissance personnelle, ou demander une consultation professionnelle, cela équivaut à admettre qu'il a mal fait, donc qu'il est mauvais.

——————— ✧✧✧ ———————

Avez-vous déjà proposé à un homme d'aller avec lui voir un conseiller matrimonial, ou de participer ensemble à un séminaire sur le sujet, pour ensuite essuyer sa colère et ses sarcasmes? Vous pouvez maintenant comprendre qu'il ne vous entendait absolument pas faire votre simple suggestion, mais qu'il vous entendait plutôt lui reprocher d'être un homme incapable ou inadéquat, et dire qu'il devrait être corrigé ou changé.

Naturellement, je n'affirme pas que les hommes n'ont aucun intérêt pour toute amélioration personnelle. En fait, de plus en plus d'hommes ont accompagné leur femme à mes séminaires intitulés «Faire fonctionner l'amour» au cours des sept dernières années. Il y a maintenant autant d'hommes que de femmes présents à ces réunions de fin de semaine. On doit se rappeler que c'est beaucoup plus difficile pour les hommes de demander de l'aide, ou de travailler à leur propre transformation, alors ceux qui s'y appliquent méritent tout le support qu'on puisse leur offrir.

T'AS PAS CONFIANCE EN MOI?

Vous êtes à l'extérieur, en vacances ou en week-end de congé, et comme l'heure du dîner approche, votre partenaire feuillette un guide des bons restaurants de la région. Vous tendez le bras et dites : «Passe-moi le guide, chéri.» Votre partenaire vous regarde et répond : «Mais, t'as pas confiance en moi pour trouver un restaurant?»

Votre mari vit une période difficile au bureau, et vous vous inquiétez de sa capacité de gérer ce stress. Vous téléphonez à l'un de ses confrères, et vous lui demandez de parler à votre mari pour l'encourager. Lorsque votre homme découvre que vous êtes ainsi intervenue auprès de son copain, il devient furieux contre vous, vous lançant : «T'as pas assez confiance en moi pour croire que je suis capable de m'occuper de mes affaires?»

Dernièrement, vous vous êtes aperçue qu'une jeune femme de vos connaissances fait de l'oeil à votre «chum» quand vous vous réunissez avec des amis. Un soir, au retour d'une de ces réunions, vous abordez le sujet avec votre ami, le mettant en garde contre les intentions malveillantes de cette personne, et l'informant de sa réputation de «briseuses de ménages». Il s'offusque et se fâche contre vous en disant : «Je sais tout ça! J'ai pas besoin de toi pour me le dire. T'as pas confiance en moi? Tu crois que je suis pas capable de me protéger seul?»

Combien de fois l'homme que vous aimez a-t-il interprété vos paroles ou vos conseils, comme des expressions de non confiance? Et comme toutes les femmes, vous vous êtes probablement gratté la tête en pensant : «Mais qu'est-ce que mes paroles ont à voir avec la confiance?» Tentons d'en expliquer le secret.

―――――――――― ✧✧✧ ――――――――――
**Les hommes, pensant devoir toujours savoir
quoi faire, interprètent vos questions ou conseils
comme des reproches. Croyant que vous les accusez
de ne pas savoir ce qu'ils font, ils pensent
que vous n'avez pas confiance en eux.**
―――――――――― ✧✧✧ ――――――――――

Je n'oublierai jamais la première fois que j'ai découvert ce secret au sujet des hommes. J'étais au beau milieu d'une discussion avec mon partenaire de l'époque, à propos de ce que je croyais être un incident insignifiant. Il était à rédiger un rapport, et il avait sollicité mes commentaires. J'avais lu son rapport et rédigé des notes que je croyais pertinentes. Et, comme il lisait mes notes, je le voyais devenir de plus en plus tendu et distant. Je finis par lui demander s'il y avait un problème. Il m'assura que tout était correct, et insista pour que je ne m'attende à aucune louange pour ces notes. Je lui dis que je ne voulais pas de félicitations, mais que je trouvais son attitude pas mal bizarre. En fin de discussion il me traita de femme insatisfaite, hyperémotive, et je l'accusai d'être un homme obtus et renfermé.

Après des heures de blocage sans issue, la vérité finit par éclater. Quand je lui faisais des commentaires qu'il jugeait négatifs, il avait l'impression que je le croyais incapable de bien faire, que je manquais de confiance en lui. Alors, même s'il avait sollicité mes commentaires, et même après s'être dit en accord avec moi, et après que j'eus reconnu qu'il n'avait pas fait un travail parfait, il avait réagi en pensant que je n'avais pas confiance en lui.

Je me rappelle avoir été très soulagée en découvrant la cause du problème. Mais j'étais aussi fort déconcertée de constater comment cet homme avait pu faire un parallèle entre ma simple suggestion, et un quelconque manque de confiance de ma part. En nous calmant graduellement, et en discutant de la situation, il s'appliqua à me faire comprendre à quel point la question de confiance était importante pour un homme, et comme il était facile pour lui de soupçonner un manque de confiance.

SOLUTIONS AU MYSTÈRE NUMÉRO 1

1- Évitez les mots qui lui donnent tort.

Maintenant que vous savez combien les hommes détestent avoir tort, assurez-vous de ne pas jeter de l'huile sur le feu, par les paroles que vous pouvez lui dire. Par exemple, si votre mari est au volant et que vous voyiez qu'il s'est égaré :

——————————— ✧✧✧ ———————————

Ne lui dites pas :

«C'est toujours comme ça! Tu fais jamais attention! Tu oublies où l'on s'en va, puis tu te retrouves perdu!»

Dites-lui plutôt :

«Chéri, je me sentirais tellement mieux si l'on s'arrêtait pour s'informer. Je deviens nerveuse quand on tourne en rond comme ça. Je sais que tu fais ton possible, mais je vois que c'est pas mal mêlant ici.»

——————————— ✧✧✧ ———————————

Autrement dit, ne le blâmez pas, ne le condamnez pas, ne le traitez pas de tous les noms, ne portez pas de jugements de valeur sur ses capacités ou son jugement. Dites-lui simplement comment vous vous ressentez. Dans sa perception à lui, cela signifie :

——————————— ✧✧✧ ———————————

Ne pas lui dire :

«Tu es mauvais parce que tu as fait ça!»

Lui dire plutôt :

«J'ai peur, et j'ai de la peine quand tu fais ça!»

——————————— ✧✧✧ ———————————

Faites attention de ne rien dire qui puisse laisser croire que vous n'avez pas confiance en lui. Au contraire, réitérez-lui votre confiance, en même temps que vos remarques et suggestions.

———————— ✧✧✧ ————————

Important! Je ne vous suggère pas, comme femme, de traiter votre homme avec des gants blancs, soit en évitant de lui exprimer votre désaccord s'il y a lieu, soit en «diluant» vos paroles pour éviter de l'offenser. Je vous suggère plutôt d'user de tact et de délicatesse en lui parlant. Mais, naturellement, s'il vous maltraite ou vous fait de la peine, ne vous inquiétez plus de sa réaction à vos propos, et faites-lui savoir exactement ce que vous pensez! Tenez-vous debout et défendez-vous!

———————— ✧✧✧ ————————

2- Discutez de ces informations avec votre homme.

Les hommes aiment être compris. Lisez ce chapitre avec votre partenaire. Voyez si ces propos touchent ses cordes sensibles et laissez-lui exprimer ses sentiments. Dites-lui clairement que vous n'avez aucune intention de lui donner tort en quoi que ce soit, que vous aimeriez pouvoir lui exprimer des remarques, ou lui prodiguer des conseils, sans qu'il ne sente de critique, ou de menace d'aucune sorte, de votre part.

3- Ne lui ménagez ni la reconnaissance ni les compliments.

Je ne saurais trop insister sur l'immense besoin de reconnaissance et de compliments qu'ont les hommes. Beaucoup plus que vous ne pouvez l'imaginer!

Malgré tout, il se peut que votre homme ne vous en demande jamais. Il peut nier qu'il en a besoin. Il peut même insister qu'il n'aime pas ça, qu'il ne ressent aucun plaisir quand vous signalez ses talents ou ses efforts, ou quand vous le complimentez. Ne le croyez pas! c'est absolument faux!

—————————— ✧✧✧ ——————————
**Conditionnés par la vie, les hommes pensent qu'ils
doivent tout savoir et être capables de tout faire
comme il faut; ils ont besoin de beaucoup d'appui,
d'encouragement et de compliments, non seulement
pour ce qu'ils font, mais juste pour ce qu'ils sont.**
—————————— ✧✧✧ ——————————

L'une des plaintes les plus courantes que me font les hommes, c'est : «Je ne me sens pas suffisamment apprécié par ma partenaire.»

Vous pouvez penser que vous appréciez beaucoup votre homme, mais cette appréciation ne correspond peut-être pas aux choses pour lesquelles il voudrait être apprécié, des choses que vous tenez pour acquises, comme aller travailler tous les jours, faire de grands efforts pour mieux s'exprimer, faire un bon marché en achetant l'auto, etc.

Allez-y! Demandez à votre partenaire s'il croit que vous l'appréciez suffisamment, que vous le complimentez assez souvent, et pour les bonnes choses. Mais, attention! Ne vous laissez pas tromper par un homme qui joue la confiance en soi au point de laisser croire qu'il n'a pas besoin de votre support, ou de vos compliments. Croyez-moi, il en a grandement besoin!

Mystère numéro 2

POURQUOI LES HOMMES N'AIMENT PAS QUE LES FEMMES SE MONTRENT CONTRARIÉES OU ÉMOTIVES

Laura se sent dépourvue devant le comportement rebelle de sa fille adolescente Alyssa, qui se tient avec un groupe d'amis plutôt indésirables, et dont l'attitude empire de jour en jour. Laura et son mari, Louis, ont tous deux parlé à Alyssa pour lui dire que si elle ne changeait pas elle se réservait de graves problèmes. Depuis les trois dernières semaines, Louis est retenu durant de longues heures supplémentaires à l'ouvrage, pour un projet spécial, et c'est sur les seules épaules de Laura que pèse le fardeau de discipliner Alyssa. Tôt ce matin, Laura s'est livrée à une criaillerie avec Alyssa, ce qui lui a laissé un violent mal de tête pour la journée.

En revenant à la maison vers sept heures du soir, Louis trouve Laura en train de laver la vaisselle et lui demande : «Bonsoir, chérie, comment a été la journée?» Et, à sa grande surprise elle éclate en sanglots en disant : «C'était épouvantable! Je n'en peux plus, Louis, Alyssa est devenue un monstre. J'ai tout essayé cette semaine, mais elle est hors de contrôle. Elle n'écoute absolument rien de ce que je dis. Je me sens totalement désemparée! Où est-ce qu'on s'est trompé?»

«Bon, chérie, calme-toi et viens t'asseoir, dit Louis sur un ton calme, ça n'arrangera rien de pleurer. Viens, on va discuter du problème. Et je suis sûr qu'on va trouver une solution pratique.»

«Mais tu sais pas comment c'était, crie Laura. J'ai essayé de la raisonner et ça n'a pas marché. Y'a rien qui marche!»

«Calme-toi, Laura, dit Louis, prenons ça une étape à la fois. D'abord, qu'est-ce qu'Alyssa a fait que tu n'as pas aimé cette semaine?»

«Tu comprends pas, dit Laura, t'étais pas ici cette semaine, alors tu peux pas savoir comment c'était. Comment peux-tu rester aussi indifférent?»

«Indifférent moi? Je ne suis pas indifférent, j'essaie seulement d'être pratique. C'est pas en devenant hystérique qu'on va régler quoi que ce soit.»

«Je ne suis pas hystérique, je pleure! Tu sais, j'exprime mes sentiments, ce que t'as tant de difficulté à faire, toi! Et puis d'abord, crie Laura, je veux pas être pratique, je veux seulement que tu me réconfortes!» Puis elle court de la cuisine au salon et s'effondre sur le divan en pleurant. Elle se sent seule, abandonnée et incomprise.

Guylaine et Alain reviennent d'un dîner au restaurant et, en marchant vers leur appartement, elle lui dit : «Alain, j'ai besoin de te parler de quelque chose.»

«Mais, il est déjà très tard, ça peut pas atteindre?» dit Alain.

«Non, c'est important!» dit Laura.

«O.K.!... Qu'est-ce qui va pas?» demande Alain.

Et Guylaine commence : «Bien... c'est juste que je te trouve pas mal distant depuis un certain temps. Je sais que tu es très occupé à ton travail, mais on n'a pas fait l'amour depuis une semaine, et puis tu me manques.» En terminant ces mots Guylaine regarde Alain, espérant un peu de réconfort. Il lui jette un regard, en se tortillant d'inconfort sur le fauteuil, mais ne dit rien.

«Eh bien! dit Guylaine, qu'est-ce que tu réponds?»

«J'ai compris, dit Alain, et je regrette que tu penses comme ça.»

«C'est tout ce que t'as à dire?» reprend Guylaine d'un ton accusateur.

«Ah! Je vois! dit Alain. D'après ce que tu penses je devrais répondre d'une certaine façon, puis si je le fais autrement tu prends le feu, c'est ça?»

«Non! crie Guylaine, je veux juste te sentir ici, avec moi!»

«Je suis là, répond froidement Alain. M'as-tu vu me lever et m'en aller?»

«Tu serais aussi bien d'être parti! dit Guylaine en pleurant. T'est juste là comme une personne froide, mécanique, alors que moi, j'ai besoin que tu m'aimes!»

«Écoute! dit Alain, c'est toi qui as gâté notre soirée, en insistant pour parler d'un problème quand il est déjà si tard. T'es tellement chatouilleuse, tu réagis toujours à l'excès pour quelque chose. Si c'était pas de ta sensiblerie, on serait bien ici! J'ai plus envie d'entendre tes sornettes!» Et il sort de la pièce en coup de vent, laissant sa femme à se demander comment elle a pu échouer, avec un homme si insensible, sans coeur.

Avez-vous déjà vécu un tel problème? Alors que vous sentez le besoin d'être aimée, ou réconfortée par un homme, et que vous l'appelez à votre secours, lui vous fait plutôt la leçon, ou vous donne des conseils.

Avez-vous déjà tenté de communiquer vos sentiments, votre tristesse, ou votre peur à votre partenaire, pour vous faire accuser en retour, d'être hypersensible ou trop exigeante?

En constatant ce comportement dans le couple, je me suis demandé : «Pourquoi les hommes détestent-ils tant que les femmes soient trop émotives?» Beaucoup de spécialistes affirment que l'homme est mal à l'aise en voyant une femme devenir émotive parce qu'il est inconfortable devant sa propre vulnérabilité. Je suis d'accord que cette conclusion générale est un élément du problème. Cependant, je suis convaincue que la raison qui va nous permettre de résoudre ce mystère se situe dans trois sentiments secrets, qui habitent les hommes, et que les femmes ignorent.

PREMIÈRE RAISON POUR LAQUELLE LES HOMMES DÉTESTENT QUE LES FEMMES SE MONTRENT ÉMOTIVES OU CONTRARIÉES

——————— ✧✧✧ ———————
Les hommes ont appris à se sentir responsables d'arranger les choses.
——————— ✧✧✧ ———————

Comme nous l'avons vu tout au long de ce livre, dès leur tendre enfance on conditionne les hommes à se sentir responsables de tout.

«Bon! Simon, surveille bien ta petite soeur, pour ne pas qu'elle se fasse mal.»

«Quand tu seras grand, fiston, c'est toi qui seras l'homme de la maison.»

«Jacquot, papa a besoin d'aide, pour transporter les paquets de l'auto à la maison.»

C'est ainsi que ces petits garçons deviennent des hommes, et conservent la conviction inconsciente que «si je suis un vrai homme, je dois être compétent, et je dois prendre soin des femmes dans ma vie».

Est-il vraiment sans coeur ou votre chevalier servant?

Lorsque vous abordez votre homme avec un problème qui vous trouble, il n'entend pas toujours les mots que vous dites. Dans son esprit à lui, il entend plutôt :

«Aide-moi!»
«Sauve-moi!»
«Arrange ça pour moi!»

Comme femme, vous voulez être :

- rassurée;
- réconfortée;
- caressée;
- écoutée;
- apaisée;
- assurée que tout ira bien.

Au lieu du réconfort attendu, vous recevez :

- des conseils;
- des questions;
- un sermon;
- un reproche, parce que vous êtes bouleversée.

Vous cherchez l'amour, il vous offre sa logique. Vous voulez un traitement maternel, il agit comme un père.

Je me souviens d'un incident qui illustre bien ce mystère masculin. J'avais des problèmes avec mes employés au bureau. J'étais déçue de leur attitude devant leur manque de rendement. Je suis rentrée à la maison un soir, et j'ai dit à mon mari du temps : «Je suis tellement fâchée, que j'ai envie d'éclater!» Puis, je lui ai défilé toutes les frustrations que je ressentais à cause de la situation au bureau. Après m'avoir écoutée attentivement, alors que nous étions encore debout dans le hall d'entrée, près de l'escalier, mon mari entreprit de me présenter, pendant vingt minutes, un plan d'affaires détaillé pour résoudre mon problème, s'appliquant à mettre le doigt sur mes erreurs ayant conduit à cette situation. Je devins de plus en plus frustrée, fâchée, et je me mis à pleurer.

«Qu'est-ce qu'il y a? dit-il. Tu n'aimes pas mes idées?»

«Je m'en fous de tes idées, lui dis-je, je suis arrivée ici bouleversée, et j'avais seulement besoin de réconfort. Mais tout ce que tu as trouvé à m'offrir, c'est un sermon.»

«Eh bien, je m'excuse si je n'ai pas fait exactement ce que tu voulais, et comme tu voulais que je le fasse», dit-il.

Qui avait raison? Qui avait tort? Ni l'un ni l'autre! Lui croyait m'aider en m'offrant ses conseils, mais il ne lui est jamais venu à l'idée que je me serais sentie bien mieux s'il m'avait prise sur ses genoux, écoutée, rassurée que tout allait s'arranger, et simplement aimée pour un moment.

Quant à moi, je croyais qu'il était vraiment insensible à mes sentiments, et indifférent à mes besoins quand, en réalité, il m'offrait ce qu'il considérait être le plus utile à ce moment-là, une solution à mon problème.

Rappelez-vous toujours que :

Les hommes ont besoin de solutions.

Aussitôt que votre homme constate qu'un problème vous tracasse, un réflexe automatique lui dit : «Solution! Solution!» Il n'en a probablement pas, mais peu importe! Il gagnera du temps en vous questionnant sur les éléments du problème, ou il se retirera dans le silence de ses pensées. Alors que vous le trouvez insensible et sans coeur, il se voit comme un preux chevalier accourant à votre secours.

Cela peut expliquer pourquoi un homme se fâche souvent quand vous exposez un problème, ou vous montrez votre vulnérabilité. Ce n'est pas qu'il vous en veut, il se fâche parce que :

a) il se sent responsable de la solution;
b) il n'a pas de solution, et il se sent bête, tout comme s'il vous avait laissé tomber.

C'est exactement ce qui se passait, dans le cas de mon problème au bureau. En m'entendant lui débiter mes ennuis, sitôt entrée à la maison, mon mari a cru que je lui demandais de m'aider. Il a commencé à m'offrir des conseils et des suggestions, et plus je voyais qu'il cherchait à me conseiller, au lieu de me réconforter plus je me fâchais contre lui. Et plus il me voyait me fâcher, au lieu d'apprécier ses conseils, plus il se fâchait contre moi en retour.

Nous avons mis des heures à démêler tout ça, mais ça valait la peine. C'est par cet incident que j'ai compris ce mystère masculin. Comme la plupart des hommes, mon mari fut fort surpris d'apprendre que je me serais contentée d'être écoutée, ou caressée. «Tu veux dire que, pour t'arrêter de pleurer et de rechigner, je n'avais qu'à te prendre dans mes bras, et à te dire que tout irait bien?» me dit-il par la suite. «J'en reviens pas, que je n'avais pas besoin de tout arranger!»

«C'est exact! que je lui ai répondu. J'avais seulement besoin de savoir que tu étais là, à mes côtés.»

DEUXIÈME RAISON POUR LAQUELLE LES HOMMES DÉTESTENT QUE LES FEMMES SE MONTRENT ÉMOTIVES OU CONTRARIÉES

Voici autre chose que votre homme ressent quand il vous voit contrariée ou émotive : d'une façon ou de l'autre, il se blâme de vous avoir fait de la peine, et il se trouve mauvais garçon pour ça. Sachez que, même si ce qui vous dérange n'a rien à voir avec lui, votre homme se sentira d'abord responsable de votre détresse. Et, s'il n'arrive pas à calmer votre désarroi, ou à chasser votre peine, il se sentira coupable, d'une certaine façon.

— ✧✧✧ —

Quand un homme voit sa femme peinée ou blessée, il s'en tient souvent responsable lui-même et, en retour, il lui en veut, parce que, «à cause d'elle, il est tellement fâché contre lui-même.»

— ✧✧✧ —

Un homme que j'ai interviewé récemment me l'a expliqué ainsi : «Quand ma femme m'arrive toute bouleversée, je suis mal à l'aise devant son désarroi. Si c'est quelqu'un d'autre qui l'a offensée, j'en veux à cette personne de lui avoir fait de la peine, et je suis choqué d'en être aussi offensé moi-même. Si c'est à cause de quelque chose que je lui ai fait, moi, je m'en veux à moi-même de l'avoir blessée, et d'une certaine façon je suis fâché contre elle parce qu'en réagissant si fortement, elle a souligné d'autant plus ma propre ineptie.»

Vous êtes-vous déjà demandé pourquoi, quand vous vous tournez vers votre homme parce que vous êtes peinée ou offensée, il se fâche contre vous en retour? En partie, c'est parce qu'il est fâché contre lui-même, soit parce qu'il est impuissant à vous aider, soit parce qu'il vous a offensée lui-même au départ.

Comme nous le verrons dans le chapitre sur les communications, les hommes expriment souvent leur frustration par la colère, plutôt que par toute autre émotion, parce que c'est moins menaçant pour eux. Alors, quand vous êtes là, subissant la rage de votre homme contre votre attitude hyperémotive, dites-vous que ce qu'il ressent à l'intérieur, c'est probablement la frayeur, l'humiliation, l'impuissance, la culpabilité, la peine, ou n'importe quelle émotion autre que la colère.

TROISIÈME RAISON POUR LAQUELLE LES HOMMES DÉTESTENT QUE LES FEMMES SE MONTRENT ÉMOTIVES OU CONTRARIÉES

Vous est-il déjà arrivé, pendant que vous essayez d'exprimer vos sentiments à votre homme, qu'il vous pousse à accélérer, ou qu'il vous invite à vous calmer, à en finir? Alors que vous avez juste besoin de pleurer quelques instants, lui vous traite comme si vous étiez en pleine dépression nerveuse.

——————— ✧✧✧ ———————

Il arrive aux hommes d'interpréter votre émotivité comme de l'hystérie, d'assumer que vous êtes en pire condition que vous ne le dites, et d'avoir peur que, si vous commencez, ça n'en finira plus.

——————— ✧✧✧ ———————

Comme nous le verrons tout au long de ce livre, la plupart des hommes doivent être vraiment mal pris pour pouvoir exprimer des émotions comme la peur ou l'impuissance. Alors, lorsque votre partenaire vous voit sérieusement perturbée par de tels sentiments, ses propres normes lui font assumer que vous devez être gravement affectée. Les hommes sont incapables de comprendre comment les femmes peuvent subir une perturbation émotionnelle profonde, en rapport avec une situation momentanée, sans que leur équilibre émotif en soit totalement démoli.

Les hommes présument aussi qu'une fois que vous commencez à pleurer ou à vous plaindre, vous n'arrêterez plus. C'est pourquoi ils disent des choses comme :

«Vas-tu continuer comme ça bien longtemps?»
«Commence pas! On n'a pas de temps pour ça!»
«Tiens, ça part! On en a jusqu'à demain!»

Vous n'avez peut-être besoin que de quelques minutes d'attention soutenue et aimante, mais lui réagit comme si vous lui demandiez de vivre un marathon émotionnel de douze heures.

———————— ✧✧✧ ————————
Les hommes ne comprennent pas que les femmes aient beaucoup plus d'endurance émotive qu'eux.
———————— ✧✧✧ ————————

Cela veut dire que nous, les femmes, nous pouvons être en pleurs une minute, et prêtes à faire l'amour la minute suivante; fâchées un instant, puis totalement clémentes l'instant d'après.

Pour les hommes, c'est beaucoup plus difficile de passer d'un extrême émotionnel à l'autre. Donc, ils assument que nous en sommes aussi incapables, et paniquent en nous voyant contrariées.

SOLUTIONS AU MYSTÈRE NUMÉRO 2

1- Lorsque vous êtes bouleversée, dites exactement à votre homme ce que vous attendez de lui.

Cette suggestion vous évitera des heures de lutte, de frustration et d'incompréhension. Cela veut dire que lorsque vous êtes bouleversée ou émotivement perturbée, ou lorsque vous sentez le besoin de discuter avec votre partenaire, dites-lui bien clairement ce que vous attendez de lui.

Par exemple, vous rentrez à la maison après une discussion un peu vive avec une copine de travail, et vous avez envie d'en parler avec votre partenaire. Dites-lui d'abord : «Je suis blessée et fâchée, à cause de Jeanne au bureau. Maintenant, j'ai besoin que tu m'écoutes, que tu me tiennes, et que tu me réconfortes. Je n'ai pas envie de conseils, chéri, je veux seulement me libérer de ces tensions et pouvoir sentir que tu m'aimes.»

Là votre partenaire sait exactement ce que vous attendez de lui. Il n'aura pas la frustration de vous avoir fâchée, en tentant de vous aider. Il ne connaîtra pas la déception d'avoir fait beaucoup d'efforts pour résoudre votre problème, alors que vous n'aviez besoin que d'être réconfortée. Au contraire, il sera fier d'avoir bien fait, en répondant précisément à vos désirs.

Voici un autre exemple. Au lit le soir, vous réalisez soudainement que vous vous êtes sentie négligée par votre partenaire toute la soirée. Vous le voyez lire de son côté du lit, vous savez qu'il est fatigué, et qu'il n'a pas envie d'une longue conversation, mais vous avez grand besoin d'exprimer vos sentiments.

Vous lui dites : «Mon chou, il y a quelque chose qui me fatigue, et j'ai besoin qu'on en parle avant qu'on s'endorme. Je sais que t'es fatigué, alors j'aimerais que tu me laisses dire comment je me sens, pendant cinq minutes, puis que tu me tiennes dans tes bras quelques instants pour que je me sentes près de toi. Si t'as envie d'en parler ce soir, d'accord, sinon, j'aimerais simplement que tu penses à ce que je vais te dire et, si tu le veux, on en discutera demain, ou quand on en aura l'occasion.»

Là, votre partenaire comprend qu'il ne s'embarque pas dans une discussion émotive, qui va durer des heures, et il sait qu'il réussira à vous réconforter, sans avoir à régler tout le problème ce soir même.

───────────── ✧✧✧ ─────────────

Les hommes aiment qu'une discussion ait des limites c'est pourquoi, en informant votre homme à l'avance de la durée de l'échange désiré, vous lui évitez toute crainte de commencer à vous écouter et à vous parler.

───────────── ✧✧✧ ─────────────

Naturellement, votre partenaire peut être dans l'impossibilité d'accéder à vos désirs, à certains moments. Il peut être lui-même perturbé, comme vous. Il peut être fâché contre vous, et ne pas se sentir suffisamment à l'aise pour s'ouvrir à vos propos, ou pour vous prendre dans ses bras, au moins pour le moment. Mais plus vous expliquerez ces principes à votre partenaire, plus il comprendra que vous avez besoin d'être aimée, et pas nécessairement secourue.

2- Si vous exagérez, en exprimant vos émotions, les hommes le prendront comme vous le dites.

Gisèle se plaint à Denis, son mari, des frustrations qu'elle vit dans son commerce de traiteur. Au beau milieu de la conversation, Gisèle lance comme ça : «Je sais plus quoi faire, je suis au bout de mon rouleau! J'ai l'impression de devenir folle! J'aurais jamais dû commencer ce maudit commerce-là. Ah! J'ai envie de renvoyer tout le monde, de vendre l'affaire, puis de me retirer toute seule pendant un mois!»

En écoutant Gisèle, Denis devient de plus en plus nerveux, et commence à s'affoler. Lorsqu'elle finit de parler, elle est soulagée, mais lui est tout énervé. Il se sent tout mal. Il pense : «Oh! c'est grave! Gisèle a l'air à bout de forces. Elle va s'effondrer. C'est évident qu'elle n'est plus capable de prendre la pression. Qu'est-ce que je vais faire? On va avoir de la difficulté à vivre, sans le revenu de son commerce. Je pense qu'elle est en train de claquer une dépression nerveuse?»

Évidemment que la réaction de Denis va découler de ce qu'il comprend, beaucoup plus que de ce que Gisèle désire vraiment. Il va tout naturellement lui suggérer de ne pas abandonner son commerce, et lui parler comme si elle avait perdu la raison. Gisèle sera de plus en plus frustrée, pensant que Denis ne la comprend pas, et ne l'aime pas. Denis sera, lui aussi, de plus en plus frustré de voir que ses suggestions sont rejetées, alors qu'il fait tout ce qu'il peut pour aider Gisèle à régler ses problèmes. Il finira par exploser en criant : «T'apprécies rien de ce que je fais pour toi!» Gisèle, elle, se dira en pleurant : «Tout ce que je voulais, c'était qu'il me caresse.»

Les hommes n'interprètent pas les mots comme nous, les femmes, ils prennent ce que nous disons littéralement!

Lorsque vous dites : «Je n'en peux plus!» votre homme croit que vous n'en pouvez plus. Quand vous dites : «Je pense que tu ne m'aimes plus.», il croit vraiment que vous exprimez des sentiments réels. C'est pourquoi, si souvent, quand une femme exprime ses sentiments à un homme, il conclut qu'elle est beaucoup plus bouleversée qu'elle ne l'est en réalité. Il a pris tout ce qu'elle a dit littéralement.

Vous devez user de beaucoup de précision en communiquant vos sentiments à un homme. Et si vous avez vraiment besoin de vous défouler, sans trop vous soucier du choix des mots que vous employez, prévenez-le toujours de ne pas vous interpréter littéralement. La meilleure manière que je connaisse d'effectuer ce genre de décharge émotionnelle, c'est la formule de lettre d'amour que j'ai décrite dans mon livre *How to make love all the time* (Comment faire l'amour en tout temps). C'est à mon avis la meilleure façon, pour votre partenaire et vous, de relâcher les tensions émotionnelles et d'explorer vos sentiments.

3- Faites savoir à votre homme que vous n'êtes pas complètement dépourvue, et qu'il n'a pas à se sentir obligé de voler à votre secours.

Souvenez-vous que les hommes se croient obligés d'arranger toutes choses. Alors, à moins que vous ne lui disiez clairement que vous êtes peut-être fâchée ou exaspérée, mais que vous n'êtes pas vraiment mal prise, il croira devoir vous secourir, et vous offrira des conseils, au lieu du réconfort et de l'amour que vous recherchez. Prenez tout le temps de bien exprimer vos craintes, vos inquiétudes et votre vulnérabilité. Ensuite, ajoutez une phrase ou deux pour lui faire comprendre que vous n'êtes pas complètement désemparée et incapable de réagir. Par exemple, après que Gisèle eut raconté ses problèmes d'affaires à Denis, elle aurait pu ajouter : «Je sais qu'au fond de moi je suis capable de régler mes problèmes. Je n'ai qu'à parler à mes employés et à changer certaines façons de procéder pour que les choses aillent mieux. Et, en réalité, je serais incapable de vendre ce commerce, ça fait trop longtemps que j'en rêve. Mais des fois, je deviens tellement frustrée que j'ai besoin d'exploser.»

Là, Denis saurait maintenant que Gisèle ne faisait qu'exprimer ses frustrations, qu'elle n'est pas en détresse, et qu'il n'a qu'à l'aimer tout simplement plutôt qu'à la secourir en panique. Même si vous n'avez pas de solution à vos problèmes, même si vous faites face à quelque chose d'inquiétant, votre partenaire pourra reconnaître vos sentiments de vulnérabilité bien à l'aise, en sachant que vous allez pouvoir participer à votre propre salut sans qu'il ait à en porter toute la responsabilité sur ses épaules.

> Exprimez vos sentiments de vulnérabilité à votre
> homme, en évitant que vos paroles transmettent un
> message subliminal qui dirait : «Au Secours!»

Dans mon bureau, Claude se plaignait du comportement de sa compagne Anne. Elle lui exprimait souvent ses problèmes, personnels ou de couple, et Claude tentait de la consoler, mais chaque fois, c'était la même chose. Peu importe ce que Claude disait, Anne demeurait inconsolable. «J'ai beau la rassurer, et la réconforter pendant des heures, déplorait Claude, elle finit toujours par glisser lentement, puis par retomber subitement dans le désespoir. J'ai l'impression que tout ce que je dis ou fais ne change absolument rien.» En discutant avec Anne, j'ai trouvé la cause du problème. Dans son cas, elle demandait à être secourue. Elle voulait que Claude prouve qu'il l'aimait, en prenant en charge ses problèmes. Comme le papa d'Anne a été plutôt absent dans son enfance, elle jouait maintenant la «petite fille» dans sa vie d'adulte, pour tenter de gagner l'attention qui lui avait toujours manqué.

Attention! Si votre homme a déjà vécu une relation avec une femme, qui a ainsi besoin d'être secourue, il peut interpréter le moindre signe de vulnérabilité de votre part, comme une désintégration totale. Dans ce cas, faites-lui savoir bien clairement que vous n'êtes pas une victime, et que vous n'avez aucun désir d'être secourue, mais simplement aimée.

Mystère numéro **3**

POURQUOI LES HOMMES SONT MOINS INTÉRESSÉS QUE LES FEMMES À L'AMOUR ET AUX RAPPORTS SENTIMENTAUX

«Je sais qu'il m'aime, mais j'ai toujours l'impression que notre union est beaucoup plus importante pour moi que pour lui.»

«Quand je reviens à la maison le soir, j'ai toujours hâte de voir mon mari, mais lui ne semble pas avoir aussi hâte de me voir quand il rentre. Je ne sais pas pourquoi.»

«Je fais toujours des petites choses pour faire plaisir à mon «chum», comme lui offrir une carte de souhaits ou lui préparer une soirée spéciale. S'il m'aimait autant que je l'aime, il penserait à faire la même chose pour moi, non?»

Ces affirmations vous sont-elles familières? C'est le cas de la plupart des femmes, parce que leur expérience avec les hommes dans leur vie leur a indiqué que ceux-ci semblent s'intéresser moins que les femmes à l'amour et aux relations sentimentales.

———————— ✧✧✧ ————————
Les hommes se définissent d'abord par rapport à leur occupation et à leurs réalisations; les femmes, elles, se définissent d'abord à partir de leurs relations sentimentales
———————— ✧✧✧ ————————

Dans le premier chapitre, nous avons discuté des sources historiques des rôles masculin et féminin. Nous avons vu que, pour l'homme, c'est la réalisation qui fait foi de tout, qui garantit sa survivance physique, que la femme a toujours réalisé ses aspirations naturelles par le maintien de relations amoureuses entre mari et femme, et entre parents et enfants. Alors, même si votre partenaire et vous avez tous deux un emploi à plein temps, du point de vue de l'équilibre entre le travail et les sentiments, vous aurez chacun une perspective différente. Dans une étude de «Wagenwoord and Bailey» datant de 1978, soixante-quinze pour cent des hommes questionnés ont affirmé que leur travail était la partie la plus importante de leur vie, et soixante-quinze pour cent des femmes ont dit que, pour elles, c'était la famille qui comptait d'abord.

Comme femmes, nous avons tendance à interpréter cette différence de perspective, comme une preuve que nous aimons notre homme plus qu'il nous aime. Ce n'est pas nécessairement vrai! Une autre réalité transparaît plutôt à travers ce fait.

———————— ✧✧✧ ————————
Si un homme n'est pas satisfait de son travail et de sa capacité de réalisation dans la vie, il aura beaucoup de difficulté à se concentrer sur ses relations sentimentales ou amoureuses.
———————— ✧✧✧ ————————

Si l'homme que vous aimez se sent frustré dans son travail, si un projet l'inquiète, s'il est insatisfait de ses revenus, s'il se sent bloqué pour quelque raison que ce soit dans son épanouissement ou son avancement professionnel, il sera incapable d'être disponible à cent pour cent dans ses amours avec vous. Une partie importante de son attention, de son énergie mentale, de sa présence d'esprit restera constamment braquée sur ses inquiétudes de travail, qu'il en soit conscient ou non. Il lui sera pratiquement impossible de se relaxer s'il n'est pas content de lui-même sur le plan professionnel.

Ce n'est pas parce que vous ne l'intéressez pas. Ce n'est pas parce qu'il ne vous aime pas, ou qu'il n'a pas besoin de vous. Ce n'est même pas parce qu'il préfère son travail à vous. C'est parce que sa réussite professionnelle a beaucoup plus d'influence que votre relation amoureuse sur l'estime de soi dont il a besoin pour fonctionner normalement.

C'est une réalité difficile à comprendre, et à accepter, pour une femme. Nos valeurs diffèrent de celles des hommes, en ce sens que, peu importe le succès que nous connaissons en carrière, si notre vie sentimentale n'est pas comblée, nous sommes insatisfaites de nous-mêmes. Pour une femme, le temps passé en relation intime avec un homme est comme une compensation, une douceur, une récompense de fin de journée, et non comme une distraction ou un dérangement.

Ainsi, nous aimerions que notre homme puisse oublier les tracas et soucis de son travail, qu'il se réfugie dans nos bras, et qu'il cherche consolation dans la douceur de notre amour. Après tout, n'est-ce pas ce dont nous aurions envie nous-mêmes, en rentrant du travail? Et ne serait-ce pas normal que notre homme ait envie de la même chose? La réponse c'est non! Pas du tout!

C'est l'identification à son travail qui est la source première de l'estime de soi dont l'homme a besoin, et c'est malheureusement aussi la cause première qui a fait que, jusqu'à tout récemment, l'homme a souffert davantage que la femme de troubles reliés au stress, tels que crises cardiaques, accidents vasculaires et cérébraux, hypertension, abus d'alcool ou de drogues, etc. Tous ces problèmes s'ajoutent à l'anxiété mentale, à l'épuisement professionnel, et à l'incapacité de se détendre.

COMMENT LE CERVEAU DE L'HOMME
ET CELUI DE LA FEMME DIFFÈRENT

Voici la seconde raison pour laquelle les hommes semblent moins s'intéresser à l'amour et aux relations sentimentales que les femmes :

——————— ◇◇◇ ———————

Le transfert du domaine des pensées à celui des sentiments est plus difficile pour le cerveau de l'homme que pour celui de la femme.

——————— ◇◇◇ ———————

Je sais que vous vous doutiez probablement que le cerveau de l'homme était différent du vôtre, et vous aviez raison. Le cerveau masculin est plus spécialisé, c'est-à-dire que son côté droit s'occupe de perception visuelle et d'action dans l'espace (comme pour les tâches physiques et la coordination entre l'oeil et la main, par exemple), alors que son côté gauche contrôle les capacités verbales et cognitives (l'expression des sentiments et la compréhension de notions abstraites, par exemple). Des recherches ont démontré que, chez les petits garçons, le côté droit du cerveau se développe davantage que le côté gauche. Il en résulte que les petits garçons ont moins de facilité verbale que les petites filles, et que la plupart des hommes adultes sont moins à l'aise que les femmes en ce domaine.

Par ailleurs, le cerveau féminin est davantage généralisé. Cela veut dire que ses deux hémisphères travaillent ensemble, et collaborent dans la plupart des tâches. Voici comment le Docteur Jane Barr Stump a décrit ce phénomène, dans son livre *What's the difference?* (Quelle est la différence?) :

«Certains pensent que c'est à cause de cela que les femmes ont plus de capacité de perception et de décision rapide. De plus, si un côté du cerveau de la femme est endommagé par une hémorragie cérébrale, l'autre côté, étant habitué à partager les tâches, peut prendre la relève. Il n'en est pas de même chez l'homme, où, si le côté gauche est endommagé, par exemple, l'individu peut perdre l'usage de la parole parce que le côté droit sait seulement s'occuper de capacités visuelles et spatiales.»

POURQUOI ÇA BLOQUE DANS LEUR TÊTE

Comment tout cela est-il relié à nous, et à nos rapports amoureux? Je crois que cela explique pourquoi l'homme a beaucoup plus de difficulté à passer d'un état où c'est la tête qui dirige, à l'état opposé, où c'est le coeur qui mène, c'est-à-dire, de partir d'activités commandées par le cerveau droit, pour aboutir à des activités réservées au cerveau gauche. C'est qu'en fait son cerveau mettra beaucoup plus de temps à le faire que le vôtre ou le mien. Si, en discutant avec votre partenaire de problèmes financiers ou de questions intellectuelles, vous vous sentez soudainement affectueuse et vous approchez pour le caresser, il y a de fortes chances que vous ne le trouviez pas très réceptif à vos avances. Souvenez-vous qu'il est incapable de changer aussi vite que vous.

Vous êtes-vous déjà demandé pourquoi votre homme prend beaucoup plus de temps que vous à se détendre en fin de journée? Après avoir été pris par des activités relevant du cerveau droit pendant sept ou huit heures au travail, ne croyez pas qu'il puisse comme vous être aimant, détendu et capable d'exprimer ses émotions dès qu'il franchit le seuil de la porte.

Avez-vous remarqué, quand vous partez en vacances tous les deux, comme votre partenaire peut être plus attentif, plus affectueux avec vous, et même plus attiré sexuellement? C'est la même explication qui prévaut : éloigner un homme de son travail ne fait pas qu'éliminer les pressions et le stress du milieu, cela soulage son cerveau de l'obligation de fonctionner de la droite de sept à huit heures par jour, d'une manière analytique constante. C'est ainsi qu'il sera beaucoup plus facile pour votre homme d'être émotionnellement détendu, réceptif et disponible pour vous, parce qu'il n'aura plus besoin de passer d'un côté à l'autre de son cerveau pour agir.

Des centaines de femmes se sont plaintes, en entrevue, que leur homme était si différent lorsqu'il était éloigné de son travail, qu'elles appréhendaient toujours le retour à la maison, sachant qu'en remettant le pied au bureau, il allait perdre toute cette merveilleuse disponibilité émotive qu'elles avaient tant appréciée en vacances.

SOLUTIONS AU MYSTÈRE NUMÉRO 3

1- Partagez cette information avec votre partenaire de vie.

Prenez le temps de discuter ces concepts avec votre homme, et de lui demander son opinion sur ce que vous venez de lire. Faites-lui part de tout ce que vous avez appris dans ce chapitre.

La prochaine fois que votre «chum» ou votre mari ne se montrera pas très romantique ou sentimental, je ne vous recommande pas de lui dire : «Oh! Je comprends, chéri, que tu sois incapable de toute sentimentalité en ce moment, parce que ton cerveau est bloqué du côté droit!» Montrez-vous plutôt compréhensive et tolérante.

Souvenez-vous que les hommes aiment beaucoup mieux sentir votre compréhension vis-à-vis de leur conduite que de ressentir votre jugement. Vous serez peut-être surprise d'apprendre que, même si votre homme se rend compte qu'il paraît moins intéressé à la relation que vous, il se peut qu'il ne comprenne pas pourquoi. Prendre connaissance des secrets révélés dans ce chapitre peut donc être un bon moyen de soulager un homme qui en arrive à douter de ses propres sentiments envers sa compagne, et qui se pose la question : «Comment se fait-il, si je l'aime vraiment, que je ne sois pas toujours aussi intéressé qu'elle à notre relation?»

2- Discutez comment vous pouvez aider votre partenaire à se valoriser, non seulement par son travail, mais par votre relation.

Je crois que les hommes pourront vivre plus sainement s'ils redéfinissent leurs priorités pour éliminer l'exclusivité de dépendance sur le succès financier, et donner plus d'importance à la réussite sur le plan émotif. Il est si important que l'homme comprenne la valeur intangible de passer une soirée à aider son fils dans ses travaux scolaires, de prendre une marche avant le dîner avec sa bien-aimée, ou de téléphoner à sa femme au milieu du jour pour lui dire : «Je t'aime!» et pour gagner son support moral. Parlez de tout cela avec votre compagnon de vie. Demandez-lui comment l'aider à mieux apprécier les moments d'intimité que vous pouvez partager.

3- Discutez avec votre partenaire des moyens d'améliorer sa capacité de passer aisément du mode travail au mode de disponibilité amoureuse.

En discutant ainsi avec lui de moyens d'effectuer un transfert plus rapide et en douceur de son conditionnement au travail à une disposition amoureuse, vous pouvez déjà aider votre partenaire à se sentir moins tendu et plus disponible avec vous. D'ailleurs, voici quelques suggestions pour ce faire.

Discutez comment il peut mieux se détendre après son travail.

Parlez d'exercice, de marche, d'audition de musique douce, de méditation, de massage, etc. Sachez cependant que le journal ou la télévision ne sont pas des activités de détente, parce qu'ils exigent des efforts intellectuels pour penser et pour comprendre.

Ne bombardez pas votre homme de problèmes dès son arrivée.

Ne l'attaquez pas avec des sujets chargés d'émotion dès qu'il franchit la porte, au retour du travail. Laissez le temps à son cerveau de débrayer avant d'exiger qu'il soit disposé à des échanges émotifs ou amoureux.

Utilisez ces mêmes suggestions pour vous-même.

Souvenez-vous encore que, même si vous êtes aussi occupée à plein temps, à la maison ou au bureau, ce sera toujours plus difficile pour votre partenaire que pour vous de passer brusquement d'un état d'esprit propice au travail, à une disponibilité émotive ou amoureuse.

4- Entendez-vous sur la contribution de chacun de vous deux à l'amélioration de votre intimité et de votre relation.

Beaucoup de femmes commettent l'erreur de croire, que leur homme contribuera naturellement sa part de temps et d'efforts pour le bien de leur relation. Elles sont amèrement déçues lorsqu'elles se rendent compte qu'il ne le fait pas.

Au lieu de seulement espérer que votre partenaire s'engage à fond dans votre relation, demandez-lui de partager avec vous ses sentiments sur les questions suivantes :

- la sorte de relation qu'il souhaite vivre avec vous;

- le temps et les efforts qu'il est prêt à y contribuer;

- les moyens qu'il accepterait d'utiliser pour renforcer votre relation : lecture de livres avec vous, conseils professionnels, séminaires, conférences, ou autres;

- la méthode de traiter tout différend qui peut survenir (en parler immédiatement, attendre que les enfants soient au lit, noter chacun vos sentiments sur papier, etc.).

En discutant de ces questions, vous en arriverez non seulement à vous rassurer sur la disposition de votre partenaire à faire sa part pour le bien de votre relation, mais aussi à l'aider à prendre conscience de ses propres sentiments à ce sujet. En s'engageant ainsi à contribuer activement, votre homme sentira davantage que la relation est sienne autant que vôtre, donc qu'elle ne lui est pas imposée. Naturellement, vous devriez aussi avoir apporté vos propres réponses à ces questions.

Idéalement, lorsque vous aurez terminé ce processus, vous vous sentirez davantage solidaires, l'un envers l'autre, davantage comme deux personnes entièrement vouées au succès de leur relation.

J'espère, qu'après lecture de ce chapitre, vous êtes emballée par la perspective de partager plus d'amour, et moins de conflits, avec l'homme que vous aimez. Remarquez que la plupart de mes suggestions peuvent aussi bien servir à améliorer vos relations avec votre père, vos frères, votre fils, votre patron, un ami, ou un confrère de travail. Bien sûr, il peut subsister plus de mystères que de réponses, au sujet des hommes, dans votre tête.

Pour trouver les réponses qui vous manquent, je vous suggère de faire comme moi, c'est-à-dire de demander aux hommes, tout simplement. Vous découvrirez avec surprise, combien les hommes peuvent aimer à vous expliquer ce qu'ils sont, et comment ils fonctionnent. Et, si vous posez les bonnes questions, vous pourrez apprendre certains secrets d'homme qui vous donneront beaucoup plus confiance en vous, comme femme.

Si j'ai écrit cette partie du livre, c'est que j'ai découvert comment la compréhension de ces trois mystères masculins a complètement changé ma relation avec les hommes dans la vie. Je peux compatir, au lieu de critiquer, je peux être patiente, au lieu de juger, et, plus je peux démontrer aux hommes que je les comprends, plus ils sont prêts à travailler à leur propre transformation pour devenir les personnes sensibles et aimantes qu'ils désirent vraiment être.

5 ◁▷ Les ◁▷ secrets ◁▷ sexuels ◁▷ des hommes

Q ue savez-vous vraiment au sujet des hommes et du sexe?

Évaluez-le maintenant, en répondant au jeu-question-naire qui suit.

Répondez à chacune des affirmations suivantes par : VRAI ou FAUX.

JEU-QUESTIONNAIRE SEXUEL POUR LES FEMMES

1- Les hommes aiment les femmes mystérieuses au lit.

2- Les hommes sont refroidis par les femmes qui aiment trop le sexe.

3- Les hommes se sentent jugés et mal à l'aise quand une femme se montre rieuse ou enjouée au lit.

4- Les femmes sont plus sensibles que les hommes aux soins personnels et aux habitudes hygiéniques de l'autre.

5- On peut créer du ressentiment chez l'homme, et l'impression qu'on veut contrôler la situation, en lui disant ce qu'on attend de lui au lit.

6- L'homme se soucie peu que vous aimiez ou pas qu'il vous fasse l'amour oralement, pourvu que vous aimiez le faire pour lui.

145

7- Lorsque l'homme a une érection, c'est qu'il est stimulé et prêt à fonctionner sexuellement.

8- L'homme parle moins que la femme durant une relation sexuelle parce qu'il a peur d'exposer ses émotions et de se montrer vulnérable.

9- Pour l'homme, la femme qui initie l'action sexuelle est trop agressive, et enlève à son partenaire la possibilité de se sentir un vrai «homme».

10- Le meilleur temps pour parler de votre vie sexuelle avec votre partenaire, c'est quand vous êtes au lit.

Si vous croyez qu'au moins une de ces affirmations est vraie, vous ne savez pas tout ce que vous devriez savoir sur les hommes et le sexe. Si vous avez répondu que toutes ou presque toutes ces affirmations sont vraies, profitez de la chance qui vous est donnée de lire ce chapitre. En fait, toutes ces affirmations sont fausses! Vous découvrirez maintenant pourquoi, alors que nous allons traiter de tout ce qu'une femme devrait savoir sur les hommes et le sexe.

Secret numéro 1

LES HOMMES UTILISENT SOUVENT UN LANGAGE SEXUEL PARCE QU'ILS SONT INCAPABLES DE S'EXPRIMER EN LANGAGE ÉMOTIONNEL

Avez-vous déjà vécu une situation comme celle-ci? Votre partenaire vous approche avec l'intention évidente d'avoir une relation sexuelle, seulement vous ne le sentez pas tellement tendre et amoureux, il est plutôt tendu et préoccupé. Vous tentez de lui parler, mais il ne veut rien savoir d'autre que de faire l'amour, physiquement. Vous sentez que quelque chose ne va pas, et vous avez raison! Ce qu'il veut vraiment, ce n'est pas faire l'amour, ou juste avoir du sexe, c'est se soulager des émotions intenses qu'il ressent.

Voici ce qui se passe. Souvent, un homme sent que des émotions dérangeantes s'accumulent en lui. Son inquiétude peut venir d'un projet sur lequel il travaille, il vient peut-être de parler à l'un de ses parents âgés, et il ressent un malaise face à la détérioration de leur condition physique et mentale, il se sent peut-être coupable de son comportement antérieur avec vous. Comme on l'a vu tout au long de ce livre, la plupart des hommes ont appris qu'il était inacceptable pour eux d'exprimer des sentiments révélant leur vulnérabilité, comme la peur, la peine, l'impuissance, la confusion, la déception ou le regret. Alors, ou bien votre partenaire se sent insécure en exprimant verbalement ce genre de sentiments, ou bien il ne sait pas comment le faire. Et voilà qu'il a envie de sexe!

———————— ✧✧✧ ————————

Les hommes se sentent moins menacés d'exprimer leurs sentiments à travers leur énergie sexuelle qu'à travers leur énergie émotionnelle réprimée.

———————— ✧✧✧ ————————

Cela peut ne pas avoir beaucoup de sens pour vous, puisque la femme fonctionne exactement à l'opposé de ce principe. Nous avons plutôt de la difficulté à nous livrer sexuellement, en l'absence de sécurité émotionnelle. C'est pourquoi il est important de comprendre que les hommes utilisent le sexe comme une espèce de langage, pour communiquer leurs émotions d'une manière non verbale. Parfois, c'est la seule façon acceptable pour certains d'exprimer quelque sentiment que ce soit.

Ce comportement masculin peut créer certains problèmes, par exemple :

a) votre partenaire tire un soulagement physique de l'acte sexuel, mais demeure incapable de relâcher la tension émotionnelle qu'il ressent à l'intérieur;

b) vous êtes offensée, parce que votre partenaire utilise votre corps pour soulager ses frustrations.

COMMENT GAÉTAN EXPRIMAIT PAR LE SEXE LA FRUSTRATION CAUSÉE PAR SON TRAVAIL

Gaétan, président d'une compagnie de construction a 46 ans. Il est venu avec sa femme Francine se plaindre d'incompatibilité sexuelle. Francine a commencé par avouer que : «Parfois, je sens que Gaétan se sert de moi comme soupape de soulagement sexuel. Même si je sens que quelque chose le dérange, il refuse d'en parler, et se montre de plus en plus agressif sexuellement. Je peux seulement constater qu'il n'en tire aucun plaisir, et que nous en sommes tous deux insatisfaits.»

J'ai demandé à Gaétan de se reporter dans le contexte de la dernière relation sexuelle de ce genre qu'ils ont eue. «Je crois que c'était jeudi soir dernier, dit-il, oui, c'est ça!»

«Bon! Gaétan, lui dis-je, ferme les yeux et essaie de te rappeler les événements de la journée de jeudi dernier qui ont pu te déranger ou te bouleverser.»

«Eh bien, dit-il, ce matin-là j'ai rencontré mon directeur des opérations. J'aimais pas comment il faisait ses rapports depuis quelque temps, et ça m'énervait d'avoir à le réprimander une autre fois pour les mêmes maudites erreurs. Je te dis que ça commençait mal la journée! Cet après-midi-là, j'ai appris qu'on avait perdu un contrat pour lequel on avait soumissionné, et c'était pas mal décevant. J'avais travaillé pendant deux mois pour tenter d'avoir ce contrat-là, alors ça été une bien mauvaise journée pour moi.»

Je lui dis : «Très bien! J'aimerais maintenant que tu te revoies dans votre chambre ce soir-là, alors que tu tentais d'essayer de convaincre Francine de faire l'amour avec toi, comme elle nous l'a expliqué tout à l'heure. Concentre-toi sur les sentiments que tu as ressentis, et dis-moi ce qui se passait en toi à ce moment-là.»

Après avoir réfléchi pendant quelques instants, Gaétan me répondit : «Choqué, fatigué, découragé; je pense que je me sentais raté parce que j'avais perdu ce contrat-là. Quelque part en moi, j'aurais eu envie de tout lâcher, tu sais, d'aller vivre tout seul sur une île, sans responsabilité ni rien!»

«Te sentais-tu particulièrement amoureux, ou excité sexuellement?» lui ai-je demandé. Après une seconde de réflexion, Gaétan m'avoua comme ça : «Je pense que non... À vrai dire, plus j'y pense... pas du tout!»

«Alors, si c'était pas du sexe que tu cherchais à ce moment-là, qu'est-ce que tu désirais?» lui demandai-je.

«Eh bien, je suppose que je voulais seulement me sentir plus près de Francine, sentir qu'elle m'aimait encore, qu'elle n'était pas trop déçue de moi, qu'au moins quelqu'un était de mon bord!» répondit Gaétan.

Je poursuivis : «Si, à ce moment-là, Francine s'était simplement étendue près de toi, qu'elle t'avait pris dans ses bras et dit combien elle t'aimait, et si elle t'avait écouté exprimer tes sentiments, comme tu viens de le faire pour moi, comment crois-tu que tu te serais senti?»

«J'aurais bien aimé ça, dit Gaétan, et je suis sûr qu'on se serait sentis beaucoup mieux tous les deux. En tout cas, bien mieux qu'on se sentait après avoir fait l'amour ce soir-là!»

───────── ✧✧✧ ─────────
Au lieu de demander à sa compagne l'assurance et le réconfort dont il a besoin, l'homme les cherche parfois à travers l'activité sexuelle.
───────── ✧✧✧ ─────────

Comme vous le voyez, Gaétan n'avait pas vraiment envie de faire l'amour avec sa femme, il avait simplement besoin de se sentir aimé. Le problème, c'est qu'à ce moment-là, il ne réalisait pas son véritable besoin, et ne savait pas comment demander ce qu'il lui fallait.

Francine a été grandement soulagée d'entendre Gaétan expliquer ce qu'il recherchait ce soir-là. «Mon chéri, j'aurais aimé savoir comment tu étais bouleversé, dit-elle en le serrant contre elle, je sentais bien que quelque chose n'allait pas, et j'avais peur que ce soit tes sentiments envers moi.»

Gaétan et Francine ont convenu d'utiliser les suggestions ci-après pour améliorer leur relation, et, un mois plus tard, ils revinrent discuter des résultats. Francine a expliqué : «Les choses vont tellement mieux entre nous. Lorsque Gaétan revient tendu et inquiet du travail, nous prenons le temps de nous étendre, l'un à côté de l'autre, et je le laisse vider son sac de tracas et de frustrations. Quelquefois, il a commencé à me tasser, mais il n'était pas dans un état propice. Alors, je lui ai rappelé ce qu'on avait appris ici, et il s'est arrêté, m'a prise dans ses bras, et a commencé à me parler de ses sentiments du moment. Non, ça n'a pas toujours été facile, mais ce qu'il y a de merveilleux, c'est qu'après avoir partagé ses sentiments avec moi, il est beaucoup plus détendu. Je le sens beaucoup plus présent, plus près de moi, et généralement, à ce moment-là, nous avons envie de faire l'amour, pas seulement pour le sexe, mais par amour.»

Avec un petit sourire, Gaétan a ajouté : «Je dois l'admettre, nous faisons l'amour plus souvent qu'avant. Francine a raison, c'est pas toujours facile pour moi de me demander pourquoi j'ai soudainement un comportement sexuel automatique, compulsif. Mais chaque fois que je prends la peine de le faire, je me sens beaucoup mieux après en avoir parlé, et Francine devient tellement plus réceptive.»

LA SOLUTION

1- Discutez de ce problème avec votre partenaire.

Naturellement, il ne faut pas aborder ce problème au lit, au moment même où il se produit. Trouvez l'occasion de faire lire ce chapitre à votre homme, et demandez-lui ce qu'il en pense.

---✧✧✧---

«Je savais que tu n'agissais pas comme il faut quand tu refusais de parler de tes sentiments, et que tu ne voulais rien d'autre que du sexe avec moi.»

Dites-lui plutôt :

«J'aimerais qu'on améliore encore nos relations sexuelles. Veux-tu, on va essayer les suggestions qui sont dans le livre, pour voir ce que ça va faire?»

---✧✧✧---

2- Lorsque vous soupçonnez que les élans amoureux de votre partenaire sont dus aux émotions refoulées, facilitez-lui l'expression de ses sentiments.

Supposons que votre homme manifeste des envies sexuelles subites, semblant venir d'un besoin de relâche émotive, et que vous sachiez qu'il vive certains problèmes à ce moment...

---✧✧✧---

Ne lui dites pas :

«Touche-moi pas! Je sais qu'il y a quelque chose qui te dérange, et tant que tu ne m'auras pas tout raconté ce qui se passe, il n'est pas question d'avoir du sexe avec moi, entends-tu?»

Dites-lui plutôt :

«Minou, j'aimerais ça que tu t'étendes là, à côté de moi, puis que tu me tiennes un petit peu. J'ai tellement envie de te sentir près de moi.»

---✧✧✧---

Exprimez ensuite certains des sentiments que votre partenaire est susceptible de ressentir, dans le but d'essayer de l'aider à exprimer ses propres émotions.

«Dis, je suppose que t'as eu des problèmes pas faciles au travail cette semaine, chéri?»

«Je voulais te dire combien je suis fière que tu aies accepté un projet difficile au bureau. J'espère que ça t'a pas créé trop de problèmes?»

«T'as pas dû trouver ça facile de parler à ta mère aujourd'hui. Surtout quand elle t'a appris que ton père commence à souffrir de surdité.»

«Je comprends que tu as dû trouver qu'on a beaucoup de factures ce mois-ci, mon amour, je sais que c'est pas drôle d'avoir toutes ces dépenses inattendues.»

Avec le temps, vous en arriverez à le rassurer suffisamment pour que ce soit plus facile pour lui de vous exprimer ses sentiments, même désagréables, en lui démontrant que :

a) vous comprenez comment il se sent;

b) vous ne le jugez pas, ne le considérez pas comme un raté, parce qu'il a des sentiments de vulnérabilité.

Vous découvrirez, comme beaucoup de femmes que j'ai conseillées l'ont découvert, que vous pouvez rendre votre vie sexuelle beaucoup plus satisfaisante par la connaissance de de ce secret masculin.

———————— ✧✧✧ ————————
En facilitant à votre partenaire l'expression verbale de ses tensions internes, vous améliorerez grandement la qualité de vos moments intimes, et les relations sexuelles qui suivront seront beaucoup plus passionnées.
———————— ✧✧✧ ————————

Secret numéro **2**

LES HOMMES SE SENTENT ÉMOTIONNELLEMENT REJETÉS QUAND VOUS REPOUSSEZ LEURS AVANCES SEXUELLES

Votre partenaire vous approche par l'arrière, en vous donnant des baisers dans le cou, et commence à vous caresser le corps. Vous comprenez tout de suite que lui a envie de faire l'amour, mais pas vous. Que devez-vous faire?

- Paraître irritée, en espérant qu'il comprenne le message?

- Rester froide et impassible, en espérant qu'il abandonne?

- Dire : «Arrête, chéri, j'en ai pas envie maintenant.»?

ou

- vous résigner et le laisser vous faire l'amour, en restant là, à penser à votre horaire de demain, ou à vous demander quels vêtements apporter chez le nettoyeur?

Aucune de ces réponses n'est la bonne, et voici pourquoi : pour l'homme, le sexe est une forme primaire de don de soi, une façon de s'offrir, et d'être reçu ou accepté tant émotionnellement que physiquement.

───────── ✧✧✧ ─────────
Quand votre partenaire vous fait une approche sexuelle, il demande plus que du sexe, il dit : «Je t'en prie, accepte-moi... reçois-moi!»
───────── ✧✧✧ ─────────

Votre partenaire ne comprend probablement pas ce qui le motive à agir ainsi, mais surveillez bien sa réaction si vous lui opposez un refus. Il ne réagit pas du tout comme si vous lui aviez dit que vous n'en aviez pas envie à ce moment-là. Il se comporte plutôt comme si vous l'aviez rejeté personnellement.

La majorité des hommes que j'ai questionnés à ce sujet m'ont avoué que, lorsqu'une femme refuse leurs avances sexuelles, ils se sentent écrasés, humiliés. Les mots «je suis fatiguée» ou «pas maintenant» pour eux, sonnent comme «je ne te veux pas» ou «je ne t'aime pas», ou encore «tu n'es pas désirable», ou même «tu n'es pas assez bon!» Votre homme peut être incapable d'exprimer sa peine devant un rejet sexuel de votre part, mais si ça devait arriver fréquemment, il pourrait finir par se venger en devenant sexuellement indifférent avec vous, ou en cherchant une compensation sexuelle ailleurs.

Voyons maintenant pourquoi...

──────────── ✧✧✧ ────────────
Les hommes aiment les femmes qui n'ont pas peur de montrer qu'elles aiment le sexe.
──────────── ✧✧✧ ────────────

Beaucoup de femmes ont encore peur d'exprimer leur sexualité à leur partenaire, de lui montrer combien elles le désirent, ou de lui proposer de faire l'amour avant que lui ne le demande. Si vous ne craignez pas d'exprimer vos désirs sexuels à l'homme de votre vie, il sera plus confiant de partager ses propres désirs avec vous.

Rappelez-vous que l'homme déteste être rejeté! Comme il est généralement l'initiateur sexuel, c'est l'homme qui risque le plus d'être rejeté. Alors, votre partenaire appréciera beaucoup que vous vous exposiez au même risque que lui, en prenant parfois l'initiative en matière de sexe.

LA SOLUTION

NE REJETEZ JAMAIS TOTALEMENT SES AVANCES SEXUELLES

Ne vous affolez pas tout de suite. Je ne vous dis pas de toujours dire «oui» lorsque votre homme veut du sexe. Je vous suggère simplement d'essayer de comprendre le genre de vulnérabilité dans laquelle un homme se place lorsqu'il s'offre à vous, et de trouver un moyen de le recevoir convenablement.

———————— ✧✧✧ ————————

Dites-lui :

«Chéri, je suis plutôt fatiguée en ce moment, mais j'aimerais bien te tenir dans mes bras pour un temps. Veux-tu on va s'étendre tous les deux, juste pour apprécier le moment présent et notre compagnie un peu?»

Ou dites-lui :

«Je t'aime, et j'aimerais faire l'amour avec toi, mais plus tard. Je suis encore tellement stressée de mon travail que je pourrais pas te donner tout ce que tu mérites en ce moment, autant que j'aimerais le faire. Viens, on va se caresser un moment, puis on pourra se reprendre quand les enfants seront couchés.»

———————— ✧✧✧ ————————

En d'autres mots, rappelez-vous que lorsque votre partenaire vous fait des avances sexuelles, en réalité il recherche de l'amour. Ne lui dites pas simplement non, efforcez-vous de lui donner ce qu'il demande, soit en le caressant, en appréciant ses sentiments, ou en lui disant combien vous tenez à lui.

———————— ✧✧✧ ————————

Vous n'avez pas envie de faire l'amour avec votre partenaire? Dites «Non» au sexe!...
mais toujours «Oui» à l'amour!

———————— ✧✧✧ ————————

Si vous agissez ainsi votre partenaire s'en sentira mieux et, à force de vous manifester ainsi mutuellement de l'affection, vous pourriez avoir bien vite envie de faire l'amour, qui sait?

Secret numéro **3**

LE MYTHE
DE L'ÉRECTION

Je savais que ce titre capterait votre attention!

Voici un secret masculin que les femmes ne connaissent habituellement pas.

——————————— ✧✧✧ ———————————
Même si votre homme a une érection, il ne recherche pas nécessairement une activité sexuelle, et n'est peut-être même pas en état d'excitation sexuelle.
——————————— ✧✧✧ ———————————

C'est ce genre de conviction que j'appelle «le mythe de l'érection». Comme nous, les femmes, n'avons pas de pénis, il y a plusieurs choses que nous ne comprenons pas concernant ce mystérieux organe. Nous présumons que, parce qu'il a une érection, notre homme est sexuellement excité, et prêt à l'action. Ce peut être vrai souvent, mais ce n'est pas vrai tout le temps.

Voici de l'information à considérer.

L'érection est causée par un flot sanguin accru dans le pénis. Il faut savoir que plusieurs causes, autres que sexuelles, peuvent être à l'origine d'une érection.

1- Il n'est pas rare que l'homme ait une érection au réveil, le matin. Cela ne veut pas nécessairement dire qu'il est excité sexuellement. C'est tout simplement une réaction physiologique qui se produit pendant le sommeil, et dont la manifestation est encore présente au réveil. La pression causée au bas de l'abdomen par une vessie trop pleine peut aussi provoquer une érection.

2- Des frictions, ou des pressions, causées par un vêtement trop serré, ou provoquées par une position assise trop inconfortable ou prolongée, peuvent causer une érection. Des milliers de terminaisons nerveuses ultrasensibles, situées dans le pénis, répondent à cette stimulation en commandant un apport accru de sang à l'organe, causant l'érection.

3- Un état extrême de tension ou de stress peut aussi causer une érection. Lorsqu'un homme est anxieux, ou perturbé par quelque chose, ses vaisseaux sanguins ont tendance à se resserrer, causant une élévation de la tension, et il peut en résulter une érection.

Comment ce mythe de l'érection peut-il causer des problèmes dans notre relation avec un homme? À cause de la mauvaise interprétation que nous pouvons faire de la raison de son érection, bien entendu.

NOUS PENSONS QUE L'EXCITATION SEXUELLE DE NOTRE PARTENAIRE DÉPEND DE NOUS, ALORS NOUS NOUS SENTONS OBLIGÉES D'Y FAIRE QUELQUE CHOSE

Ceci peut être une cause d'incompréhension et de ressentiment, entre votre partenaire et vous. Je me souviens d'une expérience que j'ai vécue avec l'un de mes partenaires antérieurs.

J'ai remarqué, comme il enlevait son pantalon pour prendre sa douche, qu'il avait une érection aux trois quarts. Comme il s'est approché pour me donner un baiser, puisque nous ne nous étions pas vus de la journée, j'ai présumé qu'il me faisait ainsi savoir qu'il était prêt à l'amour. Je n'en avais pas envie mais je m'y suis quand même prêtée, et je l'ai satisfait. Sitôt fini, il m'a dit : «Oh! C'était toute une surprise ça!»

«Que veux-tu dire une surprise? lui dis-je. Je pensais que tu étais suffisamment excité pour ça.»

«J'étais pas excité, mais ça a changé vite quand tu t'en es occupée!» me dit-il avec le sourire.

J'étais tout étonnée : «Mais tu étais en érection, alors j'ai cru que tu voulais que je te fasse l'amour.»

Se mettant à rire il me dit : «Ah oui? Tu pensais ça? C'est que ces jeans-là sont tellement serrés qu'ils m'ont frotté tout au long du retour. J'avais même pas remarqué ça, avant que tu me le dises.»

NOUS PRÉSUMONS QUE L'EXCITATION SEXUELLE DE NOTRE PARTENAIRE DÉPEND DE QUELQU'UN D'AUTRE, ALORS NOUS NOUS FÂCHONS ET DISONS DES BÊTISES

Bien sûr que, parfois, l'érection que vous voyez n'est pas un mythe du tout, elle est bel et bien une indication que votre homme est sexuellement stimulé, par vous et pour vous, espérons-le. Si vous en doutez, demandez-le-lui.

Supposons qu'en vous réveillant un matin votre mari vous fait une caresse, et vous sentez son érection; et que vous vous demandiez s'il a vraiment envie de faire l'amour, ou si ce n'est qu'un de ces mythes, une illusion d'érection. Vous avez alors le choix de faire deux choses.

———————— ✧✧✧ ————————

Premier choix :

Demandez-lui s'il est excité sexuellement, et s'il a envie de faire l'amour ou non.

Deuxième choix :

Oubliez votre préoccupation, et procédez comme si vous étiez sûre qu'il a envie de faire l'amour. Il ne sera pas fâché de votre décision, et s'il ne l'avait pas déjà, il en aura vite envie, croyez-moi!

2- Discutez de ce mythe de l'érection avec votre partenaire.

Il est évident que l'homme qui partage votre vie possède une bien plus grande expertise sur son pénis que moi. Alors, demandez-lui ce qu'il pense de ce secret du mythe de l'érection. S'il est d'accord, vous aurez une très intéressante discussion.

S'il est en désaccord, quand vous le verrez avec une érection, vous saurez que ce n'est ni une illusion, ni un mythe, et vous agirez en conséquence. De toute façon, je vous garantis que vous apprendrez quelque chose d'intéressant dans cette conversation.

Secret numéro **4**

POUR QUE VOTRE HOMME VOUS FASSE L'AMOUR PLUS SOUVENT, OFFREZ-LUI DU SEXE PLUS SOUVENT

«Souvent, dans nos préliminaires à l'amour, je sens que mon mari n'y met pas tout son coeur. Il fait tout ce qu'il faut comme il faut, mais c'est comme un effort pour lui, plutôt que comme quelque chose qui viendrait de son amour pour moi. C'est comme s'il faisait ça pour s'en débarrasser, en attendant le meilleur.»

«J'aimerais que Bernard soit plus romantique au lit. Je sais qu'il m'aime, mais il a l'air tellement impatient quand on fait l'amour. J'aime ça quand on prend notre temps et que ça dure longtemps, avec plein de caresses et de mots doux, mais pour lui c'est direct au sexe, un point c'est tout!»

Il y a une différence entre avoir du sexe et faire l'amour. On a du sexe quand on partage le seul plaisir physique d'un acte sexuel avec un ou une partenaire. Quand on fait l'amour on ajoute la dimension émotionnelle à l'acte d'aimer, d'adorer même son ou sa partenaire.

On peut avoir du sexe sans faire l'amour. On peut même faire l'amour sans avoir du sexe. Et, naturellement, on peut avoir du sexe et faire l'amour en même temps, ce qui est la plus merveilleuse expérience, la combinaison idéale.

Les résultats de centaines d'entrevues que j'ai faites sur le sujet sont clairs. Les femmes aimeraient que leur homme leur fasse l'amour plus souvent, et les hommes souhaitent que leur femme leur donne du sexe plus souvent.

Ce que les femmes désirent davantage :

- les caresses;
- les longs baisers;
- les préliminaires prolongés;
- les conversations romantiques au lit;
- un échange émotionnel en faisant l'amour;
- du romantisme.

Ce que les hommes aimeraient davantage :

- de la spontanéité;
- de la passion physique;
- de la lascivité et du sexe enjoué.

Ces désirs sexuels différents ont leurs racines dans les différences essentielles entre hommes et femmes, que nous expliquons tout au long de ce livre. Les hommes sont davantage orientés vers l'accomplissement, la réalisation d'objectifs, alors que les femmes sont plus motivées par la créativité et l'intimité. Il est plus facile, pour la plupart des hommes, d'avoir du sexe que de faire l'amour, et, pour la plupart des femmes, de faire l'amour que d'avoir du sexe.

Cela ne veut pas dire que les femmes n'aiment pas le sexe, et que les hommes n'aiment pas l'amour, mais ces préférences naturelles existent.

Voici donc maintenant un autre secret masculin qu'il vous faut savoir.

————————— ◇◇◇ —————————
Les hommes ont souvent l'air de faire l'amour sans enthousiasme parce qu'ils ne désirent que du sexe, et qu'ils ont peur de le demander.
————————— ◇◇◇ —————————

LE MYSTÈRE DE L'AMANT PARESSEUX

Ce secret masculin fut une grande découverte pour moi, et j'en dois la compréhension à mon présent partenaire. Un soir, au début de notre relation, nous étions au lit à faire l'amour. Après un certain temps, je me suis aperçue que ce serait difficile pour moi de connaître une stimulation suffisante à partir de ce que faisait mon partenaire. J'en étais intriguée parce que, normalement, nos relations étaient extrêmement passionnées. Pour une raison quelconque, ses touchers et ses caresses n'avaient pas beaucoup d'effet, et je me rendis compte qu'il n'avait pas l'air aussi attentif à son affaire que d'habitude.

Je me sentais de plus en plus mal, étendue là à espérer, jusqu'à ce que, n'en pouvant plus, je me relève et je demande à mon partenaire : «Écoute, es-tu sûr que t'as envie de faire l'amour ce soir?»

«Oui, qu'il me répondit, je te désire vraiment.»

«Mais, t'as pas l'air d'aimer caresser mon corps autant que d'habitude. Qu'est-ce qui va pas?»

Silencieux pendant quelques secondes, il me dit ensuite avec un air gêné : «Bien, pour être honnête avec toi, je me sens plutôt fatigué, je manque d'énergie, mais tu m'excites quand même, et j'ai envie de te pénétrer.»

«Tu aurais dû me le dire!» que je lui ai lancé d'une voix surprise.

«Je pensais que ça pouvait t'offenser, paraître insensible à tes charmes. Je sais comment les femmes n'aiment pas les hommes qui ne veulent que du sexe, alors j'ai décidé d'essayer de te donner du plaisir quand même pour ne pas me sentir égoïste. T'as bien vu que je n'étais pas dedans, naturellement. Mais je t'aime vraiment, tu sais. C'est juste que, ce soir, j'ai seulement envie d'un peu de sexe avec toi.»

Ce fut toute une révélation pour moi! J'ai repensé alors à toutes les fois où j'ai eu des relations sexuelles avec des hommes que je savais bons amants, attentifs, mais qui, pour une raison ou une autre certains soirs, paraissaient pas tout à fait présents, insensibles, ou même paresseux dans leurs ébats amoureux. Je n'avais jamais soupçonné la vérité. Ils avaient seulement envie de me pénétrer, d'être dans moi, et de m'aimer sexuellement, mais ils étaient trop gênés pour me le demander. Après tout, presque tous les hommes conscients des années 90 sont au courant du stéréotype mâle d'avant la révolution sexuelle : l'homme égoïste, qui passait deux minutes à tâter le corps de la femme et deux autres minutes à lui pomper le vagin, puis se demandait pourquoi elle n'avait pas connu d'orgasme et n'était pas satisfaite.

Aucun mâle libéré qui se respecte ne voudrait ressembler, même de très loin, à cette espèce de brute. Au contraire, les hommes d'aujourd'hui se forcent à faire l'amour, même quand ils n'ont envie que de sexe. Nous, comme femmes, nous savons que quelque chose ne va pas, mais nous pensons plutôt que notre homme se laisse aller, ou se désintéresse de nous, sans jamais soupçonner qu'il a tout simplement peur de nous demander ce qu'il désire réellement.

———————— ✧✧✧ ————————

Quand ils ne sont que sexuels avec une femme, les hommes ont une espèce de spontanéité, d'abandon et de passion, qu'ils perdent souvent dans une relation amoureuse plus pondérée, plus consciente et plus calculée.

———————— ✧✧✧ ————————

L'envie de ce genre d'abandon lascif est aussi irrésistible pour les hommes que peut l'être pour les femmes l'amour tendre et sécurisant. Comme femmes, nous commettons l'erreur de présumer que, parce que notre partenaire ne veut de nous que du sexe à certains moments, il nous aime moins que lorsqu'il se livre à une activité sexuelle comportant plus d'amour, plus de romantisme. En réalité, nos hommes seraient de bien meilleurs amants en faisant l'amour, si nous n'exigions pas qu'ils nous fassent l'amour à chaque relation sexuelle.

———————— ✧✧✧ ————————

Attention! **Je ne dis pas que vous devriez avoir des relations sexuelles avec votre homme, peu importe comment, même s'il est sans amour, insensible ou abusif. Je ne dis pas non plus que, quand votre partenaire a envie de sexe mais pas vous, vous devriez vous sacrifier et fermer les yeux. Ce que je dis, c'est ceci : que vous ayez du sexe ou fassiez l'amour, il faut toujours que ce soit en accord avec votre volonté.**

———————— ✧✧✧ ————————

Cependant, si vous avez un partenaire qui ne désire jamais faire l'amour, mais qui veut toujours avoir du sexe, cette règle ne vous concerne pas.

———————— ✧✧✧ ————————

Si vous vivez avec un homme qui ne veut que du sexe et jamais d'amour, je vous suggère d'en discuter sérieusement avec lui, de consulter un sexologue, ou de réévaluer votre relation, parce que vous méritez beaucoup mieux et n'avez pas à accepter ça.

———————— ✧✧✧ ————————

COMMENT KARINE ET TIMOTHÉE ONT RÉUSSI
À RÉINTRODUIRE LA PASSION DANS LEUR UNION

Secrétaire légale de 36 ans, Karine est venue me voir avec son mari Timothée, conseiller en informatique de 39 ans, se plaignant de leur vie sexuelle. «On ne semble pas être synchronisés tous les deux, commença Karine, parce que j'ai souvent l'impression que Timothée a tendance à accélérer les préliminaires, pour arriver plus vite à la pénétration. Puis dans ce temps-là, moi, je décroche.»

«J'essaie de plaire à Karine, dit Timothée, et j'essaie pas de la pousser en allant plus vite. J'comprends pas pourquoi elle se sent comme ça.»

En les écoutant parler, j'avais l'impression qu'ils ne s'étaient pas permis simplement du sexe de temps en temps, sans avoir à passer par les longs gestes romantiques et les témoignages d'amour à chaque fois. Alors, j'ai demandé à Timothée : «Peux-tu te rappeler une occasion où tu sentais une forte envie physique de posséder Karine, que t'avais juste envie de la baiser, simplement?»

«Oui, répondit-il, c'était la semaine dernière, en revenant d'un «party».

«Dis-moi ce qui s'est passé.»

«Eh bien! en entrant dans la chambre, j'étais prêt à sauter sur Karine, comme ça! Je me suis approché d'elle, je lui ai donné une petite caresse, elle m'a serré aussi, puis elle a tourné les talons pour aller prendre son bain.»

«Lui as-tu dit que toi, tu étais prêt au sexe?»

«Pas en paroles, dit Timothée, je voulais pas qu'elle se sente bousculée. Je sais comment elle aime ça romantique, alors j'ai attendu qu'elle revienne au lit pour lui faire l'amour.»

Karine entra dans la conversation : «Je me souviens de ce soir-là, t'avais l'air plutôt insensible au lit, plutôt mécanique, dans ce que tu faisais pour essayer de m'exciter.»

Alors, j'ai demandé à Timothée : «Te sentais-tu un peu mécanique, toi?»

«Oui, un petit peu, dit Timothée, et maintenant que j'y pense, j'avais sûrement pas le goût d'une session prolongée. J'étais très stimulé et attiré par Karine, j'avais seulement envie de la baiser par plaisir, pour faire changement. Je suppose que j'avais une certaine culpabilité de me sentir comme ça. Karine s'attend toujours à ce que je sois d'un grand romantisme avec elle à ce moment-là, mais moi, j'ai pas toujours envie de faire l'amour comme ça.»

Je demandai alors à Karine ce que ça lui ferait d'avoir des relations strictement sexuelles avec son mari, de temps en temps.

«Eh bien! dit-elle, en réalité j'y ai jamais pensé. J'ai toujours été tellement conditionnée à faire l'amour de façon rituelle que le fait d'avoir uniquement du sexe me semble comme pas correct, comme sale, et que si Timothée le faisait avec moi, j'aurais l'impression qu'il m'aime pas.»

«Et maintenant, Timothée, dis-je, voudrais-tu expliquer à Karine comment tu te sens envers elle, au moment où t'as juste envie de la baiser, comme tu dis.»

«C'est simple, dit Timothée, elle me paraît si belle, si sensuelle, que j'ai seulement le goût de me laisser engloutir par elle, de me retrouver dans elle, et de la sentir m'envelopper totalement.» Puis, se tournant vers Karine il poursuivit : «Je t'aime, Karine, et quand je veux seulement du sexe avec toi, c'est toujours parce que je t'aime, et jamais par manque de respect.»

En quittant mon bureau, Timothée et Karine ont convenu de tenter une expérience. Lorsqu'une telle situation se présente, Timothée s'engage à faire clairement savoir à Karine qu'il a envie d'elle, mais qu'il n'a pas le goût de passer par le rituel complet de préliminaires et de longues attentions romantiques. Pour sa part, si elle s'en sent capable, Karine s'efforcera d'apprécier une simple session de sexe avec son mari, à l'occasion.

Après tout, puisque Timothée a toujours accepté de se soumettre aux préférences de Karine, elle a compris que ce serait équitable qu'elle se soumette à ses désirs à lui, une fois de temps en temps.

Quand ils sont revenus me voir, j'ai immédiatement noté un changement évident dans le comportement de Timothée et de Karine. Paraissant tous deux détendus, ils étaient ouvertement plus affectueux l'un pour l'autre.

C'est Karine qui ouvrit la conversation : «D'abord, je dois admettre que je n'aimais pas du tout votre suggestion d'essayer de me prêter aux pratiques sexuelles de Timothée. Cependant, sur le plan intellectuel, j'ai compris que, comme j'avais toujours insisté pour qu'il se soumette à ma manière de faire l'amour, je me devais bien de lui rendre justice, en essayant la sienne. Je n'en reviens pas comme ça a bien fonctionné! Un soir de la semaine dernière, Timothée m'a soudainement serrée contre lui, et m'a dit qu'il me désirait. J'étais réellement nerveuse, mais je me suis quand même donnée à cent pour cent. Je me suis vite aperçue que, à mesure que s'atténuait ma résistance à ce que je faisais, je devenais de plus en plus stimulée sexuellement. Je me suis aussi rendu compte que Tim... (c'est comme ça que j'appelle Timothée dans l'intimité)... que Tim s'occupait toujours de mes besoins physiques comme avant, une chose que je craignais secrètement qu'il néglige si l'on ne prolongeait pas suffisamment nos ébats amoureux. Et, encore mieux! Je me suis sentie aimée tout le temps! Vous aviez raison. Quand Tim me désire physiquement, il est tout aussi passionné, parce qu'il m'aime vraiment.»

«C'était merveilleux, ajouta Timothée avec un sourire, et j'ai découvert par surcroît que, quelques jours plus tard, je me sentais déjà beaucoup plus à l'aise de prendre mon temps pour séduire Karine, et je n'avais plus aucun ressentiment du fait de devoir faire l'amour à «sa» façon. Maintenant que je sais qu'elle peut se laisser aller au sexe, de temps en temps, je m'efforce avec plaisir de lui faire l'amour comme elle le préfère, les autres fois.»

LA SOLUTION

1- Parlez avec votre partenaire de vos préférences respectives entre le sexe et l'amour.

Comme des milliers de femmes que j'ai conseillées, vous pourriez découvrir que votre homme a toujours craint de vous exprimer ouvertement ses désirs purement sexuels, de peur que son apparente obsession vous offense, ou vous donne l'impression qu'il ne vous aime pas. Demandez-lui clairement s'il lui arrive parfois de faire ça «à la va vite», seulement parce qu'il n'a pas envie de se soumettre à tout votre rituel habituel. Vous comprendrez alors bien autrement ce que vous avez pu interpréter à tort comme du désintéressement, ou un manque de virtuosité sexuelle de sa part.

2- Permettez à votre partenaire de vous demander du sexe, à l'occasion.

Revoyez vos propres jugements sur le sexe. Comme la plupart des femmes vous avez peut-être appris dans votre enfance qu'une fille qui aime le sexe est une «mauvaise fille». Vous devez alors intérieurement supprimer vos propres pulsions sexuelles, pour ne pas devoir vous catégoriser comme «mauvaise fille». Certaines femmes vont aller jusqu'à nier toute part de sexe dans leurs activités amoureuses, afin de pouvoir se permettre d'avoir des activités sexuelles, sans les appeler ainsi.

Essayez donc de vous laisser aller à des ébats purement sexuels avec votre partenaire, au lieu de toujours vous astreindre à une mise en scène longue et compliquée pour faire l'amour. Vous serez peut-être surprise de découvrir que, comme Karine, vous êtes capable de devenir très excitée sexuellement par la passion de votre partenaire, et par votre propre abandon physique, par désir de vous unir à lui. Ne craignez pas d'échanger vos sentiments et impressions avec lui par la suite. Et, naturellement, assurez-vous que votre vie sexuelle n'est pas uniquement composée de sexe, au goût de votre partenaire, sans jamais d'échanges amoureux plus romantiques, comme vous les aimez.

3- Quand votre partenaire n'est pas tout à fait à son affaire, pendant les préliminaires de l'amour, demandez-lui s'il a hâte d'en finir parce qu'il a tout simplement envie de sexe.

Rappelez-vous mon histoire, lorsque je me suis aperçue que mon partenaire ne semblait pas apprécier autant que d'habitude ce qu'il me faisait. Ne restez pas là, silencieuse, à critiquer intérieurement votre partenaire pour sa manière de vous faire l'amour. Demandez-lui ce qui se passe. Peut-être a-t-il envie d'une autre forme de sexe, plus facile, moins séducteur, et que vous pourriez essayer ça avec lui. Peut-être que lui seul en a envie, et pas vous, et qu'il vaudrait mieux que vous vous contentiez de vous caresser, pour le moment.

Naturellement, ces suggestions présument que vous connaissez bien votre partenaire, et que vous savez qu'il est habituellement un bon amant. Votre partenaire et vous pouvez aussi apprendre de nouvelles techniques qui vous permettront de faire l'amour au lieu de seulement avoir du sexe, entre autres à l'aide de livres spécialisés, dont le mien, *How to make love all the time* (Comment faire l'amour tout le temps).

Secret numéro **5**

LES HOMMES AIMENT QU'UNE FEMME LEUR DONNE DU SEXE ORAL

Je sais ce que vous pensez : «Qu'est-ce qu'il y a de secret là-dedans?» Eh bien! Ce n'est pas le fait que les hommes aiment le sexe oral qui soit un secret, c'est la raison derrière le fait, et aussi une façon différente de voir cet acte sexuel. Presque cent pour cent des hommes que j'ai questionnés sur le sujet ont dit qu'ils apprécient beaucoup une femme qui aime leur donner du sexe oral. Le problème vient de ce que beaucoup de femmes n'aiment pas le faire, et pour diverses raisons. Soit parce qu'elles pensent que c'est malpropre, soit parce que ça les dégoûte, du fait que les hommes urinent par le pénis, soit que ça les rende nerveuses car elles ne savent pas trop bien comment faire.

Voici une autre façon de considérer le sexe oral. Le pénis de l'homme est non seulement la partie la plus sensible de son corps, mais aussi la plus vulnérable. Son pénis est le symbole de sa masculinité, de son sens du pouvoir, de son identité. La vulnérabilité de l'homme, vis-à-vis de son pénis, est bien différente de la vulnérabilité de la femme, vis-à-vis de son vagin. Le vagin de la femme est caché, le pénis de l'homme est apparent. Lorsque l'homme est sexuellement stimulé, c'est très visible aux autres. Lorsque la femme est sexuellement stimulée, elle seule le sait.

———————— ✧✧✧ ————————

Dans le sexe oral, les hommes n'aiment pas seulement le plaisir physique que cela leur procure, ils aiment aussi, et surtout, l'impression que ça leur donne d'être accueillis, d'être acceptés.

———————— ✧✧✧ ————————

L'une des plus grandes erreurs que les femmes font, en envisageant la possibilité de donner du sexe oral à un homme, c'est de se dire : «Je vais prendre le pénis de ce gars-là dans ma bouche, puis c'est par là qu'il pisse! Ainsi dit, ce n'est pas très ragoûtant en effet. Mais, en réalité, la raison même de faire l'amour oralement à votre homme, c'est de caresser et d'aimer la partie la plus vulnérable de son corps. Bien sûr qu'il puisse en ressentir une jouissance fantastique, mais ce qui est encore plus important, c'est qu'il puisse surtout en tirer une sensation d'accueil, d'acceptation totale de votre part.

COMMENT J'AI APPRIS À MA MEILLEURE AMIE
À AIMER DONNER DU SEXE ORAL À SON HOMME

C'est une histoire vraie, que je raconte toujours aux femmes qui fréquentent mes séminaires, au sujet d'une de mes amies que j'appellerai Suzanne. Cela s'est passé il y a plusieurs années. Suzanne était ma meilleure amie de collège, où nous avions été très près l'une de l'autre. Nous étions restées bonnes amies quand même, mais le temps nous avait séparées, dans des villes différentes. Un jour que je lui rendais visite dans son appartement, nous nous échangions des informations sur notre vie respective, quand elle s'exclama tout à coup : «Oh! Que je suis heureuse! Tu peux pas t'imaginer, j'ai un nouvel ami, dont je suis follement amoureuse. Il s'appelle André. Nous avons une relation extraordinaire Barbara, mais y'a seulement un petit problème.»

Prise de curiosité, je lui ai demandé : «Comment ça?»

«Bien, je suis un peu gênée de le dire, mais à toi je peux en parler. Je déteste lui faire l'amour oralement. Tu sais, j'ai jamais pris l'habitude de faire ça à un homme. André me dit qu'il aime tellement ça, mais ça m'écoeure un peu, et je sais pas trop quoi faire.»

J'ai réfléchi quelques minutes, pour chercher comment je pourrais bien l'aider, puis je lui ai demandé : «O.K.! Dis-moi, quand tu mets le pénis d'André dans ta bouche, à quoi penses-tu?

«Je pense que j'ai la «quéquette» d'André dans ma bouche, puis là, le coeur me lève!»

J'ai répondu : «Bon! J'y avais pensé.» Et, voyant que je devais faire quelque chose pour elle, j'ai ajouté : «Suzanne, laisse-moi essayer de t'aider. Aimes-tu André?»

«Oh oui, je l'adore! dit-elle. Il est si gentil, tendre, attentif, et puis j'aime être avec lui. Je voudrais jamais lui faire de peine.»

«Bon, parfait!, lui dis-je, maintenant, Suzanne, pré-sente-moi ta main ouverte, paume en l'air. C'est ça! Je veux que tu imagines à présent, qu'au lieu d'être une personne normale, ton André chéri est un petit bonhomme de six pouces de haut. Imagines que tu le tiens sur ta main en ce moment. Maintenant, puisque c'est le même André, que tu l'aimes autant, mais qu'étant si petit, il est impossible de lui faire l'amour de façon conventionnelle, comment vas-tu faire pour l'aimer?» Avec un petit rire nerveux, et en faisant des gestes appropriés, Suzanne dit : «Eh bien, je le flatterais gentiment, je le caresserais, je l'embrasserais, et je lui dirais combien il est précieux pour moi.»

«Très bien!» dis-je. «Ma chère Suzanne, tu vas main-tenant découvrir une vérité tout à fait nouvelle : c'est que ton cher André possède en réalité un «Petit André» de six pouces (ou peu importe) qui fait partie de lui-même, et que tu dois aussi aimer. C'est son pénis! c'est l'essence même du grand André, que tu adores. Et quand tu caresses cette partie de lui, tu ne fais pas que mettre son pénis dans ta bouche, tu aimes et tu caresses le «Petit André», et c'est lui tout entier. La prochaine fois que tu le feras, imagine-toi que c'est la seule façon de montrer à André que tu l'aimes, et efforce-toi d'exprimer tes sentiments pour André à travers ce que tu lui fais. Je t'assure qu'André ne sentira plus que tu es seulement là en train de sucer son pénis, il sentira plutôt que tu es en train de l'aimer, de l'adorer, exactement comme tu aimerais qu'il t'aime, et qu'il t'adore, en t'offrant lui-même du sexe oral.»

Suzanne a trouvé cette idée emballante, et s'engagea à l'essayer, puis à m'en donner des nouvelles. Je n'ai pas eu longtemps à attendre, car dès le lendemain matin, elle m'appela à ma chambre d'hôtel pour me dire : «Barbara! Je veux te dire que je viens de vivre la plus belle nuit de ma vie, au lit avec André. J'ai fait ce que tu as dit, et ça a marché! Crois-le ou non, j'en suis même arrivée à aimer ça, prendre le «Petit André» dans ma bouche. Tu peux t'imaginer que le grand André en a été très surpris, et extrêmement content. Je t'en remercie beaucoup! André te remercie également, et... ah oui!... le Petit André te remercie aussi!» Nous avons ri de bon coeur, et j'étais si heureuse d'avoir contribué à son bonheur, à leur bonheur.

Plus de dix ans après cet incident, Suzanne est maintenant mariée à un autre homme, et ils ont une petite fille. Nous sommes encore de bonnes amies, même si nous nous voyons rarement parce que nous vivons dans différentes parties du pays. Mais de temps en temps, quand nous nous parlons au téléphone, nous aimons nous rappeler cette histoire, et rire encore de bon coeur, en nous répétant ces mots : «Je te remercie, André te remercie, et le Petit André te remercie aussi!» J'ose espérer qu'à cause de cela, et malgré les changements de la vie, le Petit André est encore heureux, où qu'il soit!

CE QUE LES HOMMES DÉTESTENT DANS LE SEXE ORAL, TEL QUE DONNÉ PAR LES FEMMES

Voici une liste des plaintes les plus fréquentes des hommes, au sujet des manières qu'ont les femmes de pratiquer le sexe oral.

1- Les femmes qui sucent un pénis, comme si elles étaient à traire une vache avec leur bouche.

L'expression «sucer un pénis» étant courante depuis toujours, certaines femmes la prennent littéralement, et s'imaginent que les hommes aiment se faire «sucer» très fort. Et elles sucent de toutes leurs forces, comme si elles étaient en train de traire une vache, ou, comme l'a dit un homme, «comme si elle voulait me vider à mort!» Chaque homme a ses préférences, bien entendu, mais la plupart aiment voir leur pénis caressé, léché, enveloppé par votre bouche, et non pas simplement sucé.

2- Les femmes qui accrochent le pénis avec leurs dents.

«Aye! Aye!» Tellement d'hommes m'ont fait ce genre de plainte. «Voulez-vous dire aux femmes de surveiller leurs dents» qu'ils m'ont suppliée. Le pénis de l'homme est très très sensible. La plupart n'aiment pas du tout être accrochés, mordus ou mâchés, alors exercez-vous à maintenir vos dents à distance de vos lèvres, et votre homme en sera beaucoup plus heureux.

3- Les femmes qui ne font que mettre la bouche sur le pénis, et ignorent tout le reste du corps.

«Je déteste quand une femme met sa bouche sur mon pénis mais ne le touche pas avec ses mains, et ne caresse ni mes testicules, ni mes jambes, ni ma poitrine, pendant qu'elle le fait.» Voilà une plainte courante de nombreux hommes. Ils veulent être aimés partout, tout entier, et non seulement touchés par votre bouche pendant cinq minutes, alors que tout le reste de leur corps est ignoré. Non seulement en tirent-ils des sensations agréables, dans d'autres parties de leur corps, mais cela les aide à se laisser aller, et ils se sentent mieux acceptés lorsque vous utilisez vos mains en plus de votre bouche.

4- Les femmes qui pratiquent le sexe oral dans le silence total.

Mesdames, je sais que vous pouvez bien comprendre ce point de vue. Vous est-il arrivé qu'un homme vous offre du sexe oral, sans dire un mot, pendant que vous êtes là à vous demander s'il aime ça, si vous goûtez bon? Lorsqu'une femme s'engage dans une activité sexuelle aussi intime avec son homme, et ne dit pas un mot tout au long, l'homme aussi se sent mal à l'aise.

On dit toujours qu'il est difficile de parler la bouche pleine, mais rien ne vous empêche d'arrêter une seconde pour dire à votre partenaire que ça vous plaît, que vous l'aimez, que vous le trouvez beau et très masculin. Il l'appréciera tellement!

5- Les femmes qui crachent le sperme.

Avaler ou ne pas avaler, voilà la question! C'est un sujet délicat. Là-dessus, je vous dirai ceci : beaucoup d'hommes sont très offensés lorsqu'ils éjaculent dans votre bouche, et que vous courez à la salle de bains pour cracher dans le lavabo, ou lorsque vous vous précipitez au bord du lit, en quête d'un papier-mouchoir, ou, encore pire, lorsque vous vous retirez au moment de l'éjaculation, et le laissez tirer au hasard dans le vide.

C'est un genre de rejet que beaucoup d'hommes trouvent très pénible, comme si vous les refusiez brutalement, en crachant leur essence même. Ils se sentent gênés, pensant que vous puissiez les trouver dégoûtants. Ils se sentent sales, pensant que vous leur ayez seulement donné du sexe oral par obligation.

Dans les philosophies indiennes et chinoises traditionnelles, le sperme de l'homme est considéré comme un élixir précieux, et puissant, avec une haute concentration de force vive. Ainsi, le sperme ne doit jamais être gaspillé, mais toujours utilisé de façon à transmettre son énergie. L'absorption du sperme de l'homme dans le corps féminin, soit par le vagin, soit par la bouche, est considérée comme un don de sa propre énergie à la femme.

Certaines philosophies orientales, le Tantra Yoga par exemple, croient même que le sperme humain a des propriétés curatives et régénératrices, ce qui en fait une «potion» de santé et de longévité.

Vous vous dites peut-être : «Mais ça ne goûte pas bon!» Le sperme étant un fluide produit par le corps de votre partenaire, sa qualité et son goût dépendent donc de l'état de santé de ce dernier. Sa diète générale, le stress, l'alcool et les drogues ou médicaments, ont une incidence directe sur la consistance et le goût de son sperme.

Je ne connais aucune étude scientifique sérieuse sur le sujet, mais je sais, par mon expérience personnelle et par les confidences reçues d'innombrables couples, qu'un changement de diète alimentaire peut modifier assez radicalement le goût du sperme. Si vous ne me croyez pas, faites-en l'expérience avec votre partenaire.

Par exemple, faites boire beaucoup de jus d'ananas à votre homme pendant quelques jours, puis goûtez son sperme. Je vous assure que ce sera très sucré! J'ai aussi noté que lorsqu'un homme boit beaucoup de liquides amers, comme du café ou de l'alcool, son sperme aura tendance à être amer aussi. Un homme qui consomme beaucoup de protéines animales, de viande rouge surtout (ce qui augmente l'acidité du sang), aura un sperme au goût plus acide.

Si vous trouvez que le sperme de votre partenaire a particulièrement mauvais goût, considérez la possibilité de lui suggérer un changement de diète alimentaire. Non seulement votre sexe oral en sera plus agréable, mais lui-même s'en sentira mieux physiquement. En dernier ressort, si vous êtes totalement incapable de tolérer le goût de son sperme, et qu'il pense que vous exagérez en refusant de l'avaler, faites-le-lui goûter, et voyez ce qu'il en pense!

LA SOLUTION

Je ne vais pas vous dire quoi faire en fait de sexe oral. Je ne vais certainement pas vous dire de faire quoi que ce soit qui vous répugne. J'espère cependant qu'après avoir lu l'information de ce chapitre, vous pouvez maintenant y repenser, et voir le sexe oral d'un autre oeil. Quelquefois, vous pouvez vous sentir très à l'aise de faire l'amour à votre partenaire de cette façon, d'autres fois, pas du tout. Ou vous pouvez vous sentir mal à l'aise de le faire avec quelqu'un que vous ne connaissez pas assez, mais trouver ça très acceptable avec quelqu'un que vous aimez sincèrement, et qui s'est aussi engagé sérieusement envers vous.

Je suggère donc que vous discutiez de tout ça avec votre partenaire, d'abord pour mieux vous connaître, puis pour augmenter votre intimité sexuelle. Et n'oubliez pas de faire savoir à votre compagnon que vous aimez aussi recevoir du sexe oral de sa part.

Secret numéro **6**

POURQUOI LES HOMMES N'AIMENT PAS FAIRE L'AMOUR ET PARLER EN MÊME TEMPS

Avez-vous déjà essayé d'engager la conversation avec un homme, alors qu'il est en train de payer ses comptes, de lire le journal, ou de parler au téléphone? «Parle-moi pas, j'essaie de me concentrer sur ce que je fais!» va-t-il vous dire, naturellement. N'êtes-vous pas surprise de son incapacité de faire plus d'une chose à la fois? Après tout, comme femme, vous êtes habituée de parler au téléphone, de regarder la télévision et de repeindre vos ongles en même temps. Et ce n'est pas un problème pour vous!

Une autre question : avez-vous déjà essayé d'engager la conversation avec un homme pendant que vous faites l'amour ensemble? Vous êtes-vous demandé pourquoi il avait l'air si réticent de vous parler? Le prochain secret masculin détient la clef de ces deux mystères.

―――――――――― ✧✧✧ ――――――――――
Les hommes ont plus de difficulté que les femmes à effectuer une tâche et à s'exprimer en même temps.
―――――――――― ✧✧✧ ――――――――――

Dans le quatrième chapitre, nous avons discuté de la spécialisation du cerveau masculin, l'hémisphère droit dirigeant la coordination visuelle et spatiale, alors que l'hémisphère gauche régit les capacités verbales. La recherche a démontré que le cerveau de l'homme doit transférer le contrôle d'un côté à l'autre, lorsque l'individu modifie ses activités.

Par exemple, lorsque votre partenaire vous fait l'amour, qu'il vous touche, qu'il ressent votre présence, ou qu'il vous regarde, un seul côté de son cerveau est en fonction. Mais lorsqu'il veut vous parler et exprimer ses sentiments, c'est l'autre côté de son cerveau qu'il doit mettre à contribution. Ce transfert exige de l'homme un effort que la femme ne connaît pas, puisque les deux côtés de son cerveau, à elle, travaillent généralement ensemble. Pour les femmes, parler et faire l'amour en même temps, ou vérifier son compte en banque et regarder la télévision en même temps, paraît tout naturel et pas compliqué.

Cette différence de fonctionnement du cerveau est la raison principale qui fait que les hommes ont de la difficulté à s'exprimer verbalement pendant l'amour. Nous savons déjà que l'homme a généralement de la misère à exprimer ses émotions, à cause de son conditionnement culturel. Mais demandez à un homme de vous dire ce qu'il ressent, en même temps qu'il accomplit une tâche le moindrement complexe, faire l'amour par exemple, et vous pouvez faire face à un gros problème.

Ce n'est pas que les hommes ne veulent pas vous faire part de leurs sentiments au lit, c'est que la plupart ne peuvent pas le faire facilement. Vous êtes étendue là à lui dire : «Oh! Chéri, je t'aime tellement, j'ai besoin de toi. Oh! j'aime ça! Continue! J'aime me sentir aussi près de toi!» et tout ce que vous entendez de sa part, en retour, c'est un grognement par-ci par-là, à travers une respiration sonore et accélérée! Vous commencez à penser que votre partenaire ne vous aime pas, alors que, la plupart du temps, ce n'est pas du tout ce qui se passe. Il est très heureux, son cerveau droit lui faisant goûter un maximum de plaisir. En fait, il peut être conscient que vous lui parlez, mais il lui faudrait faire toute une gymnastique de transfert au cerveau gauche pour pouvoir comprendre les paroles que vous lui dites.

POURQUOI LES HOMMES S'IRRITENT LORSQUE LES FEMMES PARLENT DURANT UNE RELATION SEXUELLE

Comme nous l'avons déjà dit, les hommes se sentent souvent forcés de fournir une performance et de faire les choses correctement.

───────────── ✧✧✧ ─────────────
Si vous lui parlez pendant la relation sexuelle, votre homme se sent obligé de vous répondre, et cela le distrait de sa tâche de faire l'amour.
───────────── ✧✧✧ ─────────────

Voici quelque chose que vous pouvez trouver incroyable, mais que tellement d'hommes m'ont affirmé. Léon, un architecte de 29 ans, me l'exprimait ainsi : «Quand je fais l'amour à une femme, que je suis complètement parti, totalement perdu dans l'expérience, la dernière chose que je veuille faire, c'est parler. Je suis tellement pris par la passion que, si je l'entends me parler, je me sens obligé de lui répondre, pour la rassurer, et je dois briser ma concentration, pour penser à ce que je vais lui dire. Il faudrait donc que je décroche de l'expérience physique que je vis pour me réfugier dans ma tête. Je suppose que je suis trop envahi par les sensations de l'amour, et de l'intimité, pour pouvoir en parler.»

En vous faisant partager ce secret, je ne voudrais pas vous laisser croire que vous ne devez jamais demander à votre partenaire de s'exprimer en cours de relations sexuelles. Je sais que cela vous rassurerait beaucoup, et augmenterait votre propre passion, si vous pouviez entendre votre partenaire exprimer ses sentiments pendant l'acte sexuel. Mais si vous avez un partenaire qui reste silencieux au lit, et si ce manque d'expression vous a toujours dérangée, vous pouvez vous sentir plus à l'aise dans vos relations sexuelles maintenant que vous connaissez le secret masculin que je viens d'expliquer.

LA SOLUTION

1- Discutez ces renseignements avec votre partenaire.

Demandez-lui ce qu'il pense de la conversation au lit. Vous pourriez avoir la surprise de l'entendre faire écho à l'opinion de Léon, de l'entendre vous dire qu'il se sent obligé de vous parler, quand vous lui parlez, qu'il se donne tout entier à vous aimer, mais qu'il lui est bien difficile d'en parler en même temps. Expliquez-lui vos propres besoins d'intimité verbale, et essayez de comprendre les siens.

2- Parlez autant que vous voulez, mais ne soyez pas déçue si vous ne recevez pas de réponse.

Si vous avez besoin d'exprimer en paroles votre passion au lit, ne cessez pas de le faire juste parce que votre partenaire ne le fait pas. Laissez cependant savoir à votre partenaire qu'il n'est pas obligé de vous répondre, que vous n'avez pas vraiment besoin de réponse. Il pourra donc cesser de s'en faire, et se sentir plus à l'aise, lorsque vous lui parlerez pendant l'amour.

3- Essayez de faire l'amour sans parler du tout.

Si vous pensez être une «jacasseuse sexuelle», suivez les conseils que je donne au chapitre 6, pour faire l'amour en silence. Ce sera une nouvelle expérience pour vous!

Secret numéro **7**

POURQUOI LES HOMMES SEMBLENT SE RETIRER EN EUX-MÊMES, APRES L'AMOUR

«Quand Gérard et moi finissons de faire l'amour, il semble toujours rentrer en lui-même. J'aurais envie de parler, de discuter, de me rapprocher de lui, mais il reste là, étendu, les yeux fermés. Je sais qu'il m'aime quand même, mais je me sens délaissée dans ce temps-là.»

«J'ai donné un sobriquet à mon mari. Je l'appelle «la sauterelle», parce qu'aussitôt finie la relation sexuelle, il bondit hors du lit. Il dit que c'est pour aller aux toilettes, ou pour prendre un verre d'eau, mais je sens qu'il a besoin de se distancer de moi. Il en rit lui aussi, et il sait que ça m'agace, mais il dit qu'il devient impatient s'il reste étendu au lit après l'amour.»

Vous avez probablement connu ce genre d'expérience au moins une fois dans votre vie, de sentir que votre partenaire se retire après l'amour. Si vous faites l'amour avec quelqu'un que vous connaissez à peine, qui ne vous aime pas nécessairement, cela s'explique facilement. Dès qu'il a eu la satisfaction sexuelle qu'il attend de vous, il est prêt à se retirer. Mais si vous vivez ce genre d'expérience avec votre mari, ou votre partenaire de vie, c'est une tout autre chose.

———————— ✧✧✧ ————————
**L'homme paraît se retirer après l'amour
par besoin de reprendre le contrôle
qu'il avait abandonné durant l'orgasme.**
———————— ✧✧✧ ————————

Nous avons vu comme il est important, pour un homme, de contrôler la situation pour confirmer son pouvoir. Dans son livre *McGill report on male intimacy* (le Rapport McGill sur l'intimité masculine), Michael McGill discute pourquoi les hommes ne sont pas plus ouverts et plus aimants avec les femmes :

> «La raison pour laquelle les hommes ne sont pas plus aimants, c'est qu'ils veulent garder le contrôle d'eux-mêmes et augmenter leur pouvoir sur les autres... Les hommes créent le mystère autour d'eux, et il apparaît maintenant qu'ils entretiennent aussi ce mystère pour établir leur maîtrise... Cette habitude de contrôler, qui est l'absence d'intimité, a donc deux objectifs pour l'homme : celui de lui procurer le pouvoir qu'il associe au succès, et celui de l'isoler de toute critique qui pourrait lui faire voir ses faiblesses.»

Le Docteur McGill poursuit en expliquant comment le pouvoir et l'image de soi sont si importants pour un homme, que l'idée de se révéler ou de perdre le contrôle devient menaçante.

Par le désir sexuel, l'homme perd peu à peu de son contrôle, jusqu'à en arriver à une perte de contrôle totale durant l'orgasme. Ceci va à l'encontre du conditionnement masculin, au point d'en devenir à la fois fascinant et effrayant, du point de vue psychologique. Ainsi, l'abandon sexuel est une expérience beaucoup plus intense pour un homme que pour une femme, parce que cela contraste si fortement avec ses efforts habituels pour maintenir son contrôle.

Peut-être commencez-vous à comprendre pourquoi tant d'hommes ont tendance à se refermer après le sexe. Jacques, un dentiste de 41 ans, divorcé, a su décrire cette tendance pour nous aider à comprendre.

«La plupart du temps dans la vie, je dois être le symbole de l'autorité, celui qui dirige et contrôle. Il est très rare que je laisse tomber ce rempart. L'une de ces rares situations, c'est pendant les rapports sexuels, où je peux vraiment me laisser aller. Je suis un gars très passionné, et, lorsque je fais l'amour à une femme, je «m'envoie en l'air» et je fais beaucoup de bruit. L'orgasme est un moment extrêmement puissant pour moi. Mais immédiatement après, je me sens presque gêné, comme si je m'étais montré trop désireux, trop émotif. C'est comme si, pendant l'activité sexuelle, je m'étais abandonné comme une femme, et qu'immédiatement après, je devais me ressaisir, reprendre le contrôle, et redevenir moi-même, redevenir un homme, quoi!»

LA SOLUTION

1- Demandez l'opinion de votre partenaire sur ce sujet.

Si la conduite de votre partenaire, après le sexe, ne vous satisfait pas toujours, discutez-en avec lui. Il ne sait probablement pas, lui non plus, pourquoi il a ainsi envie de se retirer, d'entrer en lui-même, après une relation sexuelle. Alors, vous pouvez lui expliquer le principe que nous venons de voir. Certains hommes m'ont dit qu'ils avaient été soulagés d'apprendre cela, parce qu'ils s'étaient parfois demandé si cette envie de se retirer pouvait vouloir dire qu'ils n'aimaient pas leur femme.

2- Choisissez une activité post-sexuelle qui vous convient bien, à tous les deux.

Demandez à votre partenaire ce qu'il aimerait après le sexe, et dites-lui aussi ce que vous aimeriez. Venez-en ensuite à un compromis, à une entente. Certains couples ont constaté que l'homme a besoin de quelques minutes de récupération, après quoi il reviendra, bien à l'aise pour parler, et plein d'attention.

Trouvez la solution idéale pour vous deux, et mettez-la en pratique au plus vite.

Secret numéro 8

LES HOMMES SONT SEXUELLEMENT EXCITÉS PAR UNE STIMULATION VISUELLE

──────────── ✧✧✧ ────────────

Question : Un homme qui se rend faire un dépôt à une banque de sperme est invité à produire un spécimen, par une infirmière qui lui remet un contenant et le laisse seul dans une petite pièce pour quelque temps.

Autour de lui, l'homme trouve des magazines érotiques comportant de nombreuses photos osées, et un livre érotique racontant une histoire plutôt «juteuse».

Que pensez-vous qu'il va utiliser pour se stimuler sexuellement, les photos ou le livre?

──────────── ✧✧✧ ────────────

Vous avez probablement répondu «les photos» et vous avez raison. Pas tous, mais la plupart des hommes auraient aussi choisi les photos érotiques pour se stimuler, le plus vite possible. Voyons maintenant pourquoi.

───────────── ✧✧✧ ─────────────

**Les hommes sont plutôt des «visuels»,
contrôlés par le côté droit du cerveau,
alors que les femmes sont «verbales»,
surtout sous l'influence du côté gauche.**

───────────── ✧✧✧ ─────────────

En d'autres mots, c'est surtout ce qu'ils voient qui excite les hommes. C'est pourquoi les jeunes garçons aiment feuilleter des magazines pornographiques pour se stimuler, alors que les jeunes filles préfèrent lire des romans à l'eau de rose. Il est important que nous comprenions bien cela, et pour plusieurs raisons.

1- L'emballement de votre partenaire dépend beaucoup de votre apparence.

Je sais que vous n'aimez pas beaucoup entendre ceci, mais c'est vrai. La première source d'excitation sexuelle, pour votre partenaire, c'est l'image que vous lui présentez de vous-même. Ceci explique aussi pourquoi les hommes deviennent obsédés par le corps de la femme et ses différentes parties, ses courbes, sa fine lingerie, etc. En interviewant des hommes pour ce livre, j'ai été renversée d'apprendre à quel point leurs plus grandes déceptions sexuelles se rapportaient à des jaquettes de flannellette informes, à des sous-vêtements de coton retombants, et à un maquillage exagéré (voir le chapitre 6).

2- Votre homme regarde les autres femmes non parce qu'il ne vous aime pas, mais parce que cela le stimule visuellement.

Vous êtes-vous déjà trouvée dans un restaurant, alors que vos yeux sont braqués sur votre homme, et que les siens visent toutes les femmes en vue? Je ne dis pas qu'il les fixe, mais il les admire innocemment. Vous pensez que s'il vous aimait assez, il ne regarderait pas les autres. Lui trouve que vous êtes déraisonnable, et trop possessive.

C'est un autre sujet délicat, mais plus je travaille avec des hommes, plus je deviens compréhensive et moins réactive à ce propos. C'est un fait que les hommes répondent beaucoup plus à une stimulation visuelle, alors que les femmes sont beaucoup plus stimulées par le verbal.

Votre mari vous dit : «Chérie, regarde où tu vas, ne vois-tu pas cette voiture?» Vous lui dites : «Chéri, pourquoi faut-il que je répète tout le temps, n'as-tu pas entendu ce que je viens de dire?» Ni l'un ni l'autre n'a raison, ni l'un ni l'autre n'a tort, vous êtes simplement différents. Le problème vient de ce qu'en voyant notre homme regarder une autre femme, nous présumons qu'il ressent une attirance émotionnelle, au lieu de réaliser qu'il ne s'agit que d'une attirance visuelle.

————————— ✧✧✧ —————————

Important!

Je ne dis pas qu'il est correct pour un homme sérieusement engagé dans une relation avec une femme de flirter ou de «cruiser» une autre femme. Cette conduite irrespectueuse, qui ne peut que nuire à votre union, est inacceptable. Même fixer ou dévisager une autre femme devient grossier lorsque vous êtes à ses côtés. Mais il est tout à fait naturel pour un homme de remarquer de jolis minois et de beaux corps de femme, de les admirer même, pour autant qu'il sache vous remarquer et vous admirer également.
————————— ✧✧✧ —————————

LA SOLUTION

1- Pour allumer votre homme, faites-vous belle.

Rendons-nous à l'évidence, mesdames, les hommes seront toujours stimulés visuellement. Vous pouvez vous révolter contre cette vérité, et négliger votre apparence pour forcer votre partenaire à vous prouver qu'il vous aime, même quand vous avez l'air du «diable», ou vous pouvez accepter le fait que vous pouvez l'attirer davantage, et vous faire aussi belle que possible. Amenez-le au magasin, pour vous aider à choisir les vêtements qu'il aimerait vous voir porter, ou les sous-vêtements qu'il trouve «sexy». Pas nécessaire de devenir sa poupée, ni de satisfaire tous ses fantasmes chaque fois que vous faites l'amour en portant une quêpière à jarretelles rouge, par exemple. Mais si c'est là un domaine que vous avez négligé jusqu'à maintenant, et qui serait susceptible d'apporter du positif dans vos relations, allez-y de quelques expériences avec des vêtements de votre choix, et voyez-en les résultats.

2- Si vous avez l'habitude de faire l'amour dans le noir, essayez d'allumer une lumière ou de monter un décor avec des chandelles et tout.

Rappelez-vous encore! L'homme est stimulé au lit par ce qu'il voit. En attendant qu'il commence à parler, qu'il vous dise qu'il vous aime, ses yeux captent tout ce qui est beau autour de lui, y compris votre corps, bien entendu. Alors, donnez-lui la lumière voulue pour que sa stimulation soit à son paroxysme!

3- Discutez avec votre partenaire de son expérience à regarder les femmes.

Si votre partenaire n'est pas un idiot insensible, un voyeur invétéré, et si votre union n'est pas en difficulté, votre partenaire est probablement comme la majorité des hommes, il aime regarder les femmes, mais n'a aucune arrière-pensée ou intention malveillante à votre endroit. Vous pouvez en discuter avec lui. Si vous avez assez de cran, vous pouvez même commencer à regarder avec lui, et, lorsqu'il admire un corps féminin, l'admirer vous aussi, en disant par exemple : «C'est vrai qu'elle a de belles jambes, n'est-ce pas?» Il pourrait en être étonné au début, ou même un peu gêné, d'avoir été pris en flagrant délit, mais il se sentira bientôt plus près de vous, parce qu'il appréciera que vous lui ayez laissé la liberté de regarder, mais surtout que vous ne lui ayez fait aucun reproche.

Personnellement, j'ai une entente qui fonctionne très bien avec mon partenaire, là-dessus. Je lui ai dit que je comprends pourquoi, comme homme, il aime regarder les autres femmes, et que, malgré que je n'en sois pas toujours enchantée, je peux l'accepter à condition qu'il me regarde aussi de la même façon. Cela veut dire que, s'il voit passer une femme en t-shirt et sans soutien-gorge, et qu'il admire ses seins, j'aimerais qu'immédiatement après il se rappelle comme il aime mes seins à moi et qu'il me le dise, si je suis présente, ou qu'il se le dise à lui-même dans sa tête quand je ne suis pas là. C'est comme s'il pouvait marcher sur la rue et penser : «Tiens, voilà une belle femme! C'est si joli une femme, et j'en ai une à mes côtés, toute à moi. Comme je suis un homme chanceux!»

Je sais que la connaissance de ces secrets masculins, sur le sexe, vous aidera à atteindre une plus grande satisfaction dans votre vie sexuelle, avec l'homme que vous aimez. Mais nous n'en avons pas fini de parler de sexe encore. Prenez une grande respiration, et préparez-vous à découvrir les vingt plus importants éteignoirs sexuels, pour les hommes.

6 ◁▷ *Les vingt* ◁▷ *plus importants* ◁▷ *éteignoirs sexuels* ◁▷ *pour les hommes*

Les voici! Les vingt plus importants éteignoirs sexuels que les hommes aimeraient bien que les femmes connaissent. J'en ai dressé la liste à partir de centaines d'entrevues et de discussions de groupe que j'ai eues avec des hommes pendant les cinq dernières années. L'ordre de présentation ne correspond pas nécessairement à leur ordre d'importance, ce sont simplement les vingt plaintes qui m'ont été les plus souvent exprimées par les hommes. Naturellement, chaque homme avait sa liste personnelle et ses priorités propres, parmi les vingt éteignoirs sexuels qui le dérangaient le plus. Je suis sûre que si vous montrez cette liste à votre compagnon de vie, il y trouvera des éteignoirs avec lesquels il est pleinement d'accord, d'autres avec lesquels il est en désaccord, et il pourra probablement y ajouter des choix personnels. Mais je pense que vous trouverez que ceux que j'ai choisis traitent de sujets et d'informations que toute femme devrait comprendre.

Vous remarquerez que certains des éteignoirs cités semblent n'avoir rien à voir avec le sexe. Ce sont des choses que les femmes font, et qui refroidissent les ardeurs des hommes à leur endroit, et, pour cette raison, leur importance vaut celle des plaintes d'ordre sexuel.

L'éteignoir numéro 1

LES FEMMES QUI FONT SEMBLANT DE NE PAS AIMER LE SEXE

«Elle me fait sentir que je suis anormal, parce que j'aime le sexe, que je suis comme une espèce d'animal, ou que je suis moins évolué qu'elle parce que je n'ai pas réussi à m'élever au-dessus de ce vulgaire besoin.»

«Je déteste quand ma femme a l'impression de me faire la faveur de faire l'amour avec moi. Elle ne le dit jamais ouvertement, mais je l'entends presque penser : «Bon! Allons-y! Débarrassons-nous-en et puis t'auras plus besoin de m'achaler, pour une semaine ou deux.»

«J'ai déjà eu une blonde qui avait peur de me laisser voir qu'elle aimait le sexe parce qu'elle se serait sentie sale, ou comme une putain. Alors elle se faisait beaucoup prier avant de céder à mes avances au lit, et faisait semblant d'endurer l'acte sexuel, ce qui me faisait paraître comme une espèce de pervers.»

Ces affirmations m'ont été faites par des hommes qui tentaient de m'expliquer l'éteignoir numéro un : les femmes qui font semblant de ne pas aimer le sexe. Ceci inclut les femmes qui :

a) font des remarques désobligeantes sur le sexe;
b) paraissent gênées de parler de sexe;
c) montrent souvent de la résistance à faire l'amour;
d) critiquent leur homme s'il exprime sa sexualité;
e) démontrent de l'impatience ou un air de martyre pendant l'acte sexuel.

POURQUOI ÇA REFROIDIT LES HOMMES

Comme nous l'avons déjà vu, c'est souvent par le sexe seulement que les hommes expriment leur vulnérabilité aux femmes. Quand la femme paraît ne pas aimer le sexe, l'homme se sent naturellement mal, fautif, salaud, gêné, et même blâmé d'être plus débridé que la femme. Vous avez vu dans le chapitre 4 comment l'homme déteste avoir tort. Alors, c'est là qu'il sent qu'il n'est pas assez bon, que s'il était un «vrai homme», il pourrait faire en sorte qu'elle le désire. Parfois la femme aime le sexe, mais elle est simplement incapable de le laisser voir. Néanmoins, son partenaire sentira quand même qu'il doit se protéger contre ses jugements en devenant plus tiède avec elle.

Un homme ne peut rester ouvert et vulnérable avec une femme qui porte jugement sur sa conduite et ses désirs.

POURQUOI LES FEMMES LE FONT

1- Mythe : les hommes ne respectent pas les femmes qui aiment le sexe.

Beaucoup de nous se sont fait dire avec insistance dans leur jeunesse : «Ne laisse pas voir aux garçons que t'aimes ça, parce qu'il ne te respecteront plus. Tu ne seras plus une «jeune fille bien» qu'ils accepteraient de marier. Alors, nous avons appris à étouffer notre sexualité pour ne pas paraître trop «communes», «faciles» ou «expérimentées». Ce mythe est bien loin de la vérité. La plupart des hommes émotionnellement équilibrés désirent une partenaire qui apprécie le sexe, ce qui les aide à se sentir plus à l'aise avec leur propre sexualité. Alors, si vous essayez encore de jouer la «bonne fille», permettez-vous enfin de vous relaxer, et de faire voir la femme sensuelle que vous êtes vraiment à l'intérieur.

2- Vous pouvez aimer le sexe, mais ne pas être stimulée par votre partenaire ou sa manière de faire l'amour.

Lorsqu'un couple est venu me voir récemment pour des problèmes maritaux, l'homme se plaignait que sa femme n'aimait pas le sexe. Je lui ai demandé de quitter la pièce, pour que sa femme et moi puissions parler en privé. Une fois entre femmes, je lui ai demandé ce qui se passait. «C'est vrai, dit-elle, j'évite de faire l'amour avec mon mari, mais ce n'est pas que je n'aime pas le sexe. J'aime le sexe, mais pas avec lui!»

Réagissez-vous comme si vous n'aimiez pas le sexe? Alors, demandez-vous : «Est-ce que j'aimerais mieux ça, si mon partenaire me faisait l'amour différemment?» Si la réponse est «oui», discutez de vos habitudes sexuelles avec votre partenaire, et exprimez-lui clairement vos besoins et vos désirs. Si ça peut être utile, consultez un sexologue ou un conseiller matrimonial, pour initier ou faciliter les communications sur le sexe, entre vous deux.

L'accumulation de tensions émotionnelles, dans le couple, peut être une autre cause d'atténuation du désir sexuel. Comme je le dis dans mon livre *How to make love all the time* (Comment faire l'amour tout le temps), un refoulement de colère, de ressentiment ou de méfiance, finira par tuer la passion dans votre couple. Mettez des efforts à guérir votre relation émotionnelle, et votre relation sexuelle s'épanouira de nouveau.

3- Vous pouvez ne pas aimer le sexe.

Si vous soupçonnez que vous puissiez avoir un problème plus sérieux que ceux dont nous avons discuté, et que vous n'aimiez pas le sexe, je vous suggère de consulter un sexologue pour mettre au jour votre blocage. C'est souvent le cas de femmes dont on a abusé sexuellement dans l'enfance. Faites-vous aider pour en arriver à exprimer librement votre amour de toutes les façons possibles, y compris par le sexe.

LA SOLUTION

La solution consiste à pouvoir montrer à votre homme votre côté sensuel et sexuel. Donnez-vous enfin la permission de jouir de votre sexualité avec votre partenaire, au lit comme ailleurs. Dites-lui que vous le désirez. Montrez-lui que vous le désirez, et appréciez de le voir devenir stimulé, excité, grâce à vous!

L'éteignoir numéro **2**

LES FEMMES QUI NE PRENNENT JAMAIS L'INITIATIVE DANS LE SEXE

«Je déplore que ma femme ne prenne jamais les devants en matière de sexe, parce que ça me force à être une espèce d'agresseur qui prend toujours le risque d'être refusé.»

«En vérité, je sens que ma blonde me contrôle, parce qu'elle ne prend jamais l'initiative en amour. Elle attend que je fasse le premier pas. Parfois je m'aperçois qu'elle me désire, mais je sais qu'elle ne viendra jamais vers moi, et ça me choque.»

Les hommes se désintéressent des femmes qui ne prennent jamais l'initiative sexuelle. Devant cette attitude, l'homme se sent contrôlé, agacé, manipulé, et ça le fâche.

POURQUOI ÇA REFROIDIT LES HOMMES

Si vous n'êtes presque jamais celle qui initie les relations sexuelles dans votre couple, votre homme finira par penser qu'il est le seul à prendre tous les risques. Après tout, c'est un risque émotionnel certain d'approcher la personne que vous aimez et de lui proposer une activité sexuelle. L'autre peut ne pas en avoir envie, ou ne pas être suffisamment attiré, ou stimulé par vous pour en avoir envie. Lorsque vous ne prenez jamais, ou presque jamais, l'initiative sexuelle, votre partenaire finit par se sentir entièrement responsable de votre vie sexuelle commune. Souvenez-vous que l'homme se sent déjà naturellement responsable dans la vie. S'il a l'impression que vous ne prenez pas votre part des risques sexuels dans votre couple, il se sent trahi quelque part, il en est fâché, et il perd son intérêt sexuel pour vous.

POURQUOI LES FEMMES LE FONT

Les femmes n'initient pas les relations sexuelles pour les mêmes raisons qu'elles font semblant de ne pas aimer le sexe. Elles pensent que si elles prennent les devants sexuellement, ça montrera qu'elles aiment le sexe, et c'est vrai! Nous pouvons éviter le sexe avec notre partenaire, ou le sexe en général. Nous pouvons nous refuser au sexe dans le but d'exercer un contrôle sur notre partenaire, si nous nous sentons impuissantes dans d'autres secteurs de notre relation. De toute façon, notre homme finira par en être fâché et frustré.

LA SOLUTION

Comme dans le cas de l'éteignoir numéro un, faites-le savoir directement à l'homme que vous aimez, lorsque vous avez envie de faire l'amour avec lui. Bien sûr qu'il peut aussi vous opposer un refus, à l'occasion, mais il en viendra à réaliser que vous pouvez le désirer autant que lui peut vous désirer, et ce sera une stimulation sexuelle très forte pour lui.

L'éteignoir numéro **3**

LES FEMMES
QUI ONT L'AIR DE
NE PAS CONNAÎTRE
LE CORPS MASCULIN

«Il m'est déjà arrivé d'être avec une femme qui touchait à mon pénis comme si c'était une relique ancienne. Elle était si intimidée en y touchant et en le caressant, que ça avait l'air qu'elle n'en avait jamais vu auparavant (ce que je savais n'être pas le cas), et que ça m'a complètement refroidi, au point d'être incapable de poursuivre cette activité sexuelle.»

«Une chose qui me choque, c'est que les femmes se plaignent toujours que les hommes ne donnent pas assez d'importance aux préliminaires, qu'ils se lancent tout de suite sur leurs seins, et leur vagin. Eh bien, les femmes font la même chose. Elles pensent que rien qu'à vous embrasser et à vous prendre le pénis, ça va vous satisfaire. Bien sûr qu'on aime ça, quand elles font ça, mais c'est pas suffisant, ça me donne l'impression qu'elles veulent pas vraiment faire l'amour.»

Vous savez comme vous détestez ça qu'un homme vous prenne les seins, vous frotte le vagin une couple de fois, puis s'attende que vous soyez excitée au coton. Eh bien, ça peut vous surprendre, mais les hommes pensent la même chose. Ils perdent toute leur stimulation et leur ardeur quand vous limitez vos préliminaires à un «poignage de pénis». Et ça les fâche réellement quand vous traitez leur pénis comme un fusil chargé qui pourrait vous éclater dans la face!

POURQUOI ÇA REFROIDIT LES HOMMES

• Ils se sentent considérés comme objet sexuel, un simple pénis bien dur que vous utilisez, au lieu d'une vraie personne aimée et chérie.

193

- Ils ont l'impression que vous n'aimez pas leur corps, ou que vous n'avez aucune notion de ce qui peut les exciter.

- En manipulant leur pénis sans précaution, sans une certaine révérence, ils ont l'impression que vous n'aimez pas leur pénis (ne riez pas!), donc que vous ne les aimez pas eux-mêmes. Comme nous l'avons déjà vu, les hommes ressentent une grande vulnérabilité parce que leur organe sexuel est si exposé.

———————— ✧✧✧ ————————
Les hommes s'identifient tellement à leur pénis que, pour eux, votre façon de traiter leur organe reflète les sentiments que vous avez envers eux.
———————— ✧✧✧ ————————

Un homme m'a dit ainsi : «Lorsqu'une femme touche mon pénis, comme si c'était un petit animal sauvage et dangereux qui peut mordre, je me sens insulté de la pire façon, et je n'ai plus du tout envie d'elle sexuellement.» Encore une fois, ce genre d'action donne à l'homme l'impression que vous êtes pressée de le stimuler en sautant directement sur son pénis pour en finir au plus vite avec le sexe. Rappelez-vous qu'on a élevé les hommes pour qu'ils croient que les femmes n'aiment pas le sexe, de toute façon. Alors, quand vous leur donnez la moindre impression que vous n'en tirez pas de plaisir, les hommes se sentent rejetés, embarrassés, et ils se refroidissent complètement.

POURQUOI LES FEMMES LE FONT

1- La peur du pénis.

Je crois que Freud se trompait. J'ai rencontré beaucoup plus de femmes qui avaient peur d'un pénis que de femmes qui enviaient le pénis du mâle. On nous a élevées à avoir peur du pénis de l'homme, à penser qu'il pouvait nous faire mal, et à nous en méfier. Beaucoup de femmes n'ont jamais pris la peine de découvrir ce qu'est un pénis (et je ne blague pas!), de se familiariser avec cet organe, pour être à l'aise en sa présence. En plus, nous faisons du pénis d'un homme l'objet de notre colère inconsciente, et de notre ressentiment, spécialement quand nous n'avons pas confiance en cet homme, ou quand nous croyons qu'il ne nous aime pas suffisamment.

2- Si vous n'appréciez pas l'amour avec votre partenaire.

Votre comportement peut confirmer les soupçons de votre homme, à savoir, que vous voulez le stimuler rapidement pour le satisfaire au plus vite, et en finir avec le sexe au plus tôt.

3- Les femmes sont souvent gênées de demander à un homme où et comment il aimerait qu'on le touche.

Nous n'aimons pas lui montrer que nous ne savons pas, alors nous faisons semblant de savoir. Un homme me l'a exprimé ainsi :

> «J'ai connu des femmes qui n'avaient aucune idée de ce qui plaît à un homme. Elles me touchaient le pénis comme si elles avaient appris ça dans un vieux film porno, puis elles s'étonnaient de ce que je n'étais pas stimulé. Des fois, j'ai l'impression que les femmes pensent que le pénis est si sensible et réactif qu'il suffit de le regarder pour le faire bander. Peut-être que c'est vrai pour un jeune de dix-huit ans, mais moi, j'ai déjà quarante-trois ans, et puis ça me prend plus que ça!»

LA SOLUTION

1- Familiarisez-vous avec le pénis de votre partenaire.

Au risque de ressembler à certains sexologues populaires, je veux vous donner ce conseil pour devenir une merveilleuse amante : connaissez bien le pénis de votre homme. Demandez-lui comment il aime que vous le touchiez, que vous l'embrassiez, et que vous le caressiez, et demandez-lui aussi comment il n'aime pas être touché. Après tout, vous n'avez pas de pénis, alors comment pouvez-vous savoir comment lui faire l'amour si vous ne le demandez pas? Votre homme sera enchanté que vous vouliez tant lui plaire, et vous vous sentirez plus confiante en sachant comment l'exciter davantage.

2- Faites l'amour à tout le corps de votre partenaire, tout comme vous aimeriez qu'il le fasse au vôtre.

Remarquez que, parce que votre partenaire est en érection, ça ne signifie pas que votre tâche est finie et qu'il est temps de passer à la pénétration. Apprenez à aimer et à apprécier tout le corps de votre homme. Vous aurez ainsi le temps d'être encore plus excitée sexuellement, et de lui faire sentir que vous aimez tout de lui.

L'éteignoir numéro 4

LA FEMME QUI REND SON HOMME RESPONSABLE DE SES ORGASMES

«J'ai connu une femme qui me rendait fou. J'avais toujours l'impression de passer un test d'orgasme. Elle m'avait dit qu'elle avait de la difficulté à atteindre l'orgasme, alors j'ai naturellement tenté de la satisfaire. Je ne sais pas si elle me prenait pour un devin, mais elle ne me disait pas ce qu'elle aimait, ou ce qui pouvait fonctionner. Elle croyait peut-être que si j'arrivais à percer le mystère, je serais son homme pour la vie.

Diable! ce que ça pouvait être frustrant! Pensez-vous que je savais comment la faire venir, cette femme-là? J'étais là à la frotter ou à la manger, sans jamais avoir le moindre indice que ce que je faisais lui donnait quelque sensation, ou répondait à ses désirs. Des fois, je la stimulais pendant une demi-heure ou plus, sans arrêt. J'en avais la main engourdie, et la mâchoire barrée, mais toujours rien de sa part. J'ai finalement arrêté de la voir, c'était trop d'ouvrage!»

«Je vous dis que ça me débande quand ma femme me blâme parce qu'elle a pas eu d'orgasme. Je comprendrais ça si j'étais pas attentif et sensible à ses besoins, mais je le suis. Des fois, après beaucoup de préliminaires et une longue période de copulation, elle est toujours pas venue, et elle me fait sentir que je l'ai laissée tomber.»

Les hommes veulent bien aider une femme à avoir un orgasme, mais ils ne veulent pas être blâmés si elle ne vient pas. Les femmes qui exercent ce genre de pression sur leur homme sont de véritables éteignoirs.

POURQUOI ÇA REFROIDIT LES HOMMES

- Ceci ramène la fameuse obsession de la performance de l'homme, dont nous avons déjà parlé, l'impression que, s'il est incapable de vous faire venir, il n'est pas assez bon, il est un raté.

- Quand vous ne dites pas à un homme ce que vous voulez, il a l'impression d'être mis au défi, de passer un test pour voir s'il est un bon amant. L'homme ressent cela comme une manipulation de votre part, il en accumule du ressentiment, et perd tout intérêt sexuel pour vous.

POURQUOI LES FEMMES LE FONT

1- Beaucoup de femmes sont encore gênées de dire à un homme ce qui les fait jouir; ça réveille en elles le sentiment d'être l'une de ces «mauvaises filles» qui aiment le sexe et qui veulent avoir un orgasme, le summum de l'hédonisme!

2- Le fait de devoir guider un homme à nous stimuler en vue d'un orgasme est une espèce d'admission que nous ne sommes pas des déesses sexuelles capables de jouir à volonté.

———————— ✧✧✧ ————————

Beaucoup de femmes aiment mieux endurer leur frustration que de révéler le fait qu'elles ont de la difficulté à connaître l'orgasme.

———————— ✧✧✧ ————————

LA SOLUTION

Aimez-vous vous-même, assez pour demander à votre homme ce que vous désirez au lit.

Souvenez-vous! Ce n'est pas sa responsabilité de découvrir comment vous mener à l'orgasme. Il peut cependant devenir un partenaire d'amour dans votre cheminement au plaisir. Parlez-en hors de la chambre à coucher. Vous pouvez exprimer tout à tour ce que vous aimez, et n'aimez pas, au lit. Si vous arrivez assez facilement à l'orgasme, en vous masturbant, mettez-le au courant de vos techniques favorites.

N'ayez pas peur. Votre homme ne sera pas insulté que vous lui fassiez des suggestions. Au contraire, ça va probablement l'exciter! Cet échange verbal sera aussi important, sinon plus, que l'échange physique que vous aurez ensuite au lit ensemble.

L'éteignoir numéro 5

LES FEMMES QUI DIRIGENT LES OPÉRATIONS AU LIT

«J'ai rencontré Angela à un colloque sur les ventes, auquel ma compagnie m'avait délégué, à l'extérieur de la ville. Tout de suite ça a cliqué, et nous nous sommes retrouvés ensemble, au lit, le même soir. J'aurais dû me douter que quelque chose n'allait pas dès qu'elle a commencé à me donner ses instructions pour le déshabillage. «Non, enlève pas ça tout de suite, attends! Bon, enlève mon collier, délicatement, et mets-le sur le bureau.» Et ça a été de mal en pis. Cette femme était une maniaque du contrôle! Elle n'arrêtait pas de me dire quoi faire, et exactement comment le faire. «Plus vite! Bon! Lentement maintenant. C'est ça! Va vers la gauche. Non, pas comme ça! Comme ceci!» Je me sentais dirigé par un instructeur au lit. Quel éteignoir!»

«Ma blonde a déjà été mariée, mais n'a pas connu une vie sexuelle bien satisfaisante. Je suppose que son mari s'est montré malhabile et insensible, au lit, et que Laurette n'a jamais senti qu'il la prenait en charge. Le problème, c'est qu'elle s'en prend à moi, en me disant exactement quoi faire au lit. J'ai l'impression d'être constamment mis à l'épreuve. Quand je fais quelque chose qu'elle n'aime pas, elle se fâche presque et me fait la leçon, ce qui me fait débander immédiatement. C'est comme si elle n'avait pas confiance que je puisse être un bon amant sans son aide.»

J'ai parlé du «gendarme du sexe» dans mon livre *How to make love all the time* (Comme faire l'amour tout le temps). Voilà une femme qui doit tout contrôler dans l'amour. Elle donne beaucoup de commandements, corrige son partenaire quand il fait quelque chose de travers, et se comporte, en général, comme un policier dirigeant les opérations. Ce «gendarme du sexe» a une idée précise de ce que doit être une session de sexe, et elle s'arrange pour que son partenaire ajuste sa performance à cette vision parfaite.

POURQUOI ÇA REFROIDIT LES HOMMES

• Vous souvenez-vous de l'importance, pour l'homme, de sentir qu'on a confiance en lui? Eh bien, quand vous lui donnez vos instructions au lit, ça lui transmet l'impression que vous n'avez pas confiance en lui pour faire les choses comme il faut, et ça le refroidit.

- Quand vous donnez autant d'instructions, votre homme se sent contrôlé et manipulé, comme si vous tentiez de prendre le contrôle de la séance amoureuse. Alors vous devenez un adversaire avec qui il doit compétitionner pour le pouvoir, et non plus la femme qu'il veut aimer.

POURQUOI LES FEMMES LE FONT

1- Vous n'avez pas confiance que votre homme va savoir quoi faire.

Vous pouvez avoir vécu des expériences, où votre partenaire sexuel ne savait pas comment vous satisfaire, et cela a pu vous transformer en «gendarme du sexe». Et vous avez inconsciemment décidé que, plutôt que de risquer une autre séance de frustration, vous alliez vous assurer que tout serait fait selon vos désirs précis.

2- Vous cherchez un contrôle temporaire.

Vous vous sentez impuissante dans certains aspects de votre relation, et, inconsciemment, vous utilisez les relations sexuelles pour retrouver temporairement le contrôle qui vous manque.

3- Vous avez l'habitude de diriger au travail, et vous prenez en charge le succès de vos relations sexuelles.

J'ai interviewé des centaines de femmes d'affaires qui avaient tellement l'habitude de commander au travail qu'elles transportaient cette habitude au lit, sans s'en rendre compte.

LA SOLUTION

En dehors du lit, et de la chambre à coucher, parlez de ce que vous aimez et n'aimez pas en amour, avec votre partenaire, et, quand vous ferez l'amour, ayez confiance qu'il appliquera d'une manière créative les informations que vous lui avez données. Donnez la chance à votre homme de mieux connaître votre corps, et enseignez-lui comment vous aimer, de la façon dont vous voulez être aimée. S'il demeure encore insensible à vos désirs, examinez votre compatibilité et l'attention que vous vous portez l'un à l'autre.

L'éteignoir numéro **6**

LES CORPS MORTS : CES FEMMES QUI NE RÉAGISSENT PAS AU LIT

«Vous savez ce que je déteste? Une femme qui est juste là, étendue, pendant que je lui fais l'amour. Pas un son, pas un mouvement, rien! J'ai l'impression que ce que je fais n'a aucun effet sur elle, qu'elle rêve, qu'elle dort, ou qu'elle attend simplement que ce soit fini. Je perds tout intérêt pour une femme qui reste uniquement passive durant l'amour.»

«J'aimerais que ma femme soit moins réservée au lit. Je sais qu'elle m'aime, mais, quand nous faisons l'amour, elle est tellement indifférente. Je lui demande : «Aimes-tu ça, chérie?» et elle me répond : «O.K. ça va.» Mais elle pourrait aussi bien être morte, parce qu'elle reste là, totalement immobile et silencieuse, pendant que j'essaie de la stimuler. J'ai parfois l'impression de la violer, et, depuis quelque temps, j'ai presque perdu le goût de lui faire l'amour.»

Le «corps mort» est l'un des plus importants éteignoirs sexuels pour les hommes, une femme qui est virtuellement inanimée au lit. Les hommes que j'ai interviewés en parlaient avec beaucoup de véhémence. Ils trouvent déjà difficile d'endurer une femme qui ne paraît pas aimer le sexe, encore plus celle qui n'a même pas l'air réveillée!

POURQUOI ÇA REFROIDIT LES HOMMES

L'un des secrets masculins que nous avons appris, c'est l'importance pour l'homme de réussir, de faire un impact.

—————————— ✧✧✧ ——————————
**Quand vous ne réagissez, ni physiquement
ni verbalement, aux ardeurs sexuelles de
votre homme, c'est comme un échec pour lui.**
—————————— ✧✧✧ ——————————

Des études psychologiques ont démontré que les humains sont beaucoup plus dérangés par une absence d'attention que par une attention négative à leur égard. Si vous restez là, étendue dans le lit, inerte, ne manifestant aucun plaisir ou aucune satisfaction de façon tangible, vous rendrez votre homme fou, et il perdra vite toute envie de vous faire l'amour.

POURQUOI LES FEMMES LE FONT

1- Parce qu'elles vivent encore le complexe de passer pour une fille facile, ou une putain, certaines femmes se donnent inconsciemment la permission d'avoir du sexe, à condition de ne pas avoir l'air d'y prendre plaisir.

Elles s'empêchent de gémir, de respirer fort, d'éclater, ou de manifester, de quelque manière visible ou sonore que ce soit, pour ne pas trahir leur secret, même si elles ressentent un plaisir intense, si elles se sentent merveilleusement bien, et si elles adorent le sexe!

2- Pour certaines femmes, c'est une façon d'exprimer leur colère refoulée, ou du ressentiment envers leur partenaire, que de rester silencieuse et inerte pendant qu'il leur fait l'amour.

En termes psychologiques, c'est une réponse très passive-agressive qui dit : «Tiens, tu vois! Je ne ressens absolument rien! Tu n'es même pas capable de me faire jouir, espèce de vaurien! Tu n'as aucun pouvoir sur moi!» Même si la femme se montre absolument passive, elle exprime un sentiment très agressif par son attitude.

LA SOLUTION

Permettez-vous d'exprimer votre sensualité pendant que vous faites l'amour, et prenez la peine de dire à votre partenaire :

- que ce qu'il fait vous procure de bonnes sensations;
- ce que vous aimeriez encore plus;
- ce que vous aimeriez lui faire, à lui;
- comme vous le trouvez beau, et pourquoi.

Montrez à votre partenaire que vous aimez faire l'amour. C'est une autre façon de partager votre intimité avec lui, et de cimenter votre union, au lieu d'une simple manière de vous stimuler sexuellement tous les deux. Attention cependant de ne pas trop parler, et de ne pas tomber dans l'éteignoir numéro sept!

L'éteignoir numéro **7**

LA PLACOTEUSE SEXUELLE LA FEMME QUI PARLE TROP EN FAISANT L'AMOUR

«J'ai connu une femme qui était incapable de se taire au lit. De la minute où on commençait à faire l'amour, elle se mettait à parler, me décrivant chacun de ses frissons, chacune de ses sensations, dans son menu détail. «Oh! Mon Dieu! J'aime ta langue toute chaude dans ma bouche... tu goûtes si bon! Ooooh! Mon Amour, j'aime quand tu me serres comme ça! Tiens regarde! mes mamelons sont en érection. Embrasse-les! Oui, comme ça! Oh! ça j'aime ça! Ah! que tes cuisses sont belles et fortes!» Et ça continuait comme ça, sans arrêt. J'avais l'impression d'écouter une description sportive de mes ébats sexuels. J'en avais souvent mal à la tête, et puis j'avais tellement hâte de m'endormir et d'avoir enfin la paix!»

«Il m'arrive d'avoir l'impression que ma femme veut me «voler le show» en faisant l'amour. Elle me dit combien elle m'aime, combien elle a besoin de moi, et comment elle est incapable de vivre sans moi. C'est comme un ruban sans fin qui recommence et recommence toujours. Moi aussi je l'aime, mais j'ai beaucoup de difficulté à placer un mot, tellement elle parle. Et si j'arrive à dire quelque chose, ça semble tellement insignifiant, à travers tout ce qu'elle dit. Je sais qu'elle pense que je n'exprime pas assez mes émotions au lit, mais elle ne m'en donne jamais la chance!»

La «placoteuse sexuelle» se situe exactement à l'opposé du «corps mort» dont nous venons de parler. De ce cas-ci, c'est le fait qu'elle parle trop au lit qui éteint l'ardeur sexuelle de son partenaire.

POURQUOI ÇA REFROIDIT LES HOMMES

1 - C'est une distraction au plaisir de l'homme.

Vous rappelez-vous notre secret au sujet de la difficulté, pour les hommes, de parler en faisant l'amour, puisque cela implique un transfert d'un côté à l'autre du cerveau? C'est la même chose quand il s'agit d'écouter une femme placoter pendant l'amour. Lorsqu'un homme vous entend parler pendant l'amour, son esprit s'efforce de comprendre ce que vous dites. Plus vous parlez et plus son cerveau gauche travaille, ce qui fait qu'il finit par penser et ne plus ressentir de sensations. Bien que vous disiez des choses qui puissent le stimuler, le seul fait de se concentrer sur vos paroles détourne son attention des sensations sexuelles et le refroidit d'autant.

2 - Si vous parlez beaucoup au lit, votre homme sentira le besoin de parler aussi.

---— ◇◇◇ ———————

**Quand vous exprimez vos sentiments à un homme,
il a envie de faire la même chose pour vous.**

---— ◇◇◇ ———————

L'homme présume que, quand vous lui parlez, vous vous attendez à une réponse de sa part. Nous examinerons cela plus en détail, dans le chapitre sept. Dans le contexte sexuel, plus vous parlez, et plus votre partenaire croit qu'il doive vous répondre. Et, quand un homme ressent une certaine pression, il se sent contrôlé, il en est irrité, et se refroidit sexuellement. Peu importe que vous vous attendiez à ce qu'il vous parle ou non, il ressentira cette obligation de réagir.

POURQUOI LES FEMMES LE FONT

1- La femme qui se sent nerveuse ou observée relâche souvent sa tension en parlant trop.

Si vous êtes inquiète de bien faire l'amour, si vous ne vous sentez pas suffisamment appréciée par votre partenaire, si vous avez des problèmes non résolus ou des tensions émotives refoulées, vous pouvez facilement devenir une placoteuse sexuelle. Votre placotage serait alors une réaction naturelle pour masquer votre malaise interne.

2- Les femmes sont généralement plus verbales que les hommes, et plus portées vers l'émotion que le physique.

Voilà pourquoi, pendant les relations sexuelles, alors que votre corps reçoit un niveau de sensation intense, vous n'êtes pas capable de simplement vous détendre, de vivre dans votre corps, et de jouir de ces sensations. En parlant beaucoup vous vous retrouvez en terrain plus familier, donc rassurée, même si vous en arrivez à refroidir votre partenaire à votre endroit.

LA SOLUTION

Si vous n'êtes pas certaine d'être une placoteuse sexuelle, faites l'expérience suivante. La prochaine fois que vous ferez l'amour avec votre partenaire, efforcez-vous de vous écouter vous-même. Remarquez combien vous parlez, et portez attention à ce que vous dites et à ce que vous ressentez. Si vous trouvez que vous parlez trop, fixez vos pensées sur les sensations qui vous envahissent, ajustez votre respiration au plaisir que vous ressentez, et donnez priorité au sens du toucher, plutôt qu'à ce que vous auriez envie de dire. Essayez de mieux capter les sensations, au lieu de les décrire.

Pour un vrai défi, essayez, au moins une fois, de faire l'amour avec votre partenaire sans dire un seul mot. Vous verrez comme c'est difficile. Croyez-moi, je le sais! Naturellement, si vous êtes un «corps mort», oubliez ça, et essayez de parler autant que vous pouvez!

L'éteignoir numéro 8

LES FEMMES QUI SE NÉGLIGENT

«Je peux pas sentir les femmes qui se bourrent de cochonneries, et qui se plaignent ensuite qu'elles sont trop grasses, ou qu'elles ont une mauvaise peau!»

«Vous savez ce qui m'écoeure? Une femme qui sent mauvais du vagin, puis qui s'attend que je me mette à la manger au lit, comme si elle était pas consciente que ça goûte mauvais.»

«J'ai pas besoin d'une femme qui a l'air d'un mannequin, mais ça me repousse de voir une femme négligée, échevelée, avec des vêtements tout froissés. Je me dis qu'elle ne doit pas tenir à moi suffisamment pour prendre la peine de soigner son apparence.»

Je regrette de vous donner la mauvaise nouvelle, mesdames, mais les hommes sont aussi repoussés par notre apparence négligée que nous pouvons l'être par la leur. Ils ne vous diront peut-être pas que ça les détourne de vous, mais croyez-moi, c'est ce qui arrive. Voici, à partir des nombreuses plaintes qu'ils m'ont exprimées en entrevue, ce qui leur répugne le plus chez les femmes :

- les aisselles ou les jambes poilues;
- la mauvaise haleine;
- les moustaches;
- les vêtements démodés;
- les mauvaises habitudes alimentaires;
- une coiffure exagérée (trop décolorée, trop frisée, etc.)
- les robes-sacs, ou les jaquettes délabrées à l'intérieur;
- les mauvaises odeurs vaginales;
- les «riboulins» de graisse;
- une mauvaise peau, avec des tonnes de maquillage;
- les mauvaises odeurs corporelles;
- le poli à ongle écaillé, ou défraîchi.

Je dois bien vous le dire, la plainte la plus souvent entendue, concernait les odeurs vaginales.

POURQUOI ÇA REFROIDIT LES HOMMES

Comme nous l'avons déjà dit, les hommes sont plus «visuels» que les femmes. Comme c'est plus facile pour les hommes d'être stimulés visuellement, c'est aussi plus facile pour eux d'être écoeurés visuellement, donc refroidis dans leurs ardeurs sexuelles. Nous nous plaignons à peu près des mêmes choses, à propos des hommes, mais nous avons, nous les femmes, une plus grande capacité de recourir rapidement à nos émotions pour oublier le physique si nécessaire. Les hommes, eux, restent bloqués par le physique.

POURQUOI LES FEMMES LE FONT

Il n'y a pas de raisons psychologiques profondes qui font que certaines femmes ne prennent pas bien soin d'elles-

mêmes. Ce peut être parce qu'elles sont paresseuses, incons-
cientes, qu'elles ont une piètre opinion d'elles-mêmes, qu'elles
sont débordées avec les enfants, ou qu'elles sont mal rensei-
gnées sur l'hygiène et la santé. L'important à connaître, c'est
que les hommes sont aussi repoussés que nous, sinon plus,
par une apparence négligée.

LA SOLUTION

**1- Demandez-vous : «Si j'étais un homme, est-ce que je
serais attiré par une femme comme moi?**

Même si jamais vous ne serez parfaite physiquement,
vous pouvez vous rendre esthétiquement attirante, plaisante
à sentir, et à toucher, et c'est ce qui compte pour aguicher
votre homme. Dressez une liste de ce que vous pouvez faire :
changer de coiffure, vous vêtir différemment, utiliser une
lotion contre la peau sèche, etc.

2- Vous êtes ce que vous mangez.

Mangez mal, et vous finirez par mal paraître! Et, en
passant, la mauvaise haleine et les mauvaises odeurs corporelles sont habituellement des signes d'une mauvaise diète,
aussi. Prenez l'engagement de manger mieux, plus sainement,
et vous serez mieux, vous paraîtrez mieux, vous sentirez
mieux, et vous goûterez même mieux pour votre partenaire!

**3- Un peu d'exercice, pour paraître et vous sentir plus
«sexy»!**

Des études ont démontré que les femmes qui font de
l'exercice se sentent plus «sexy» et ont une vie sexuelle plus
satisfaisante que celles qui ne font aucun exercice. Vous
n'avez peut-être jamais considéré l'exercice comme un aphro-
disiaque, mais il l'est! Alors, dépêchez-vous d'ajouter une
activité physique quelconque à votre vie, soit la marche, la
gymnastique, le cyclisme, ou même la danse avec votre musique favorite, quand vous êtes seule. Pourquoi pas?

4- Goûtez vos sécrétions vaginales.

Non, ce n'est pas une nouvelle pratique sexuelle bizarre. Il s'agit d'une suggestion pratique que vous pouvez utiliser pour mieux comprendre votre corps.

Je suis sûre que vous savez que l'odeur et le goût de vos sécrétions vaginales varient à différents moments de votre cycle menstruel. Il serait utile de mouiller un doigt dans votre fluide vaginal chaque jour pour en vérifier l'odeur et le goût. Et, si la seule réaction que vous avez devant cette suggestion c'est «Ouache!», posez-vous la question suivante :

———————— ✧✧✧ ————————
**Comment pouvez-vous demander à un homme
de mettre sa bouche
à un endroit que vous jugez dégoûtant?**
———————— ✧✧✧ ————————

Si vous n'aimez pas comment vous sentez, et comment vous goûtez, votre homme n'aimera pas ça non plus! Au lieu d'avoir une mauvaise surprise et d'être embarrassée au moment où votre partenaire vient pour porter sa bouche à votre vagin, puis se retire sans rien faire, il vaut mieux connaître à l'avance l'état de votre corps.

Si vous croyez que votre odeur et votre goût n'ont pas la fraîcheur que vous voulez, vous avez deux options. Vous pouvez vous doucher avec un mélange d'eau et de vinaigre (il vaut mieux éviter les solutions parfumées vendues dans le commerce pour cet usage, elles sont pleines de produits chimiques et d'irritants). Ou bien, vous pouvez avertir votre partenaire que vous n'avez pas envie de sexe oral, ce soir-là.

Attention! Si la mauvaise odeur vaginale est un problème chronique pour vous, consultez votre gynécologue. Ce peut être causé par une infection que vous ignorez.

LES FEMMES QUI SE DÉPRÉCIENT ET QUI N'AIMENT PAS LEUR PROPRE CORPS

«Une chose que ma femme fait et que je trouve débinant, c'est qu'elle se plaint toujours d'être laide. Quand on est là, tout habillés et prêts à sortir, je lui fais un compliment, et elle me répond : «Non, j'ai l'air terrible!» Et si je persiste à lui dire qu'elle paraît bien, elle me lance des arguments comme : «Mes cheveux sont trop longs, et cette robe-là me va mal. Puis ça me fait paraître grosse.» Et ainsi de suite. J'en arrive, à force de me l'entendre dire, à penser qu'elle ne paraît pas si bien que ça, puis je me sens moins attiré vers elle.»

«Je ne peux pas endurer les femmes qui ont honte de leur corps. Vous savez, les femmes qui peuvent seulement faire l'amour avec la lumière éteinte, ou qui se déshabillent quand vous ne regardez pas, puis se cachent sous les couvertures. Je perds l'envie de faire l'amour quand je suis avec une femme qui ne se sent pas attrayante.»

Les hommes sont influençables. Si vous vous dépréciez constamment, et si vous passez votre temps à pointer vos défauts, votre partenaire finira, tôt ou tard, par être d'accord avec vous!

POURQUOI ÇA REFROIDIT LES HOMMES

1 - Les hommes sont attirés par la confiance en soi.

Ceci remonte aussi à leur conditionnement de jeunesse, qui leur a appris que la confiance, c'est «bon», et la faiblesse, c'est «mal». Alors, quand vous vous dépréciez, votre manque de confiance les repousse. Et, plus vous signalerez vos faiblesses, plus il les remarquera.

2 - Quand vous avez honte de votre corps, et que vous êtes exagérément modeste, vous donnez à votre homme le message que le sexe est une chose «sale».

C'est ainsi que vous lui faites jouer le rôle du «méchant», de l'agresseur, qui est sur le point de vous faire quelque chose, que vous trouvez de mauvais goût. Quand vous agissez comme si le sexe était «sale», vous faites sentir à votre partenaire qu'il est probablement «sale» lui aussi.

POURQUOI LES FEMMES LE FONT

1- Nous avons appris à dédaigner notre corps.

Nous, les femmes, sommes constamment bombardées d'images de la femme physiquement parfaite : une grande fille dans la vingtaine, mince, élancée, sans une once de gras sur le corps. Beaucoup en arrivent à se juger imparfaites, parce qu'elles ne sont pas comme le modèle. Oui, nous commençons alors à avoir honte de notre corps moins-que-parfait, parce qu'il n'a pas l'air de ce qu'il devrait avoir l'air. Ensuite, en présence de l'homme que nous aimons, nous devenons tellement conscientes de notre imperfection, que nous avons peur qu'en nous regardant il découvre que nous ne sommes pas parfaites!

2- On enseigne aux femmes à être modestes, et à ne jamais laisser voir leur sexualité.

Nous voici revenues au fameux complexe de «Je ne veux pas avoir l'air d'une putain!» Beaucoup trouvent encore «sale» d'admettre l'apparence et les sensations de leur corps, ou de se déshabiller lentement devant un homme. Après tout, les «bonnes filles» ne font pas des choses comme ça, n'est-ce pas?

LA SOLUTION

1- Apprenez à aimer votre corps, comme la superbe expression de féminisme qu'il est réellement.

- Faites une liste de vingt atouts physiques de votre propre corps que vous appréciez beaucoup.

- Prenez des poses provocantes dans le miroir, quand vous êtes seule, et voyez comme vous avez l'air «sexy».

- Demandez à votre partenaire ce qu'il aime de votre corps, et surtout, croyez-le!

- Et ne craignez pas qu'il découvre que vous êtes moins que parfaite, physiquement. Il le sait sûrement déjà, et il vous aime quand même!

2- Arrêtez de vous déprécier devant votre partenaire.

- Ne faites pas mention de la cellulite de vos cuisses.
- Ne le contredisez pas quand il vous complimente.
- Ne vous plaignez pas de votre apparence.

Si vous n'aimez pas quelque chose de vous-même, changez-le! Sinon, n'en parlez plus! Et, quand votre partenaire vous dira que vous paraissez bien, dites simplement : «Merci!»

L'éteignoir numéro **10**

LES FEMMES QUI SONT TROP PRÉOCCUPÉES PAR LEUR APPARENCE

«Je ne peux pas tolérer les femmes qui veulent toujours paraître parfaites. Vous savez, celles qui passent des heures à parfaire leur maquillage et leur coiffure, et qui courent à la salle de bains pour se rafraîchir sitôt qu'un cheveu se déplace. J'aime mieux une femme qui peut juste enfiler un jeans et un chandail, puis sortir déjeuner, sans s'inquiéter outre mesure de son apparence, une femme qui peut se rouler dans l'herbe, sans se préoccuper de sa coiffure.»

«J'ai déjà fréquenté une femme qui se préoccupait tellement de son apparence au lit que j'en étais totalement détourné. D'abord, elle se couchait parfaitement maquillée, avec rouge à lèvres et tout, et avec plein de bijoux, à peu près quatre chaînes en or, des bracelets, et des bagues sur presque tous les doigts. Elle avait des ongles très longs, comme des griffes, et elle ne pouvait me toucher que très délicatement, pour ne pas les briser. Pendant tout le temps où nous faisions l'amour, elle s'arrangeait et se réarrangeait, pour bien paraître, prenant le temps de se passer les doigts dans les cheveux, ou de redresser son collier. J'avais de plus en plus hâte de sortir de là!»

L'éteignoir sexuel numéro 9 concernait les femmes qui négligent leur apparence, mais l'éteignoir numéro 10 traite de l'opposé : des femmes qui se préoccupent trop de ce qu'elles ont l'air.

Les hommes que j'ai interviewés avaient des opinions très arrêtées sur ce sujet, et pouvaient décrire très spécifiquement ce qui les agaçait.

1- Les femmes trop maquillées.

J'ai entendu ce genre de plaintes des centaines de fois. En fait, la plupart des hommes détestent le maquillage. Ils acceptent un maquillage léger, particulièrement le maquillage des yeux, mais les grands coupables de mon enquête étaient le fond de teint et le «blush».

——————— ✧✧✧ ———————
**Les hommes détestent regarder votre visage,
et voir du maquillage au lieu de la peau.**
——————— ✧✧✧ ———————

En feuilletant nos magazines féminins, nous sommes habituées à voir des maquillages «haute mode». Cependant, pour la plupart des hommes, un maquillage trop lourd paraît *cheap*, et nous rend plus laides.

Un éteignoir très spécifique : la femme qui passe trois minutes à remettre du rouge à lèvres, et du lustrant à lèvres, à table, après le dîner, en présence de son partenaire.

2- Les femmes trop habillées.

Même s'ils apprécient une femme bien vêtue, les hommes sont refroidis par une femme qui sent toujours le besoin d'être parfaitement mise, qui semble avoir passé des heures à coordonner son ensemble, mais qui n'a absolument pas l'air à l'aise dans ses vêtements. Un homme a décrit ainsi la femme qui l'avait accompagné à un match de baseball auquel son fils participait. «Elle s'est présentée avec un pantalon de cuir ajusté, des talons hauts, un chandail ample en angora blanc, et plein de maquillage. Elle était superbe! dit-il, pour une soirée dans une discothèque, mais sûrement pas pour un match de baseball de petits gars de neuf ans.»

3- Les femmes à la coiffure intouchable.

C'est un éteignoir puissant pour un homme, qu'une coiffure féminine qui dit : «Touche pas!» Ils détestent les fixatifs, les styles trop rigides, et les chevelures dans lesquelles on craint de mettre les doigts, de peur d'accrocher une épingle, un peigne ou quelqu'autre engin cosmétique dangereux.

4- Les femmes qui débordent de bijoux.

Un homme m'a demandé à la blague : «Pourquoi les femmes croient-elles devoir porter tous leurs bijoux à la fois?» En effet, les hommes sont rebutés par une femme qui a l'air d'un présentoir à bijoux. Nous avons peut-être l'impression de bien paraître, mais eux pensent que ça a l'air «quétaine».

POURQUOI ÇA REFROIDIT LES HOMMES

Vous est-il arrivé qu'un homme que vous aimiez dise que vous étiez plus jolie sans maquillage, et que vous l'ayez trouvé ridicule?

Beaucoup de ce que nous faisons pour paraître et nous sentir mieux semble très étrange pour un homme. Il n'a pas été habitué à voir des produits de maquillage, des placards pleins de vêtements, et des tiroirs débordant de produits pour les soins de la peau, à moins qu'il ait eu beaucoup de soeurs à la maison. Alors, bien que les hommes apprécient les femmes qui prennent soin d'elles-mêmes, ils trouvent le naturel bien plus excitant.

Les hommes se sentent rebutés par les femmes qui sont obsédées par leur apparence, parce qu'elles paraissent trop insécures, et qu'elles manquent de confiance en elles.

Rappelez-vous : la confiance excite les hommes. Alors, lorsqu'un homme est avec une femme qui panique parce qu'il la voit sans maquillage, ou qui pense qu'elle doit présenter un «look» parfait pour être aimée, il la respectera moins qu'une femme qui a suffisamment confiance en elle pour se montrer sous son vrai jour, avec sa beauté naturelle.

POURQUOI LES FEMMES LE FONT

Malheureusement, les femmes ont subi un lavage de cerveau de la part de l'industrie du cosmétique et des médias. On les a convaincues qu'elles doivent se rapprocher le plus possible d'une image de beauté qui a été choisie comme la bonne par ces spécialistes. Naturellement que, pour devenir belles, nous devons acheter les produits que ces mêmes spécialistes vendent et nous proposent : vêtements, maquillage, etc. Les hommes sont aussi influencés par cette image classique, ce qui conduit à une espèce de paradoxe. Ils disent préférer une femme à l'allure naturelle, qui ne prend pas deux heures pour se préparer à sortir. Cependant, si vous enfilez simplement un jeans et un chandail pour sortir avec eux, ils n'y a aucun doute qu'ils regarderont les femmes qui ont passé deux heures à se préparer à sortir.

J'aime être maquillée et bien habillée, mais j'ai aussi appris qu'il y a des moments dans la vie où il vaut mieux être vêtue de façon plus désinvolte et présenter un visage au naturel.

———————— ◇◇◇ ————————
Les hommes apprécient votre habileté à rehausser votre beauté naturelle, mais ils aiment savoir que vous êtes aussi à l'aise sans artifices.
———————— ◇◇◇ ————————

LA SOLUTION

1- Demandez à votre compagnon de vie ce qu'il pense du maquillage et de l'habillement des femmes.

Ceci ne veut pas dire que vous devez compromettre vos propres goûts pour accommoder votre homme, mais combien de femmes n'ont jamais même discuté de ces sujets avec l'homme qu'elles aiment. Vous en apprendrez, tous les deux, par cet échange.

2- Projetez votre beauté, de l'intérieur vers l'extérieur.

Peu importe les efforts que vous mettez à vous faire belle en surface, votre véritable beauté doit rayonner à partir de l'intérieur de vous-même. Quand vous vous sentez bien dans votre peau, quand vous prenez bien soin de vous, quand vous maintenez votre dignité de femme, vous vous sentez belle à l'intérieur, et cette beauté se répercute à l'extérieur.

L'éteignoir numéro **11**

LES FEMMES QUI N'AIMENT PAS SE LAISSER FAIRE L'AMOUR ORALEMENT

«Je fréquentais une femme qui m'attirait beaucoup. Nous avions déjà effectué quelques sorties, quand nous avons enfin décidé de coucher ensemble. Nous étions au lit, à nous déshabiller mutuellement, et à nous minoucher. Les choses se réchauffaient agréablement, j'embrassais ses cuisses, et j'étais sur le point de passer au centre, lorsqu'elle s'écria : «Fais pas ça!»

«Mais j'en ai envie, et puis je veux te donner du plaisir», que je lui ai dit.

Et elle m'a répondu : «Ouache! Je trouve ça écoeurant.»

Quand je lui ai demandé pourquoi, elle m'a dit que c'était un endroit dégoûtant, et que ça lui faisait lever le coeur de savoir que je pouvais mettre ma bouche là. J'ai tout de suite perdu tout le désir que j'avais pour elle. Puisqu'elle-même croyait que son minou était dégoûtant, j'avais sûrement pas le goût d'y mettre mon pénis. J'avais plutôt envie de lui dire : «Hé! Bébé, merci de m'avoir averti!»

«J'aime faire l'amour avec ma femme, mais je trouve frustrant, qu'elle n'aime pas que je le fasse avec ma bouche. Oh! Elle va bien le faire pour moi, mais elle ne veut absolument pas que je le fasse pour elle. Je me sens égoïste de seulement recevoir, sans lui donner en retour. C'est comme si elle protégeait une partie d'elle-même contre moi. Il m'arrive souvent d'avoir des fantasmes où, naturellement, je me vois toujours donnant du sexe oral à d'autres femmes.»

J'ai été surprise d'entendre tant d'hommes m'exprimer cette même plainte, au cours de mes recherches, et cela m'a rappelé un mythe commun au sujet des hommes et du sexe.

—————————— ✧✧✧ ——————————

Mythe :

Les hommes sont égoïstes au lit, recherchant leur plaisir, mais oubliant celui de la femme.

Vérité :

Les hommes aiment donner du plaisir aux femmes. C'est une grande excitation sexuelle pour eux.
—————————— ✧✧✧ ——————————

POURQUOI ÇA REFROIDIT LES HOMMES

1 - Cela leur donne l'impression d'être sexuellement égoïstes.

Vous savez comme les hommes aiment recevoir du sexe oral. Lorsque vous ne permettez pas à un homme de vous en donner en retour, vous le poussez à se sentir égoïste, dégoûtant, comme si le mythe ci-haut était vrai. C'est comme si vous lui disiez : «Je vais te faire cette chose écoeurante parce que tu en as tellement besoin, mais il n'est pas question que tu me fasses la même chose. Moi, je suis mieux que cela!» Le résultat, c'est qu'ils finissent par en être beaucoup plus excités sexuellement que vous.

2 - Ils se sentent rejetés et exclus.

Pour bien des hommes, faire l'amour oralement à une femme est un acte bien plus intime que de la pénétrer de son pénis. C'est qu'ils communiquent ainsi, d'un orifice corporel à un autre, avec elle. C'est une façon d'exprimer une révérence et une vénération pour l'essence même de votre féminité, la partie la plus vulnérable de votre corps.

Lorsque vous refusez à un homme de vous faire l'amour avec la bouche, il se sent rejeté et exclus, comme s'il y avait une ultime partie, la plus intime de votre corps, que vous refusez de partager avec lui en lui en refusant l'accès. Comme me l'a crûment dit un homme : «Elle m'aime assez pour me laisser la fourrer, mais pas assez pour me laisser l'embrasser là!»

3 - Cela leur donne l'impression d'être contrôlés.

Quand un homme veut vous faire l'amour d'une façon particulière, et que vous lui refusez de le faire, il se sent contrôlé, comme si vous déteniez un pouvoir sexuel sur lui.

C'est le genre de situation dans laquelle il garde l'espoir que, s'il fait ce que vous aimez ou quelque chose qui vous plaît, vous céderez et le «récompenserez» avec la permission de faire l'acte défendu. Et, quand un homme se sent contrôlé par une femme, il perd tout intérêt sexuel pour elle.

POURQUOI LES FEMMES LE FONT

1- Pour nous, le cunnilingus, c'est «sale».

Beaucoup de nous, dans leur enfance, se sont laissé dire que cette mystérieuse partie de leur corps, entre leurs jambes, était effectivement sale. Après tout, c'est par là que nous évacuons les déchets de notre corps aux toilettes. C'est aussi par là que nous évacuons le «méchant» de nos menstruations. Et c'est surtout par là que les méchants hommes sont attirés, et qu'ils nous font des choses qui font de nous de méchantes filles. Évidemment que, dans cette perspective, lorsqu'un homme veut nous embrasser là, nous trouvons cela dégoûtant, et nous nous demandons : «Pourquoi est-ce qu'il peut bien vouloir faire ça?» Lorsque nous ne pensons qu'à l'endroit où se situe cette partie de notre corps, nous en oublions l'esprit même de l'acte sexuel oral, un homme qui fait l'amour à la partie la plus délicate d'une femme. Après tout, les hommes qui aiment embrasser votre vulve ne le font pas parce qu'ils sont des salauds, mais parce qu'ils sont simplement aimants.

2- Le goût et la senteur que nous avons nous inquiètent.

Beaucoup de femmes sont trop gênées pour admettre pourquoi elles n'aiment pas se laisser faire l'amour oralement. Elles ont peur de sentir ou de goûter mauvais. La solution est facile, faites le test du goût et de l'odeur que j'ai suggéré au début de ce chapitre.

3- Nous sommes marquées par une expérience vécue.

Vous pouvez avoir une grande crainte de recommencer, si vous avez déjà vécu une mauvaise expérience avec un homme qui vous faisait l'amour oralement soit avec un salaud, une brute, ou un individu qui le faisait avec dégoût, par exemple. Une expérience malheureuse peut vous enlever à tout jamais l'envie de vous faire embrasser là.

4- Nous trouvons les sensations physiques trop intenses.

Vous n'avez peut-être jamais trouvé agréable le sexe oral parce que les sensations qu'il vous donne sont si intenses que cela devient insupportable pour vous. Votre vulve présente des centaines de terminaisons nerveuses, les plus sensibles de votre corps, et vous n'êtes peut-être pas habituée à une telle intensité sensorielle. Plusieurs femmes sont effrayées par la puissance de ces sensations. L'une d'elles me l'a expliqué ainsi : «Quand un homme me baise avec la bouche, c'est trop bon et j'en perds le contrôle.»

5- Vous trouvez cela trop intime.

Laisser un homme vous aimer en mettant sa bouche sur votre vulve est l'une des expériences les plus intimes que vous puissiez vivre. Pour cette raison, vous en ressentez une impression de grande vulnérabilité émotionnelle, et cette vulnérabilité fait peur à bien des femmes. Elles sentent donc le besoin de se protéger contre cette surexposition. Accepter le sexe oral d'un homme est un véritable acte de reddition, et si vous êtes, comme beaucoup, craintive de vous laisser aller, vous pouvez choisir inconsciemment d'éviter toute espèce de sexe qui vous paraît trop intime.

LA SOLUTION

1- Discutez-en avec votre compagnon de vie.

Expliquez vos craintes et vos inquiétudes. Parlez-lui des expériences malheureuses que vous avez pu vivre, pour qu'il comprenne votre réticence à vous soumettre à nouveau au sexe oral, si c'est le cas. Le seul fait de discuter de vos sentiments créera une situation plus rassurante entre votre partenaire et vous.

2- Demandez-lui pourquoi il aime vous faire l'amour oralement.

En entendant votre partenaire vous décrire les plaisirs qu'il ressent à vous faire l'amour oralement, vous comprendrez mieux son désir de le faire, et vous pourrez considérer cela davantage comme une expression d'amour que comme un acte sexuel.

3- Si vous trouvez les sensations trop fortes habituez-vous-y lentement, à petites doses.

Certaines femmes disent qu'en expérimentant lentement, à petites doses, avec le sexe oral, elles s'habituent graduellement à ce genre de plaisir intense, tant sur le plan physique qu'émotionnel. Si vous êtes prête à essayer cette méthode, faites-le savoir à votre partenaire. Permettez-vous de rester là, bien à l'aise et détendue, prenez de grandes respirations, et laissez-vous envahir par les sensations que vous ressentez, en oubliant de juger ou d'évaluer ce qu'on vous fait. Se cela devient trop intense, demandez à votre partenaire d'arrêter, et de simplement vous tenir ou vous caresser un moment. Ensuite, essayez à nouveau. Vous pourrez ainsi augmenter votre tolérance à tant de plaisir!

4- Faites un «test de goût», si vous avez peur d'offenser.

Relisez notre exposé sur le «test de goût», à la fin de la section sur l'éteignoir numéro 8.

———————— ✧✧✧ ————————

Important!

Ne vous soumettez jamais au sexe oral parce qu'un homme insiste, ou parce que vous pensez devoir le faire. Malgré tout ce que vous venez de lire, si cela vous rend mal à l'aise, ne le faites pas! Il vous faut absolument conserver le contrôle de votre corps, et de tout ce qui lui arrive, en tout temps!

———————— ✧✧✧ ————————

L'éteignoir numéro **12**

LES FEMMES QUI EMBRASSENT MAL

«J'oublierai jamais la fille que je fréquentais à l'université. Elle était magnifique, et elle m'attirait fortement. Nous avons fait une couple de sorties avant qu'il arrive quoi que ce soit, puis un soir, à notre troisième sortie, alors que nous étions assis sur le divan de son appartement, je sentis que le moment était venu. J'allais enfin l'embrasser! J'étais tellement excité, que j'avais de la misère à me contrôler! Elle s'est avancée et, avant que je réalise ce qui m'arrivait, elle m'a plongé la langue dans la gorge et a commencé à m'embrasser, comme si elle voulait me laver le visage. C'est vrai que j'aime le *french kiss*, mais là c'était trop! J'en ai été refroidi plus vite que j'avais été stimulé, quelques secondes auparavant!»

«Je regrette, mais je déteste comment mon amie embrasse. Des fois, elle ouvre la bouche aussi grande que possible, et elle bouge la langue au milieu. J'ai l'impression qu'elle pense que c'est «sexy», et que ça doit m'exciter terriblement, mais c'est le contraire qui arrive. Moi aussi, j'aime les baisers tendres et doux. J'ai beau être un homme, je ne suis pas une bête sauvage!

Dans mes entrevues pour ce livre, j'ai rencontré ce genre de commentaires très souvent. Les hommes n'aiment pas être catalogués comme de grosses brutes que la qualité du sexe n'intéresse pas, pourvu qu'ils en aient. Beaucoup d'hommes ont fait écho aux propos de celui qui voulait que sa blonde l'embrasse avec plus de tendresse. Et le consensus était très clair : les mauvaises embrasseuses font vulgaire!

POURQUOI ÇA REFROIDIT LES HOMMES

Cela déplaît aux femmes pour les mêmes raisons que ça déplaît aux hommes : le manque de subtilité, de finesse, de sensibilité, et probablement aussi, le danger de gerçure au visage!

POURQUOI LES FEMMES LE FONT

Nous croyons que c'est «sexy»; nous n'avons jamais appris à bien embrasser; nous plongeons dans l'action pour cacher notre crainte de n'être pas adéquates au lit, en quelque sorte.

LA SOLUTION

Si vous vous imaginez être une mauvaise embrasseuse, demandez d'abord à votre partenaire ce qu'il en pense. N'arrivez pas en disant : «Trouves-tu que j'embrasse mal?» Demandez-lui plutôt : «Est-ce que t'aurais le goût que je t'embrasse différemment, des fois?» Pratiquez ensuite différents styles d'embrassade. Si vous voulez un guide, comparez un baiser à un repas. Essayez de grignoter votre nourriture parfois, de prendre de plus petites bouchées, ou de savourer chaque bouchée plus longtemps. Quand vous aurez mis votre technique au point, vous aimerez encore mieux embrasser, et votre partenaire aussi, à moins que vous ne soyez tous les deux de mauvais embrasseurs, et que vous aimiez ça comme ça. Dans ce cas-là, allez-y à votre goût!

L'éteignoir numéro **13**

LES FEMMES
TROP SÉRIEUSES

«Je sors depuis trois ans avec une femme que j'aime beaucoup. Y'a qu'un problème, c'est qu'elle est trop sérieuse au sujet de tout, mais du sexe surtout. Je ne suis pas un comédien, mais j'aime rire, et faire le fou parfois. Cependant, quand je le fais, elle est tout offensée. Au lit, par exemple, je vais l'agacer des fois, parler d'une drôle de voix, ou faire autre chose pour la faire rire, et elle me dit : «As-tu fini, là?» Quand le sexe devient une chose aussi sérieuse, je suis mal à l'aise, nerveux, comme si je passais un examen, ou quelque chose comme ça. J'aimerais qu'elle prenne ça moins au sérieux.»

«Pourquoi est-ce que les femmes pensent qu'un bon éclat de rire, c'est pas féminin? J'aime les femmes qui ont le sens de l'humour, surtout quand elles me font rire de moi-même. J'ai déjà fréquenté une femme qui était bonne là-dedans. Un soir, après avoir mangé un gros repas italien, on est revenu chez moi, puis on a commencé à faire l'amour. Bien, ça faisait une secousse qu'on se faisait aller, mais on était loin d'un orgasme tous les deux; on était bien essoufflés, puis on travaillait bien fort. Tout d'un coup, elle m'a regardé, puis elle a dit : «Penses-tu que ça prendrait une autre assiettée de pâtes?» On a éclaté de rire tous les deux. Si elle s'était impatientée, ou si elle avait pris ça trop au sérieux, ça m'aurait indisposé, puis toute la soirée aurait été gâtée.»

Le sens de l'humour d'un homme fait partie intégrante de sa personnalité. Comme on l'a vu, les hommes sont très sévères pour eux-mêmes, se sentant toujours obligés d'avoir raison, d'agir comme il faut, d'être responsable, et de réussir. C'est pourquoi ils ont souvent besoin de rire, ou de sourire au moins, pour alléger le fardeau. L'homme soulage ses tensions en faisant des blagues, en faisant le fou. Et il perd souvent tout intérêt sexuel pour une femme avec qui il lui est impossible de partager son humour.

POURQUOI ÇA REFROIDIT LES HOMMES

Lorsqu'un homme essaie d'être drôle, et que sa partenaire n'y prend aucune part, il a l'impression qu'elle lui donne tort, qu'elle le déprécie, qu'elle agit comme si elle se sentait supérieure à lui. Il peut être inquiet, et penser que vous le jugez, que vous évaluez ses actions et sa performance, spécialement au lit.

————— ✧✧✧ —————

Pour les homme, les femmes trop sérieuses font penser à des mères, à des maîtresses d'école, ou à d'autres figures autoritaires féminines.

————— ✧✧✧ —————

En utilisant l'humour, l'homme permet au petit garçon à l'intérieur de lui de sortir en récréation. Alors, lorsque vous refusez d'y prendre part, ou que vous réagissez trop sévèrement, ça fait peur à cette partie vulnérable de lui-même, et il se sent beaucoup moins à l'aise avec vous.

POURQUOI LES FEMMES LE FONT

On a souvent appris aux petites filles que ce n'est pas féminin de trop rire, ou de faire des farces. Nous craignons aussi que, si nous n'agissons pas sérieusement, on ne nous prendra pas au sérieux.

LA SOLUTION

Un homme m'a demandé de faire le message suivant aux femmes : «Ne faites jamais ressentir à un homme qu'il a commis une erreur grave au lit.» S'il vous touche trop fort, ou pas assez fort, s'il vous tire les cheveux, s'il vous empêche de respirer, en se laissant reposer trop lourdement sur vous, ne réagissez pas comme s'il venait de commettre un crime. Il aura l'impression que vous l'avez humilié, que vous lui avez donné tort, il se refroidira à votre endroit, et rentrera en lui-même. Essayez plutôt de voir de l'humour dans la situation, de trouver ça drôle.

Arrêtez de vous prendre au sérieux! Apprenez à rire de vous-même, au lit comme ailleurs. Laissez la petite fille en vous sortir en récréation aussi. Vous aurez plus de plaisir, et risquerez moins que votre partenaire ne se désintéresse de vous.

L'éteignoir numéro **14**

LES FEMMES QUI S'ACCROCHENT ET QUI DEMANDENT TROP

«Y'a rien qui me refroidit autant qu'une femme qui est émotionnellement instable. Vous savez, celle qui est incapable de prendre une décision seule, qui devient paranoïaque si je regarde une autre femme, et qui ne me laisse pas d'une semelle quand nous sortons ensemble. Avec ce genre de femme, je me sens piégé, étouffé, et, même si elle est très belle, je perds vite toute attirance que je pouvais avoir pour elle.»

«Ce qui me refroidit le plus, c'est une femme qui se pense victime, qui blâme quelqu'un d'autre pour tous ses problèmes, et qui est toujours au bord de l'effondrement émotionnel. J'ai déjà eu une amie qui menaçait de se suicider

226

chaque fois que nous avions une discussion. Je savais qu'elle n'était pas sérieuse, mais elle en perdait tellement ses moyens que je me sentais coupable du moindre désaccord. Après seulement six mois, j'avais perdu tout intérêt sexuel pour elle.»

«Les femmes faibles, plaignardes et braillardes, me refroidissent complètement.» Voilà le genre de plainte que j'ai entendu de la majorité des hommes que j'ai interviewés. Les hommes ne parlent pas tellement de sensibilité ou de vulnérabilité, mais ils se plaignent des femmes qui comptent trop sur leur homme pour faire le plein émotif, au lieu de se sentir autonomes, d'agir par elles-mêmes.

POURQUOI ÇA REFROIDIT LES HOMMES

Plus vous vous accrochez et comptez sur lui, plus votre homme se sent obligé de vous secourir. Il devient le parent, vous devenez l'enfant, et le désir sexuel s'éteint.

POURQUOI LES FEMMES LE FONT

1- Nous nous sentons impuissantes.

Dans le chapitre 2, nous avons vu comment, nous, les femmes, agissons comme des petites filles, cédons notre pouvoir aux hommes, et nous plaçons au second rang derrière eux. Tous ces comportements nocifs créent en nous des besoins supplémentaires, l'envie de nous accrocher, et un sentiment d'impuissance. Quand vous n'avez pas suffisamment confiance en vous, vous souffrez d'insécurité, et vous devenez plus exigeante pour votre partenaire.

2- Nous craignons la perte ou l'abandon.

Quand vous perdez quelqu'un que vous aimez, soit un enfant à cause du divorce de vos parents, soit un adulte par suite d'une rupture, vous devenez beaucoup plus sujette à ce genre de sentiment, de perte ou d'abandon. Il est important d'identifier et de relâcher ce genre d'émotions, comme de comprendre comment celles-ci peuvent affecter votre vie amoureuse.

——————— ✧✧✧ ———————

Plus la peur d'être abandonnée vous habite, plus vous avez tendance à être exigeante et à vous accrocher à cet homme que vous aimez.

——————— ✧✧✧ ———————

3- Nous avons sérieusement peur lorsque notre partenaire ne nous aime pas assez.

La peur de perdre quelqu'un que vous aimez est parfois justifiée. Il ne vous traite peut-être pas assez bien. Il ne vous montre peut-être pas suffisamment qu'il a besoin de vous, et vous développez encore un plus grand besoin de lui. Peut-être refuse-t-il de s'engager sérieusement avec vous? Ce sont là autant de comportements masculins qui peuvent introduire ces sentiments de besoin et d'impuissance dans votre union.

LA SOLUTION

1- Assurez-vous de conserver votre pouvoir et votre dignité dans votre relation de couple.

Si vous vous croyez excessivement dépendante, ou trop accrochée à votre homme, relisez les chapitres 2 et 3 pour vous rappeler comment conserver et utiliser votre pouvoir de femme.

2- Tâchez de guérir votre crainte de perte et d'abandon.

Si vous avez en vous un tel sentiment de crainte, une peur de perdre la personne aimée ou d'être rejetée, entreprenez au plus vite un processus de guérison. Adressez-vous à un thérapeute qualifié, joignez-vous à un groupe de support féminin, en somme, faites le nécessaire pour vous débarrasser de ce fardeau émotionnel qui vous a nui, et qui peut encore vous nuire, de relation en relation.

3- Assurez-vous de ne pas combler vous-même tous les vides émotionnels dans votre relation de couple.

Comme nous l'avons vu au chapitre trois, vous ressentirez inévitablement un grand vide, et un manque d'amour, si vous donnez beaucoup plus que vous ne recevez, dans votre couple. Prenez le temps de réévaluer honnêtement votre union avec votre partenaire.

L'éteignoir numéro 15

LES FEMMES STUPIDES ET SUPERFICIELLES

«Je vais vous dire ce qui me désintéresse le plus : les femmes qui ne savent absolument rien de ce qui se passe dans le monde, ou autour d'elles, mais qui sont très préoccupées par leurs ongles, la mode, ou les émissions de télévision. J'ai rencontré bien des jolies femmes qui m'attiraient beaucoup, mais pour qui, dès qu'elles ouvraient la bouche, je perdais tout intérêt. Leurs priorités étaient toutes mêlées.»

«Il est important pour moi, comme homme, d'être fier de la femme que j'aime, de savoir que je peux l'emmener n'importe où, et la présenter à n'importe qui, et qu'elle fera bonne figure. Certainement que j'apprécie une belle apparence et un superbe corps, mais ce qui m'attire le plus, c'est l'intelligence d'une femme. C'est la meilleure stimulation pour moi.»

Les hommes, dans ma recherche, étaient tous d'accord : les femmes superficielles les rebutent. Ce n'est pas que tous les hommes désirent une femme avec un très haut quotient intellectuel, une femme avec des diplômes universitaires, ou une intellectuelle avouée. Après tout, il y a des mâles de tous calibres intellectuels aussi. Les hommes ont surtout besoin de sentir que leur femme n'est pas seulement une personne égoïste, superficielle, absorbée par ses propres préoccupations.

Voyons de quoi les hommes se plaignaient surtout :

- les femmes qui lisent des magazines de mode, mais jamais de revues d'actualité;

- les femmes dont la conversation se limite aux commérages, aux potins féminins, aux émissions de télévision, ou aux journaux artistiques;

- les femmes à l'allure idiote, frivole, superficielle;

- les femmes qui manquent de curiosité intellectuelle, qui ne cherchent plus à s'éduquer, à s'améliorer.

Bon! Je sais ce que vous pensez. Il y a plein d'hommes qui sont comme ça aussi, et ils ne sont pas très intéressants pour une femme non plus. C'est vrai, mais pensez que le genre d'homme avec lequel vous aimeriez vous retrouver voudra lui aussi être avec une femme qui lui est égale, et non inférieure.

POURQUOI ÇA REFROIDIT LES HOMMES

Même s'ils ne l'admettent pas toujours, les hommes tirent souvent leur estime de soi du genre de femme qui partage leur vie. Les hommes attachent beaucoup d'importance à ce que les autres hommes pensent de leur femme.

———————— ✧✧✧ ————————

Les hommes ont besoin de se sentir fiers de la femme qu'ils aiment.

———————— ✧✧✧ ————————

De plus, puisque les hommes sont habituellement plus à l'aise lorsqu'ils pensent que lorsqu'ils ressentent des émotions, ils ont besoin que leur femme puisse communiquer avec eux au niveau de l'esprit, et non seulement au niveau du corps. Une bonne conversation intelligente est stimulante pour l'esprit de l'homme, mais pour son corps aussi.

POURQUOI LES FEMMES LE FONT

En tant que femme, rien ne me fâche plus que de voir une autre femme se déprécier, en étant stupide, en utilisant son corps pour attraper les hommes, en ignorant son esprit, et en jouant la «niaiseuse», sans utiliser tout son potentiel intellectuel. Malheureusement, notre éducation sociologique nous a, jusqu'à tout récemment, formées à penser que l'intellect est un champ d'action masculin, et que la femme doit surtout travailler à se faire belle, pour plaire à son homme. Ces millions de femmes doivent maintenant réaliser que les temps ont changé, heureusement, et qu'elles ont autant d'intelligence et de talent que les hommes qu'elles fréquentent. Parce que les hommes ont une bonne longueur d'avance en ce domaine, certaines femmes sont frustrées par l'insuffisance de leur développement intellectuel, et retombent dans le stéréotype de la femme idiote.

LA SOLUTION

1- Faites un effort d'éducation.

Si vous n'avez pas utilisé votre intellect autant que vous auriez dû le faire, changez cela immédiatement. Commencez par lire les journaux, des revues de qualité, et des livres. Pas besoin de devenir érudite, mais commencez au moins par savoir ce qui se passe dans le monde, et vous vous sentirez beaucoup plus compétente. Inscrivez-vous à des cours, assistez à des conférences ou à des séminaires qui peuvent compléter ou enrichir votre éducation. Posez beaucoup de questions, sur tout ce que vous aimeriez savoir ou mieux comprendre. Sachez que plus vous vous sentirez intelligente, plus vous serez confiante en vous (et ça paraîtra), et plus vous deviendrez attirante pour votre partenaire.

2- Inscrivez les façons que vous avez de jouer l'idiote.

3- Dites-vous que l'intelligence, c'est «sexy»!

L'éteignoir numéro **16**

LES FEMMES QUI NE PENSENT QU'AUX MOYENS FINANCIERS D'UN HOMME

«J'ai bien de la misère à accepter les femmes que je rencontre et qui, au premier abord, s'intéressent au genre de voiture que je conduis, au genre de profession ou d'emploi que j'ai, aux vêtements signés que je porte, à l'endroit où je vais en vacances, etc. Je crois que le genre de personne que je suis leur importe peu. Tout ce qu'elles recherchent, c'est un homme qui puisse impressionner leurs amis, une sorte de passe-partout vers le luxe et la grande vie.»

«Les femmes disent vouloir un homme tendre, sensible, ouvert, prêt à faire sa part dans le couple, mais tout ce qu'elles veulent en réalité, c'est un homme riche. Lorsqu'un monsieur n'a pas un emploi prestigieux, qu'il n'est qu'un simple vendeur de magasin, ou qu'il travaille à bâtir un petit commerce, la femme se fout bien de ce qu'il soit tendre et gentil. Elle est déjà repartie à la recherche du premier idiot qui va la traiter comme de la merde, mais qui conduit une Porsche, possède plein de cartes de crédit, et peut l'emmener en Floride ou à Las Vegas pour le week-end.»

Vous voulez voir un homme se fâcher? Parlez-lui de cet éteignoir numéro seize. Je n'ai jamais vu autant d'hommes fâchés que lorsque je leur ai posé des questions sur ce sujet.

Les hommes détestent être utilisés ou jugés selon leurs moyens financiers.

La seule chose avec laquelle je peux comparer cette attitude des hommes, c'est la rage des femmes lorsqu'elles sont elles-mêmes utilisées, jugées d'après la grosseur de leurs seins, ou à la perfection de leur corps.

POURQUOI ÇA REFROIDIT LES HOMMES

On a vu auparavant que les hommes ressentent déjà un constant besoin d'être performants. Lorsqu'une femme apprécie un homme seulement d'après sa capacité de faire de l'argent, il ne se sent plus du tout apprécié pour ce qu'il est, pour qui il est. Cette absence de sécurité affective, chez une femme, détruit tout intérêt qu'un homme pouvait lui porter.

POURQUOI LES FEMMES LE FONT

Un homme n'est qu'un bilan financier pour une femme si :

- il est pour elle une «prise», et non un être humain;

- elle ne se croit pas capable de subvenir à ses propres besoins, et doit dépendre entièrement de lui;

- elle s'évalue selon ce que les autres pensent de l'homme qu'elle a déniché, plutôt que selon sa propre valeur.

LA SOLUTION

——————— ✧✧✧ ———————

**Si vous voulez qu'un homme vous apprécie
pour ce que vous êtes personnellement, et
non pour ce que vous paraissez être, vous
devrez être prête à faire de même pour lui.**

——————— ✧✧✧ ———————

En d'autres mots, cessez d'évaluer un homme selon
son succès financier, et considérez plutôt le genre d'humain
qu'il est. Il y a dans le monde des millions d'hommes libres,
aimants et merveilleux, que les femmes mettent de côté parce
qu'ils ne conduisent pas une voiture de luxe, n'ont pas une
occupation prestigieuse, et ne portent pas les vêtements de
grands couturiers. Cependant, ces hommes ont quelque chose
de bien plus belle valeur à offrir : de la sensibilité, de la fidé-
lité, de l'amitié, et du véritable amour.

L'éteignoir numéro **17**

LES FEMMES QUI UTILISENT LEUR SEXUALITÉ POUR MANIPULER LES HOMMES

«J'ai envie de courir quand je vois une femme qui me
fait le coup du «Viens, bébé, je suis chaude comme une chatte,
et j'ai besoin de toi!» J'en ai bien vu des femmes comme ça,
dans les boîtes de nuit et les club de danseuses. Elles débor-
dent de leurs vêtements et se dandinent en me regardant,
comme si ce n'était pas évident que leur corps est l'appât, et
que je suis le poisson qu'elles veulent prendre. Je connais
beaucoup d'hommes qui succombent à ce genre de sollicita-
tion, mais je sais aussi qu'ils ne respectent absolument pas les
femmes qui la font.»

«Où je travaille, il y a une femme qui traite les hommes comme des objets sexuels. Elle passe son temps à les flirter, à les agacer et à les aguicher, puis elle se demande ensuite pourquoi personne au bureau ne la prend au sérieux.»

Les hommes ne sont pas stupides, mesdames. Ils savent quand une femme utilise sa sexualité pour les manipuler. Ils reconnaissent une «agace» quand ils en voient une. Même s'ils ont l'air d'aimer regarder une femme agir ainsi, même s'ils lui donnent toute l'attention qu'elle désire, les hommes ne la respectent absolument pas, et rient d'elle, presque à sa face.

Cependant, la plupart des femmes qui agissent ainsi le font de façon beaucoup plus subtile que dans les exemples précédents. Nous agissons différemment, autour des hommes, que nous le faisons en présence des femmes. Notre langage corporel change, nous nous approchons un peu plus, nous bougeons différemment, nous sourions davantage, nous sommes plus portées à toucher. Nous mettons notre arsenal sexuel en branle pour obtenir ce que nous voulons des hommes. Je ne dis pas que les femmes font toujours cela consciemment. Nous avons tellement vu ce genre de comportement à la télévision, au cinéma, et de la part d'autres femmes, que nous le faisons naturellement. Mais ces habitudes modifient notre image de femme et finissent par devenir un danger pour nos relations avec les hommes.

POURQUOI ÇA REFROIDIT LES HOMMES

Pour être franche, je dois dire que la plupart des hommes ont dit que ce genre de comportement les excitait sexuellement, mais les laissait froids émotionnellement. L'un deux l'a exprimé ainsi : «Quand je vois une femme qui, de toute évidence, essaie de paraître sexy, ou qui a une attitude osée, je sens certainement mon corps réagir, c'est automatique. Mais c'est seulement physique, parce qu'à l'intérieur de moi je suis plutôt dégoûté d'elle et un peu humilié de m'être ainsi laissé prendre par ses charmes.»

Les hommes savent que les femmes connaissent leur vulnérabilité sexuelle et leur facilité d'excitation physique. C'est pourquoi, ils n'acceptent pas qu'on s'en serve contre eux, et ils acceptent aussi difficilement que leur propre corps réponde à cette excitation sans leur consentement, en quelque sorte. Ils ont le sentiment d'être contrôlés, manipulés, puis perdent toute stimulation sexuelle.

POURQUOI LES FEMMES LE FONT

Nous utilisons notre sexualité pour manipuler les hommes à cause de notre sentiment d'impuissance.

Longtemps, dans notre société, c'était par le sexe seulement que les femmes pouvaient exercer un certain pouvoir sur les hommes. Nous n'avions aucun pouvoir politique, aucun pouvoir économique, et nous avons dû apprendre à utiliser le sexe pour obtenir ce que nous voulions. Nous utilisions le sexe pour attirer un homme, pour l'arracher aux autres femmes, pour l'obliger à prendre soin de nous, et, si possible, pour l'empêcher de nous quitter. Je suis très attristée de constater que certaines femmes se conduisent encore comme si elles n'avaient que leur sexualité pour se donner une sensation de pouvoir dans leur couple.

Le problème, c'est que ce genre de comportement peut réussir. Il réussit parfois si bien que les femmes se retrouvent prisonnières d'un rôle qu'elles n'arrivent plus à abandonner, d'un cercle vicieux qu'elles ont beaucoup de difficulté à briser. Les hommes ne les respectent plus, et elles ne se respectent plus elles-mêmes.

LA SOLUTION

———————— ✧✧✧ ————————

Si vous ne voulez pas être traitée comme un objet sexuel, n'agissez pas comme si vous l'étiez, ou comme si l'homme l'était.

———————— ✧✧✧ ————————

Examinez franchement votre comportement autour des hommes. Demandez-vous si vous ne camouflez pas votre vraie nature avec votre sexualité. Essayez d'agir comme une personne, plutôt que comme une femme. Vous mettrez du temps à savoir la différence, et l'apprendrez en pratiquant.

L'un des plus beaux compliments qui m'ont été faits est venu d'un réalisateur de télévision avec qui j'ai travaillé à plusieurs projets. Il m'a dit : «Tu sais ce que j'aime de toi, Barbara? C'est qu'autour de moi tu n'agis pas comme une femme, mais comme une personne. Tu fonctionnes comme un homme avec moi, ce qui me laisse absolument à l'aise, et j'ai beaucoup de respect pour toi.»

L'éteignoir numéro **18**

LES FEMMES QUI PARLENT DE LEURS ANCIENS AMANTS

«Depuis un an que je fréquente Suzanne, elle parle toujours de son ancien amoureux. Si je fais quelque chose de mieux que lui, elle nous compare. Si je fais comme lui, elle se fâche contre lui, et contre moi. Je me sens pris dans un triangle amoureux. J'aurais aimé qu'elle en finisse avec lui avant de me connaître, parce que ça me rend fou!»

«Je déteste quand les femmes évoquent leurs expériences sexuelles. Je veux dire, j'ai pas l'illusion de fréquenter une vierge, mais j'ai pas besoin de savoir comment le pénis de mon prédécesseur était plus gros ou plus petit que le mien, ou même s'il était un mauvais amant au lit. Franchement, ça me refroidit pas mal d'entendre parler de tous les hommes avec qui ma partenaire a couché dans le passé.»

Voici l'heure de vérité! Votre partenaire ne veut rien savoir des hommes qui vous ont accompagnée au lit, avant lui.

Il peut toujours tolérer que vous en parliez, il peut même s'en montrer curieux, mais cela le refroidit dans son for intérieur. Vous pouvez sûrement comprendre pourquoi il n'a pas envie d'entendre des éloges de vos anciens amants, mais qu'en est-il de propos dérogatoires? Pensez-vous que ce genre de commentaires l'aiderait à se sentir mieux? Pas du tout!

POURQUOI ÇA REFROIDIT LES HOMMES

1 - Il peut trouver votre goût douteux.

Lorsque vous décriez vos anciens amants, votre partenaire peut penser en lui-même quelque chose comme : «Elle a sorti avec de drôles de phénomènes. Si c'est là son choix d'hommes, son goût laisse à désirer. Est-ce que ça veut dire que je fais partie de cette série de curieux individus? Est-ce que je serais un numéro bizarre moi-même, sans m'en apercevoir?»

2 - Vous lui montrez votre côté désagréable, vengeur, et il se demande s'il ne sera pas la prochaine victime.

Vous pensez peut-être qu'en décriant vos anciens amants, votre partenaire actuel s'en sentira bien, par comparaison. Cependant, en voyant le côté désagréable, rancunier de votre personnalité, ça lui fera peur. Rappelez-vous comme les hommes sont sensibles à la critique. En vous voyant si sévère, même si c'est à l'endroit d'un autre homme, il peut conclure inconsciemment : «Si elle peut se fâcher comme ça contre quelqu'un qui n'est plus là, ce pourrait être pire pour moi, et je devrais peut-être remettre son amour en question?» Comme un homme me l'a dit : «Chaque fois que ma blonde descend son ancien chum, ça me fâche, et j'ai même envie de défendre le pauvre gars. Je comprends que sa colère soit probablement justifiée, mais je suppose qu'inconsciemment, j'ai peur qu'elle se retourne contre moi un jour.»

3 - Il vous en veut de vous être laissé maltraiter.

«Comment mon amie a-t-elle pu être si niaiseuse, et laisser son ex-mari la traiter comme ça?» m'a dit un homme en discutant ce point. Quand vous parlez de votre ex-partenaire comme d'un monstre, votre partenaire actuel se demande quelle sorte de femme vous êtes pour vous laisser ainsi maltraiter par un homme.

POURQUOI LES FEMMES LE FONT

1- Certains sentiments refoulés au cours de nos relations antérieures ont besoin d'être exprimés, et nous croyons pouvoir le faire sans danger avec notre partenaire actuel.

Il est important de guérir vos blessures intérieures en soulageant votre refoulement, mais ce n'est pas nécessairement avec votre partenaire qu'il faut le faire. Je sais que c'est très facile de faire cette erreur, surtout au début d'une nouvelle relation, alors qu'on se sent plus aimée que jamais auparavant. Tout cet amour nous donne l'impression d'être en toute sécurité, et de pouvoir laisser sortir sans danger cette souffrance trop longtemps enfermée. Il se peut que vous vous en sentiez soulagée, mais vous risquez que ce processus indispose votre partenaire à votre égard.

2- En critiquant nos anciens partenaires, nous utilisons un moyen détourné pour laisser savoir à notre nouveau compagnon de vie comment nous aimerions qu'il agisse.

«Je n'aimais pas que Donald ne m'achète jamais une carte ou un petit cadeau, à moins que ce soit mon anniversaire. Il manquait tellement de romantisme.» Il est évident que dans cette remarque d'une femme à son partenaire, le message, à peine voilé, est plutôt celui-ci : «Achète-moi des cartes et des cadeaux, si tu veux que notre union fonctionne bien!»

———————————— ✧✧✧ ————————————
**Nous pratiquons souvent cette conversation
occulte avec notre partenaire pour éviter
une franche discussion de nos besoins, comme
de nos désirs, dans cette relation avec lui.**
———————————— ✧✧✧ ————————————

LA SOLUTION

**1- Si vous recelez des émotions négatives envers vos
anciens amants, trouvez un thérapeute, un conseiller
ou un groupe féminin pour vous aider à vous en débarrasser pour de bon.**

Vous pouvez peut-être discuter de ces sentiments avec
votre partenaire actuel, mais ne l'utilisez pas comme un «dé-
potoir émotionnel», pour vous soulager.

———————————— ✧✧✧ ————————————
**Tant que vous entretenez de la colère et du
ressentiment envers lui, votre relation avec
un ancien amant n'est pas réellement terminée.**
———————————— ✧✧✧ ————————————

Votre partenaire actuel vous respectera davantage si
vous vous débarrassez de ces sentiments négatifs, et il aura
encore plus confiance en vous qu'avant.

**2- Discutez de vos besoins et attentes avec votre parte-
naire.**

Ne vous servez pas d'indices, d'insinuations ou de
communications occultes pour demander ce que vous voulez.
Soyez franche et honnête, et exigez de votre partenaire qu'il
fasse de même. Dans le chapitre 9, je vous ferai d'autres suggestions pour créer une nouvelle relation, pleine, satisfaisante, avec l'homme que vous aimez.

LES FEMMES QUI MANQUENT DE SPONTANÉITÉ SEXUELLE

«Ce qui me dérange le plus, dans notre vie sexuelle, c'est que ma femme en fasse toute une cérémonie, à chaque fois. Premièrement, elle passe au moins une demi-heure dans la salle de bains à se laver, à mettre des lotions, et je sais pas quoi. Ensuite, elle décore la chambre avec des chandelles, et met de la musique. Quand elle est enfin prête, j'ai pas mal perdu tout intérêt. J'ai l'impression qu'elle fait une mise en scène pour une représentation quelconque, où je dois partager la vedette. Je comprends que c'est intéressant de planifier, mais avec elle, il faut que ce soit parfait, ou rien du tout.»

«J'aime le sexe spontané, c'est tellement plus excitant. Ma dernière blonde et moi nous nous sommes chicanés tout le temps, à propos de ça. Nous revenions d'une séance d'exercices au club de santé quand, sur le pas de la porte, je lui dis : «J'en ai le goût, viens on va faire l'amour!» Puis elle me répondit, par exemple : «J'en ai envie moi aussi, chéri, mais pas tout de suite. J'ai besoin de prendre une douche, et puis il faut que je cours vite chez le nettoyeur, chercher mes vêtements pour la réception de ce soir.» Elle trouvait toujours un prétexte pour me faire savoir que ce n'était pas le temps : elle sortait de la douche et ses cheveux n'étaient pas encore secs, ou elle attendait un appel téléphonique, ou nous n'avions pas le temps. Ce n'est pas que j'aurais toujours voulu lui sauter dessus quand j'en avais envie, mais nous passions quand même des heures à faire l'amour parfois, et c'était un véritable rituel. Mais de temps en temps, j'aurais souhaité qu'elle soit capable de tout laisser tomber et de dire : «Je te veux maintenant!»

Nous avons déjà fait mention de certaines raisons pour lesquelles les hommes aiment le sexe spontané, soit pour soulager leurs tensions, soit parce qu'ils n'ont pas l'énergie voulue pour une séance officielle, mais ils voudraient quand même une rencontre avec vous.

J'ai cru important d'inclure ce manque de spontanéité sexuelle des femmes dans ma liste des vingt plus importants éteignoirs sexuels, parce que j'ai entendu tellement de plaintes des hommes à ce sujet. Voici ce dont les hommes se sont surtout plaints :

- les femmes qui passent une éternité dans la salle de bains, avant de venir faire l'amour;

- les femmes qui exigent une mise en scène parfaite, avec éclairage spécial, musique, chandelles, etc.

- les femmes qui s'inquiètent trop de leur apparence, de leur coiffure, de leur maquillage, etc.

POURQUOI ÇA REFROIDIT LES HOMMES

1- L'homme sent l'obligation de fournir une performance.

Lorsqu'une femme se prépare au sexe comme si c'était un grand événement, l'homme se sent obligé de livrer une performance. Vous en savez maintenant assez sur les hommes pour comprendre que ce genre de pression le dégonfle sexuellement. Un ami à moi, me l'a exprimé ainsi : «Lorsqu'une femme est incapable de spontanéité, elle préfère considérer toujours le sexe comme un supplice, plutôt que comme l'acte de combustion spontanée qu'il peut être parfois.»

2- L'homme se sent contrôlé.

Votre partenaire est tout feu tout flamme, et veut faire l'amour avec vous. Vous acceptez, puis disparaissez dans la salle de bains pendant vingt minutes, le faisant attendre. Comment croyez-vous qu'il se sente? Contrôlé? Certainement! Nous avons déjà vu comment ce sentiment d'être contrôlé désintéresse les hommes du sexe, et cet exemple n'est sûrement pas une exception.

3- L'homme a l'impression que vous n'aimez pas le sexe.

Lorsqu'une femme ne se permet jamais de sexe spontané, son partenaire en conclut qu'elle ne doit pas aimer le sexe, et qu'elle doit ressentir très peu de désir sexuel puisqu'elle montre tant de retenue. Un homme m'a fait cet aveu : «Ma femme peut seulement se prêter au sexe s'il n'y a pas de sexe dedans.» Ce qu'il voulait dire, c'est que sa femme accepte le sexe, pour autant qu'il soit aseptisé, idéalisé, entouré de romantisme, et dépouillé de toute luxure.

POURQUOI LES FEMMES LE FONT

1- Nous avons peur de perdre le contrôle pendant le sexe.

Comme j'ai déjà expliqué, les femmes admettent difficilement, même en leur for intérieur, qu'elles aiment parfois le sexe pour le sexe. Alors, s'il vous arrivait de vous retrouver soudainement au pied de l'escalier avec votre partenaire, et avec une folle envie de faire l'amour, là, sur le champ, vous vous sentiriez probablement gênée, ou vous auriez l'impression d'être comme une fille facile, une putain même. En d'autres mots, vous vous sentiriez probablement très inconfortable devant cette crainte de perdre votre contrôle sexuel. En remettant cela à plus tard, vous vous donnez le temps de récupérer votre contrôle, même si, en agissant ainsi, vous laissez passer une occasion rare de vivre un moment de merveilleuse passion.

2- Il est difficile de nous laisser aller sexuellement, avec le même homme qui nous néglige émotionnellement.

Nous savons toutes qu'il faut bien moins de stimulation physique pour arriver à l'orgasme quand on a été traitée avec de l'attention, de l'affection et de l'amour, par notre partenaire, pendant des jours ou même une soirée seulement, avant de faire l'amour. Par contre, il est très difficile de se livrer spontanément à un partenaire qui ne nous a pas touchée ou dit un mot gentil de la semaine et qui, soudainement, veut qu'on se livre tout entière à ses instincts et envies du moment. C'est là que les femmes ont besoin, de remplacer ce manque de préparation de la part de leur partenaire par une longue séance au bain, une lumière d'ambiance, un décor aux chandelles, ou n'importe quel autre artifice ou geste prémédité, non spontané.

LA SOLUTION

Relisez le chapitre 5 pour savoir comment vous pourriez mieux accepter et apprécier le sexe spontané.

L'éteignoir numéro **20**

LES FEMMES QUI PORTENT DES SOUS-VÊTEMENT PAS JOLIS

«Le plus grand éteignoir de tous, pour moi, c'est quand je vois une fille qui porte des espèces de culottes comme ma mère en portait. Vous savez, celles qui sont en coton et qui montent jusqu'à la taille, avec des espèces de grosses jambières de chaque côté. «Ouah! Je te dis que je perds vite l'envie d'aller voir ce qu'il y a là-dedans.»

«Rien n'est plus dégoûtant pour moi que de rencontrer une jolie femme, de la fréquenter pendant un certain temps, puis de la déshabiller pour la première fois, pour découvrir qu'elle porte des sous-vêtements débraillés, des petites culottes informes, un soutien-gorge tout étiré et très laid. Quelle déception!»

Il fallait que je vous réserve cet éteignoir pour la fin. Si on m'avait demandé de faire moi-même une liste des éteignoirs sexuels qui dérangent le plus les hommes, je n'aurais même jamais pensé à mentionner celui-ci. Mais vous ne croiriez pas combien d'hommes que j'ai interviewés en ont parlé, et s'en sont plaints. Ils ont souvent aussi employé les mêmes mots, les mêmes phrases, incluant :

- «des caleçons comme ma grand-mère portait»;

- «des culottes qui leur pendent sur les fesses»;

- «des culottes ou un soutien-gorge tout étirés»;

- «Une «brassière» qui a l'air d'une veste pare-balles, avec un dos très épais et des crochets partout»;

- «Un soutien-gorge trop petit, ou trop grand.»

Cela vous surprend-il autant que moi? Pensiez-vous que les hommes remarquaient ce genre de choses? Eh bien, il semble que oui. Et apparemment, lorsque nos sous-vêtements ne sont pas à la hauteur de leurs attentes, cela peut leur faire perdre tout intérêt sexuel pour nous.

POURQUOI ÇA REFROIDIT LES HOMMES

D'abord, tout ce qui lui rappelle sa mère ou sa grand-mère, comme des caleçons blancs, épais ou retombants, des soutiens-gorge serrés, ou à l'ancienne par exemple, détourne un homme du sexe très rapidement, à cause du vieux tabou de l'inceste, naturellement. Un homme m'a dit : «Si j'ai l'impression d'être avec ma mère, j'ai certainement pas envie de la fourrer!»

La meilleure explication là-dessus m'a été donnée par un écrivain de quarante et un an : «Quand je déshabille une femme, et que je me rends compte qu'elle porte des sous-vêtements qui ne sont pas jolis, j'en tire trois conclusions : premièrement, qu'elle ne doit pas avoir une très haute opinion d'elle-même pour porter ces guenilles-là; deuxièmement, qu'elle ne doit pas avoir une très haute opinion de moi pour me les laisser voir; et troisièmement, que le sexe ne doit pas avoir beaucoup d'importance pour elle, parce qu'il est sûrement impossible de se sentir «sexy» là-dedans!»

POURQUOI LES FEMMES LE FONT

Comment pouvons-nous expliquer cela, mesdames? Est-ce parce que nous sommes trop paresseuses, ou trop radines pour nous acheter de beaux sous-vêtements? Ou est-ce parce que nous avions perdu tout espoir de rencontrer un homme, de faire l'amour avec lui et que nous avons enfilé par habitude nos vieux caleçons sans savoir que, quelques heures plus tard, il allait les voir?

LA SOLUTION

Mettez vos sous-vêtements usés, délavés, étirés, ou tachés, à la poubelle, et achetez-vous-en de nouveaux, plus attrayants. Pas nécessaire que ce soit du genre bikini, à ficelle, ou dentelle. On trouve de très jolies culottes, même en coton, sur le marché aujourd'hui. Et, en passant, si votre compagnon a la même mauvaise habitude de porter des hardes dites-lui comment ça vous dégoûte aussi, et faites-lui jeter ses vieux shorts étirés ou troués.

Même si vous êtes célibataires, ou seules, portez toujours des dessous dans lesquels vous avez l'air sexy, et vous vous sentirez sexy. Après tout, vous pouvez rencontrer le prince charmant à n'importe quel moment. Soyez toujours prête!

J'espère que vous avez aimé lire ce chapitre autant que j'ai aimé l'écrire. Je vous suggère maintenant de revoir la liste des éteignoirs sexuels masculins en compagnie de votre partenaire, et de lui demander son opinion sur chacun d'eux. Faites ensuite votre propre liste des vingt plus importants éteignoirs sexuels masculins, et partagez-la avec lui. Vous

vous amuserez en le faisant, et votre partenaire en apprendra autant sur vous que vous venez d'en apprendre sur les hommes.

LES SECRETS SUR LES HOMMES ET LES FEMMES ENSEMBLE

7 ◁▷ Les secrets de la ◁▷ communication ◁▷ avec les hommes

Imaginez-vous la situation suivante. Vous arrivez dans un pays exotique, où personne ne parle le même langage que vous. Mais vous n'êtes pas inquiète parce que vous avez apporté un dictionnaire spécialisé qui vous dit comment communiquer avec les indigènes. En descendant d'avion, vous faites votre premier essai de communication avec une personne en utilisant ce que dit votre livre, mais elle vous regarde sans rien comprendre. Vous vous adressez à un autre individu, en prenant bien soin de choisir une phrase qui a un sens amical dans votre livre. Cette fois, il est visiblement offensé et fâché et il vous crie après. Vous commencez à paniquer, et vous cherchez désespérément, dans votre livre, comment demander de l'aide. Vous adressez cette demande à un homme sur la rue et, à votre grande surprise, au lieu de vous aider, il se met à rire à gorge déployée, et s'éloigne en branlant la tête. Dès ce moment, vous commencez à réaliser la terrible réalité : votre livre ne sert à rien! Il a sans doute été fait pour un autre pays, car ici on ne comprend absolument rien de ce que vous dites.

Si vous ne l'avez pas encore deviné, cette historiette illustre la frustration des femmes à travers les âges, dans leurs efforts de communication avec les hommes. Nous parlons aux hommes dans un langage que nous croyons qu'ils comprennent, mais nous découvrons qu'ils n'y entendent rien du tout. Avez-vous déjà dit à une amie, lorsqu'elle a parfaitement compris l'un de vos points de vue : «Si seulement je pouvais trouver un homme qui me comprenne aussi bien que toi, je serais heureuse pour le reste de ma vie!»

J'ai écrit ce chapitre comme un guide, pour vous aider à communiquer avec l'homme que vous aimez. Il contient des secrets sur la façon de penser, d'écouter et de s'exprimer des hommes, des secrets qui m'ont rendu des services inestimables dans la vie et qui, je crois, vous seront tout aussi précieux.

TROIS SECRETS SUR LA COMMUNICATION AVEC LES HOMMES

Dans les pages qui suivent, j'explique trois secrets qui vous aideront à comprendre les moyens de communication des hommes. Chacun de ces secrets se divise en trois catégories d'information, soit :

1- les erreurs que les femmes font en communiquant avec les hommes, à cause de l'ignorance de ces moyens;

2- la réaction des hommes aux erreurs des femmes;

3- des solutions pour une meilleure communication.

L'étude de ces secrets et l'application de ces solutions dans votre quotidien produiront des améliorations immédiates dans vos relations avec les hommes.

Secret numéro 1

LES HOMMES COMMUNIQUENT MIEUX SUR UN SUJET PRÉCIS

Tout au long de ce livre, nous avons vu que les hommes ont besoin d'objectifs précis, qu'ils fonctionnent mieux à l'intérieur de balises, de limites précises, et connues à l'avance. Ainsi, ils peuvent maintenir un niveau de contrôle, peu importe la situation. C'est pourquoi, en parlant avec un homme, nous devons avoir un point précis. Il a besoin de savoir clairement où nous voulons en venir, et ce que nous attendons de lui. C'est la façon pour lui de savoir où il en est, quand nous lui parlons.

OÙ LES FEMMES SE TROMPENT

Nos demandes de communication manquent de précision.

Nous disons par exemple :

«Viens, on va parler.»

«Chéri, veux-tu on va discuter de notre relation?»

«Aide-moi à savoir quoi faire dans mon travail.»

Le problème, c'est que ce genre de phrase est trop vague, ne précise pas assez le but de l'opération, et laisse trop de place aux hypothèses. Il ne permet pas à votre partenaire d'orienter son intervention, de connaître les limites et les possibilités de sa participation. Il en sera fort indisposé, ne sachant pas ce que vous voulez, ce que vous attendez de lui. Comme il ne contrôle pas la situation, il ressent l'obligation d'agir sans connaître les règles du jeu, et ça le rend craintif et incertain. La plupart des femmes ne connaissent pas ce genre de dilemme cependant, et pour une bonne raison.

——————— ✧✧✧ ———————
**Les femmes sont orientées plutôt
vers le processus que vers l'objectif.**
——————— ✧✧✧ ———————

Deux bonnes amies sont capables, à partir d'un «Viens, on va parler!» , de s'asseoir et d'entreprendre une conversation, sans savoir de quoi elles vont parler, ou ce qui peut en résulter. Le seul fait de s'exprimer plaît aux femmes, alors que, pour les hommes, une telle absence de structure ou de but est déconcertante.

COMMENT LES HOMMES RÉAGISSENT

Votre partenaire peut se désintéresser de la conversation.

Il peut avoir une réticence à vous parler.

Il peut employer des arguments pour vous dissuader.

Il peut vouloir remettre la conversation, constamment.

Il peut vous croire détraquée, penser que vous ne savez pas de quoi vous voulez parler, et que ce n'est pas sérieux.

LA SOLUTION

1- Pour avoir une bonne conversation avec un homme, faites-lui un «ordre du jour».

Dites-lui exactement de quoi vous aimeriez discuter, où vous voulez en venir, et ce que vous attendez de lui. Par exemple :

> «Chéri, j'aimerais ça qu'on se parle ce soir. On n'a pas eu grand temps à nous deux, depuis que ta mère nous a visités la semaine dernière. J'aimerais que tu me dises ce que tu as pensé de sa visite, et puis je te dirai comment je l'ai vue, moi. Comme ça on saura mieux comment s'organiser, et quoi faire la prochaine fois qu'elle nous visitera.»

> «Jacques, j'aimerais qu'on parle de notre relation. Tu sais, ça fait déjà six mois qu'on sort ensemble, puis j'ai pensé qu'on pourrait faire une espèce de bilan de nos forces et de nos faiblesses ensemble. Moi, ça me ferait du bien en tout cas, ça me rassurerait, et puis ça me donnerait une meilleure idée de ce qu'on pourrait

faire, pour que ce soit encore meilleur, et pour que ça dure, parce que je t'aime, tu sais.»

«Henri, j'ai vraiment besoin que tu m'aides à m'arranger avec mon patron. J'ai l'impression de travailler trop fort depuis un certain temps, puis ça me fâche un peu. Je sais pas comment l'approcher pour lui en parler, et puis j'ai pensé qu'avec le point de vue d'un homme, je pourrais prendre une meilleure décision.»

Dans chacun de ces exemples, la femme donne un aperçu assez clair de la conversation qu'elle veut avoir, au lieu de juste lui dire «Viens on va parler de la visite de ta mère», ou viens «On va discuter de notre relation», ou encore «J'ai besoin que tu m'aides pour mon travail». Là, votre homme a un objectif précis et peut entrer en conversation sans inquiétude ou préoccupation.

2- Posez-lui des questions.

On peut encore mieux structurer une conversation en posant des questions préliminaires à son homme. Il est préférable que ces questions soient assez spécifiques, comme dans les exemples qui suivent.

───────── ✧✧✧ ─────────

Ne lui dites pas :

«Comment ça va à l'ouvrage?»

Vous recevriez probablement une réponse très brève comme :

«O.K! ça va!»

Dites-lui plutôt :

«Minou, comment t'arranges-tu avec ton nouveau projet au bureau? Est-ce aussi difficile que tu l'avais pensé?»
───────── ✧✧✧ ─────────

————————————— ✧✧✧ —————————

Ne lui dites pas :

«Jacquot, j'aimerais qu'on parle de notre relation.»

Il se sentirait coincé, et répondrait probablement : «Bon! Qu'est-ce qui va pas encore?»

Dites-lui plutôt :

«Jacquot, j'aimerais qu'on parle de notre relation. Tu sais ça fait déjà six mois qu'on sort ensemble. Tu dois avoir remarqué nos forces et nos faiblesses, et puis tu dois avoir une bonne idée de la direction que tu aimerais donner à notre vie de couple?»
————————————— ✧✧✧ —————————

————————————— ✧✧✧ —————————
Ne lui dites pas :

«Henri, j'ai besoin que tu m'aides avec mon patron!»

Il aurait alors l'impression que vous lui demandez de trouver, seul, une solution à votre problème, et il se sentirait dépassé.

Dites-lui plutôt :

«Henri, j'ai un problème avec mon patron au bureau.»

Et expliquez ensuite votre problème en détail, et demandez-lui : «Crois-tu que je devrais le confronter directement, ou passer par mon surveillant? Comment ferais-tu, toi?»
————————————— ✧✧✧ —————————

3- Ne vous servez pas d'indices ou de sous-entendus pour demander à votre homme ce que vous désirez.

Soyez directe! C'est une de nos pires habitudes, nous les femmes, de ne pas être directes dans nos communications avec les hommes. Donner un indice sur ce que nous désirons, au lieu de le demander; mettre notre partenaire au test, en lui demandant ce qu'il pense de quelque chose, au lieu d'oser lui exprimer notre opinion directement; rester dans le vague, en parlant de ce qui nous tracasse, au lieu d'en parler ouvertement, voilà des tactiques qui sentent la manipulation pour un homme, et qui le fâchent sérieusement.

«Je déteste voir ma femme utiliser des insinuations et des sous-entendus pour me parler» m'a dit un mari. «Je sais très bien de quoi elle veut parler, mais en le faisant avec tant de détours, j'ai l'impression qu'elle ne me croit pas très intelligent, qu'elle me pense assez stupide pour me laisser prendre, ou assez faible pour me laisser manipuler par elle. J'aimerais qu'elle soit capable de me dire clairement et directement ce qu'elle a à me dire.»

Suivez le conseil de cet homme. Soyez directe avec les hommes. Ils sauront ainsi où vous voulez en venir, et se sentiront bien à l'aise d'en discuter avec vous.

Secret numéro **2**

LES HOMMES PENSENT EN SILENCE ET N'EN COMMUNIQUENT QUE LE RÉSULTAT FINAL

Vous savez bien maintenant que les hommes ont été entraînés à savoir toutes les réponses, et à ne jamais laisser voir leur peur de l'incertitude. C'est pourquoi les hommes gardent le silence sur leurs pensées, et attendent d'avoir la solution, ou d'en être arrivés à une conclusion, avant de dire ce qu'ils pensent. L'un des hommes que j'ai questionnés a utilisé le verbe «mijoter». Oui, les hommes «mijotent» les choses, silencieusement.

✧✧✧
Les hommes sont alignés sur les solutions.
✧✧✧

Les hommes préfèrent se prononcer seulement quand ils ont la réponse ou la solution, et pas avant! Ils pensent et calculent en silence. C'est pourquoi, si vous demandez à votre partenaire son avis, il va probablement répondre : «Laisse-moi y penser.» Il ne veut pas donner une réponse rapide qui pourrait se révéler fausse. En fait, en questionnant des hommes pour ce livre, beaucoup se sont ainsi sentis sur la sellette, et m'ont dit : «Laissez-moi y penser.»

OU LES FEMMES SE TROMPENT

Nous disons tout haut ce que nous pensons.

«Ma femme ouvre la bouche, et toutes ses pensées y passent!»

«Vous savez ce qui me rend fou? Quand les femmes commencent à parler de tous les aspects d'un problème, à haute voix, énumérant toutes les possibilités, ou tout ce qu'elles ont à faire cette journée-là. À ce moment-là, j'ai envie de quitter la maison en courant!»

J'ai entendu ces commentaires et d'autres similaires tellement de fois, de la part des hommes que j'ai interviewés. Encore une fois, c'est la différence entre l'homme et la femme qui est à la base de ce malentendu. L'homme pense en fonction des solutions, et la femme pense en fonction du processus. Vous n'avez qu'à écouter la description d'une même chose ou d'un même événement, par un homme et par une femme, pour le constater.

Prêtons l'oreille à Julie, qui parle à son mari Robert

«Bon! voyons. Je vais apporter ton complet chez le nettoyeur ce matin. Je voulais le laisser hier, mais j'ai été retenue à la réunion jusqu'après six heures. Ensuite, puisque je serai déjà toute proche, je vais passer par le magasin pour rapporter ce pantalon que j'ai acheté la semaine dernière; tu sais, celui qui a une petite tache, juste là, sur le devant. En réalité, je devrais peut-être aller au magasin d'abord, parce qu'il y aura moins de monde, puis passer chez le nettoyeur après. Oui, je pense que ça va aller mieux. C'est tellement difficile de stationner dans le mail, quand c'est achalandé. Oh! j'ai presque oublié, j'ai promis à Claudette de lui donner le numéro de téléphone de mon acuponcteur. Je ferais mieux d'aller l'écrire. Où est-ce que j'ai laissé mon agenda? Chéri, as-tu vu mon livre de rendez-vous quelque part? Bon, voyons! La dernière fois que je l'avais, c'est quand je parlais au téléphone, dans la cuisine...»

Et maintenant écoutons Robert, parlant à sa femme Julie.

«Chérie, j'ai un paquet de courses à faire ce matin, je te verrai plus tard!»

Est-ce que vous êtes aussi gênée que moi, en lisant cela? Essayons de comprendre ce qui se passe.

––––––––––– ✧✧✧ –––––––––––
Les femmes décrivent leur processus de pensée à haute voix.
––––––––––– ✧✧✧ –––––––––––

Nous n'avons même pas conscience de le faire. Julie n'essaie pas vraiment de communiquer toute cette information à Robert, c'est tout simplement plus facile pour elle de planifier sa journée en s'entendant décrire chaque étape à haute voix. Robert est simplement là, et se sent comme tous les hommes dans cette même situation.

COMMENT LES HOMMES RÉAGISSENT

Presque tous les hommes réagissent exactement comme Robert le fait, en écoutant les litanies de Julie. Ils se disent : «Les femmes parlent vraiment trop!» Ce qu'ils veulent dire par là, c'est que les femmes racontent beaucoup plus aux hommes leurs pensées et leurs sentiments que les hommes voudraient entendre. Pour nous, c'est normal. Pour les hommes, c'est excessif!

VENONS-EN AU POINT

Vous arrive-t-il de vouloir exprimer vos sentiments à votre partenaire, et de le voir se tortiller sur son fauteuil, l'air impatient, et de l'entendre dire enfin : «Chérie, s'il te plaît, viens-en au point!»? Vous en arrivez à croire qu'il ne vous écoute pas, et qu'il se fout de ce que vous pensez, et lui finit par croire que vous le torturez, par plaisir!

Vous comprenez peut-être un peu mieux ce dilemme, maintenant que vous savez comment les hommes pensent en fonction de solutions. Ils veulent avoir le résultat, la finale, savoir comment vous vous sentez, et ce que vous pensez, en vingt-cinq mots ou moins. Ce que les hommes ne comprennent pas, c'est que cette habitude de parler de vos sentiments, vous aide à comprendre ces sentiments, et à résoudre les problèmes.

OÙ LES FEMMES SE TROMPENT

Les femmes se plaignent de leurs problèmes à haute voix, sans laisser voir aux hommes qu'elles espèrent trouver une solution.

Voilà pourquoi les hommes accusent les femmes de trop se plaindre. Bien que certaines femmes jouent en effet les victimes et se plaignent, sans rien faire pour changer quoi que ce soit, beaucoup prennent leurs problèmes en main. Cependant, il est vrai que les femmes se plaignent souvent à haute voix de ce qui les préoccupe, alors que les hommes ruminent généralement leurs problèmes en silence.

COMMENT RÉAGISSENT LES HOMMES

Quand un homme entend sa femme réciter une litanie de pensées négatives, il ne comprend pas que, pour elle, ce n'est qu'une façon de soulager ses tensions internes. Il ne comprend surtout pas qu'elle chemine ainsi vers la résolution de ses problèmes.

- Il devient impatient, présumant que ce flot de paroles découle d'une incapacité de trouver une solution.

- Il croit que c'est lui qui doit trouver la solution.

- Il la presse vers la solution de ses problèmes.

LA SOLUTION

1- Discutez-en avec votre partenaire de vie.

Expliquez-lui votre façon de penser, et de parler; et dites-lui que vous comprenez aussi sa manière à lui. Je l'ai fait moi-même, et maintenant, quand je commence à penser à haute voix, mon partenaire me jette un regard, et nous nous mettons à rire tous les deux. Je ne vous dis pas de ne plus jamais dire tout ce que vous pensez, mais vous verrez qu'après en avoir discuté avec votre homme, vous éviterez bien des tensions inutiles quand vous le ferez.

2- Donnez-lui le temps de trouver une réponse.

Disons que vous prévoyez faire un voyage avec votre mari, le mois prochain, et que vous voulez discuter avec lui, pour savoir si vous allez partir le jeudi soir, ou le vendredi matin.

──────────── ◇◇◇ ────────────

La mauvaise façon :

Commencez tout de suite à lui en parler, à lui présenter le pour et le contre, et à le presser de vous répondre au plus tôt.

La bonne façon :

Présentez-lui l'information, et dites-lui : «Veux-tu en parler maintenant, ou préfères-tu y penser un bout de temps, et me rendre ta réponse plus tard?»
──────────── ◇◇◇ ────────────

Cette dernière façon donne la chance à votre partenaire de tout considérer, sans se sentir pressé ou obligé de vous donner une réponse plus ou moins certaine. En lui donnant l'option de discuter du problème maintenant ou plus tard, vous permettez à votre partenaire d'en faire un choix personnel et libre. Vous lui évitez de se sentir révolté, parce qu'il a l'impression d'être contrôlé par votre exigence d'une réponse immédiate.

3- Lorsque vous avez le goût de vous plaindre à haute voix pour tenter de résoudre un problème, essayez au moins d'en prévenir votre partenaire.

Comme je vous l'ai dit, les hommes vont se sentir obligés de voler à votre secours si vous vous plaignez, sans avoir l'air de savoir où vous allez. Donc, informez votre partenaire, quand vous avez envie de vous plaindre à haute voix. Faites-lui savoir que vous êtes intéressée à trouver une solution, et que c'est là votre façon de mettre de la clarté dans votre confusion mentale.

Secret numéro **3**

LES HOMMES TOUCHENT PLUS DIFFICILEMENT À LEURS ÉMOTIONS QUE LES FEMMES

«Quand je sais que quelque chose préoccupe mon mari, quand je lui demande ce qui ne va pas, et qu'il me répond "Rien", ça me rend folle! Pourquoi est-ce qu'il a tant de misère à parler de ses sentiments?»

«Mon ami et moi nous nous chicanons tout le temps pour la même chose. Moi je veux discuter de notre relation, mais lui ne veut pas en entendre parler. Je peux me vider le coeur devant lui sans qu'il ne dise un seul mot. J'en arrive à lui crier après, à le traiter de sans-coeur, puis ça finit en chicane.»

Voici donc un secret important sur les hommes qu'il vous faut connaître :

———————— ✧✧✧ ————————
Pour la plupart des hommes, le monde caché des émotions est un endroit étrange et effrayant.
———————— ✧✧✧ ————————

Le domaine des émotions ne leur est pas familier.

Les hommes ont presque tous appris à se laisser mener par leur tête, mais rarement par leur coeur. Alors ils n'ont pas l'habitude de parler de sentiments bien longtemps. Ceci me ramène une réflexion importante.

———————— ✧✧✧ ————————
Les humains se sentent à l'aise dans ce qui leur est plus familier.
———————— ✧✧✧ ————————

Nous avons vu que, selon notre processus de socialisation, les femmes sont plus à l'aise avec les sentiments que les hommes. Personne n'aime faire quelque chose qu'il connaît mal. Personne ne se plaît à faire quelque chose qui lui est difficile.

Si vous avez bien confiance en vos connaissances de l'art moderne, vous aimez probablement en parler avec les gens. Si vous n'avez aucune expérience en investissement financier, par exemple, vous ne serez pas très sûre de vous en ce domaine, et vous ne serez pas à l'aise d'en parler non plus.

Puisque les hommes n'ont pas beaucoup confiance en leur capacité émotionnelle, ce n'est pas surprenant qu'ils n'aiment pas non plus questionner ou exprimer leurs sentiments autant que les femmes.

Dans le monde des émotions, les hommes sentent qu'ils manquent de contrôle.

Lorsqu'ils contrôlent mal une chose, les hommes se sentent contrôlés par cette chose, comme si celle-ci détenait un pouvoir sur eux, alors que, selon leur éducation, ce devrait être eux qui détiennent le pouvoir sur la chose. Cette impression de perte de contrôle fait peur aux hommes, et ils l'évitent à tout prix. Conséquemment, les hommes évitent de patauger dans les émotions, parce qu'ils n'ont pas la capacité de maîtriser ce monde qui leur est toujours mystérieux.

Vous est-il arrivé de vous sentir en moins bonne forme, et de penser devoir faire de la gymnastique, de la randonnée en montagne, ou quelque autre activité physique? Si vous ne trouvez pas cette idée très attrayante, c'est peut-être parce que vous seriez ainsi forcée de pratiquer une activité dans laquelle vous n'êtes pas très habile, et que ce serait pénible pour vous. Eh bien, cette situation peut être comparée à la réticence des hommes à parler de leurs sentiments. La vérité pourrait s'expliquer comme suit.

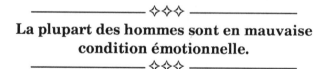

La plupart des hommes sont en mauvaise condition émotionnelle.

Voilà pourquoi c'est si forçant, pour ces messieurs, de se livrer à des exercices émotionnels, de parler de sentiments, d'exprimer leurs doutes et leurs inquiétudes, et même de demander ce qu'il leur faut. En fait, cela peut être aussi difficile pour eux que ce le serait pour vous de courir dix kilomètres, si vous n'étiez pas en bonne condition physique.

OÙ LES FEMMES SE TROMPENT

1- Nous prenons le manque de familiarité des hommes avec les sentiments pour de la résistance obstinée, et nous les accusons d'un manque de sensibilité.

La majorité des hommes que j'ai interviewés se sont dits choqués et peinés que les femmes les croient insensibles, incapables de tendresse, ou d'émotion. Il importe de comprendre que l'insensibilité masculine est un mythe.

——————— ✧✧✧ ———————

Les hommes sont aussi sensibles que les femmes, et, en certains domaines, plus sensibles encore!

——————— ✧✧✧ ———————

Comme il n'est pas facile pour les hommes de toucher leurs émotions, ils peuvent paraître n'en avoir aucune, alors qu'en réalité ils sont surtout incapables d'exprimer ce qu'ils ressentent. Alors, quand vous demandez à votre partenaire ce qu'il ressent, au lieu de risquer de paraître stupide, ou d'admettre qu'il ne sait pas comment l'exprimer, il préfère vous répondre «Rien», parce qu'il trouve trop difficile de dire «Je ne sais pas.»

2- Nous croyons que les hommes peuvent toucher leurs sentiments aussi rapidement que nous.

Pas toutes, mais la plupart des femmes sont plus à l'aise que les hommes avec leurs sentiments, parce qu'elles ont plus d'expérience en ce domaine. C'est une erreur de croire que votre partenaire puisse arriver à savoir ce qu'il ressent en quelques minutes, qu'il soit toujours capable de reconnaître ses émotions cachées, et qu'il partage aisément ses craintes et ses faiblesses avec vous, comme vous le faites avec lui. Je ne dis pas que les hommes sont incapables de devenir maîtres dans l'art d'exprimer et de contrôler leurs émotions. Au cours des dix dernières années, j'ai aidé des milliers d'hommes, par mes séminaires intitulés *Making Love Work* (Rendre l'amour efficace), à maîtriser le monde des émotions et du coeur, et je les ai vus devenir des êtres humains très aimants, et émotionnellement expressifs. Il faut de la correction, de la pratique, l'utilisation d'outils et de techniques appropriés, pour les hommes comme pour les femmes qui veulent se débarrasser de leurs vieilles habitudes émotionnelles et en adopter de nouvelles, plus saines.

3- Nous présumons que les hommes qui ont une facilité d'expression intellectuelle auront aussi une facilité d'expression émotionnelle.

Quand vous rencontrez un homme prospère, instruit, très intelligent, et bien articulé en plusieurs domaines, présumez-vous qu'il sera aussi articulé dans le domaine des émotions? J'ai déjà fréquenté un homme comme ça. Je l'ai rencontré lors d'une réunion où il était l'un des conférenciers. Il s'exprimait avec éloquence et beaucoup de sensibilité, et il était très versé en philosophie, en psychologie et en spiritualité. Je me suis dit : «Voilà un homme que je pourrais vraiment aimer. Il a l'air tellement sensible et expressif.»

Dès nos premières rencontres, j'étais emballée à l'idée d'entrer en relation intime avec cet homme. Nous allions dîner, et nous avions des discussions intellectuelles extraordinaires sur le sens de la vie. Il me citait des poèmes, et tout était si merveilleux. Mais après trois ou quatre sorties, j'ai commencé à remarquer quelque chose de curieux. Cet homme ne parlait jamais de ses propres émotions. Il me donnait son opinion ou son analyse d'une situation, mais jamais de ses sentiments à lui. J'ai très vite compris que, même s'il était très confortable en émettant des propos venant de la tête, il ne l'était absolument pas devant les propos venant du coeur. En fait, comme il me l'a avoué plus tard, s'il faisait tellement bonne figure comme intellectuel, c'est qu'il utilisait ses connaissances pour camoufler ses sentiments.

———————— ✧✧✧ ————————

Ne vous laissez pas tromper par un homme qui parle trop bien; à l'intérieur, il est peut-être un petit garçon effrayé qui a bien des difficultés à exprimer ses émotions.
———————— ✧✧✧ ————————

COMMENT LES HOMMES RÉAGISSENT

En jugeant les hommes moins capables que vous émotionnellement, ils en arrivent à se sentir critiqués et incompris et, pour se défendre, ils deviennent encore plus réticents au genre de réactions émotives que vous aimeriez. En d'autres mots, ils deviennent :

- révoltés;
- réticents à discuter avec vous;
- fâchés et enclins à vous reprocher d'être trop émotive.

———————— ✧✧✧ ————————

Souvent, lorsqu'un homme n'a pas encore compris ses sentiments, et que vous le pressez de vous en parler, il va changer de sujet ou vous attaquer verbalement, espérant ainsi gagner du temps pour mieux comprendre ce qui se passe en lui.

———————— ✧✧✧ ————————

COMMENT CÉLINE ET MICHEL ONT APPRIS À MOINS S'ENGUEULER, ET À S'AIMER DAVANTAGE

Jeunes mariés, Céline et Michel sont venus me consulter parce qu'ils s'engueulaient tout le temps. «C'est toujours la même chose, dit Céline, je veux discuter de notre couple avec Michel. Soit que quelque chose m'ennuie, soit qu'il ne s'occupe pas assez de moi, peu importe, j'aborde le sujet, et, quoi que ce soit, Michel arrive toujours à détourner la conversation. Il essaie de me convaincre que je m'en fais pour rien; ou il me pose toutes sortes de questions pour m'ébranler; ou il m'attaque en me reprochant d'être trop émotive. Je finis toujours par penser qu'il refuse de faire sa part pour préserver notre union, et je me demande en premier lieu pourquoi je l'ai marié.»

Ayant demandé à Céline de quitter le bureau, je suis restée seule avec Michel, et je lui ai demandé : «Dis-moi, qu'est-ce que tu ressens quand Céline essaie de t'engager dans une conversation émotive?»

«Bien, dit Michel doucement, je le sais tout de suite. Je me sens mal à l'aise. Je sais pas exactement ce qu'elle veut. Juste parce qu'elle veut me parler, j'ai l'impression qu'elle a quelque chose à me reprocher. Et puis elle parle si vite, et me dit tellement de choses, que je n'arrive pas à tout comprendre. Je me sens carrément débordé, et je souhaiterais pouvoir la ralentir.»

«Et comment te sens-tu quand Céline te demande d'exprimer tes sentiments?»

Michel eut une petite hésitation, et répondit : «Je me sens poussé, comme si j'avais fait une erreur, confus, parce qu'elle me pousse tellement à lui dire ce que je ressens, que j'en suis plus certain du tout. C'est comme si Céline voulait une réponse tout de suite, sur le coup, et quand j'en ai pas, je me sens tout bouleversé, tendu.»

«Alors qu'est-ce que tu voudrais qu'elle fasse, dans ce temps-là?»

«Bien, je pense qu'elle devrait me donner plus de temps, qu'elle devrait moins pousser, puis me laisser penser à ce qu'elle m'a dit, pour comprendre ce que je ressens devant ça.»

«Est-ce que tu lui demandes de te donner du temps? Lui dis-tu que tu te sens pressé et vulnérable?»

«Pas vraiment, dit Michel en branlant la tête, je n'ai jamais pensé à ça jusqu'à maintenant. Pour dire vrai, je perds plutôt les pédales, puis je deviens sarcastique ou fâché, et puis j'essaie de lui faire sentir que c'est elle qui a un problème. Je pense que j'essaie de l'intimider pour qu'elle laisse tomber toute l'affaire, pour que je puisse reprendre le contrôle, et trouver ma réponse.»

Michel est l'exemple parfait d'un homme qui n'était pas très articulé émotionnellement, qui évitait les discussions émotives avec sa femme pour cacher son incapacité et sa frustration de ne pas toujours être capable d'exprimer ses sentiments. Quand Céline est revenue dans le bureau, je lui ai expliqué le comportement de Michel, et elle a été bien soulagée. «Je croyais que Michel ne m'aimait pas assez, avoua-t-elle, mais là je comprends qu'il ne m'évitait pas par manque d'amour, mais parce qu'il se sentait mal à l'aise d'être mis sur la sellette comme ça.» Céline a accepté d'appliquer les suggestions que je fais ci-après, et Michel s'est engagé à le dire honnêtement à Céline, lorsqu'il a besoin de plus de temps pour explorer ses sentiments et pour se prononcer. La dernière fois que je leur ai parlé, ils m'ont dit que toutes leurs habitudes de communications de couple ont été modifiées pour le mieux.

LA SOLUTION

1- N'écrasez pas votre partenaire en lui étalant toutes vos émotions d'un seul coup, et en lui demandant ce qu'il pense. Prenez votre temps, ralentissez, et soyez claire dans votre exposé.

Si vous parliez à quelqu'un qui ne comprend pas bien votre langue, vous parleriez très lentement et clairement, n'est-ce pas? Je ne veux pas dire de parler à votre homme, comme à un illettré, mais il vaut bien mieux prendre votre temps, et être plus claire, que de débiter des mots à la queue leu leu, quand vous voulez être bien comprise. Vous empêcherez ainsi votre homme de devenir confus et débordé, en lui donnant le temps de toucher ses sentiments. Vous savez, les silences peuvent être aussi importants que les mots. Alors, prenez donc la peine de les utiliser à votre avantage.

———————— ✧✧✧ ————————
Quand votre partenaire est silencieux, ce n'est pas toujours qu'il vous ignore; son esprit peut être occupé à traiter l'information que vous lui avez servie, et il essaie de saisir ses émotions.
———————— ✧✧✧ ————————

Il ne faut pas :

- le traiter de retardé émotionnel;

- insister pour qu'il termine la conversation, que ça lui plaise ou non;

- le suivre en criant partout dans la maison tant qu'il ne vous a pas répondu;

- lui faire une scène, pleurer, et l'accuser de vous avoir rejetée.

Il faut plutôt :

- lui dire : «Je sais que je viens d'en dire pas mal, et je comprends que ça doit être un peu écrasant pour toi. Si tu veux, on va prendre un repos pour penser à notre affaire tous les deux, puis on en reparlera plus tard. Je t'aime, et je veux qu'on s'entende bien là-dessus, c'est important!»

——————— ✧✧✧ ———————

2- Essayez de toucher votre partenaire physiquement, de lui tenir la main, de poser votre bras sur le sien, ou de le serrer contre vous pour l'aider à transférer ses pensées, de sa tête à son coeur.

C'est une méthode des plus rapides, et parfois des plus simples aussi, pour aider votre homme à entrer en contact avec ses propres sentiments. Les hommes sont très influencés par leur corps, et votre toucher servira à tirer votre compagnon de son mode de penser, purement logique, analytique et froid, pour l'entraîner vers un état beaucoup plus sensible et vulnérable.

——————— ✧✧✧ ———————

Quand vous voyez, que votre partenaire a de la difficulté à exprimer ses sentiments, ou à vous écouter exprimer les vôtres, offrez-lui simplement de le tenir, en silence, pendant quelques minutes.

——————— ✧✧✧ ———————

Ainsi, vous pouvez en arriver à transformer ce genre de conversation d'un affrontement intellectuel à un échange amoureux, en quelques secondes seulement.

SAVOIR ÉCOUTER SON HOMME

Il vous est probablement arrivé de discuter avec un homme que vous aimez, et d'avoir l'impression que vous êtes bien là pour lui, disponible, puis de vous entendre soudainement crier avec fureur : «Tu ne m'écoutes pas!»

Vous est-il arrivé de vous impatienter, quand votre partenaire essaie de s'exprimer, et que vous trouvez qu'il prend une éternité pour dire ce qu'il a à dire?

L'une des plus importantes plaintes que les hommes ont exprimées à notre endroit, c'est que: «Les femmes ne savent pas écouter!»

Je sais que ça m'enrageait, quand j'entendais mon partenaire me dire ça. Généralement, je lui répondais défensivement : «Comment ça, j'écoute pas? Je suis encore ici, avec toi, non? Je suis pas partie!»

J'ai mis des années à comprendre ça : comment les hommes ont besoin qu'on les écoute, pour leur montrer qu'on les a entendus.

Je vous propose maintenant une liste de suggestions d'écoute que vous pouvez utiliser avec votre homme, et dans votre vie.

Tableau de communication des femmes avec les hommes

Voici un tableau pour vous aider à comprendre les trois secrets de la communication avec les hommes.

Secret	Erreurs des femmes	Réactions des hommes	Solutions
1- Les hommes communiquent mieux avec un objectif précis. Ils sont toujours orientés vers l'objectif, la solution.	Nous restons vagues, sans objectif précis. Nous sommes plutôt orientées vers le processus lui-même.	Il se désintéressent. Ils résistent. Ils ne vous prennent pas au sérieux.	Faites-lui un ordre du jour. Posez-lui des questions.
2- Les hommes pensent en silence, et ne communiquent que le résultat final. Ils sont orientés vers la solution.	Nous pensons tout haut. Nous nous plaignons, mais sans faire part de nos espérances.	Ils pensent que les femmes parlent trop. Ils s'impatientent et essaient de vous pousser à accélérer.	Discutez avec lui de vos manières de communiquer. Laissez-lui le temps de trouver sa réponse. Avertissez-le avant de vous énerver.
3- Les hommes ne rejoignent pas leurs sentiments aussi facilement que les femmes. Pour eux, c'est comme un territoire inconnu.	Nous accusons les hommes d'être insensibles. Nous voudrions qu'ils puissent rejoindre leurs sentiments aussi vite que nous. Nous présumons que les individus intellectuellement volubiles le sont aussi émotionnellement.	Ils se sentent critiqués et incompris. Ils se révoltent. Ils vous engueulent.	Prenez votre temps en exprimant vos sentiments. Rassurez-le en lui disant qu'il n'a pas besoin de tout faire parfaitement. Reconnaissez ses progrès et faites-lui-en part. Donnez-lui le temps d'explorer ses sentiments. Donnez-lui de l'affection.

N'INTERROMPEZ JAMAIS UN HOMME LORSQU'IL TENTE DE S'EXPRIMER

Combien de fois, durant une discussion, avez-vous entendu un homme vous dire : «Arrête de m'interrompre!»? Quand cela m'arrive, je réponds toujours : «Je n'interromps pas! Je te dis comment je me sens moi aussi. Que veux-tu que je fasse, rester là à t'écouter parler sans rien dire?» Si les hommes étaient honnêtes, ils répliqueraient : «C'est exact! C'est en plein ce que je veux que tu fasses!» Nous pensons qu'ils ne veulent pas entendre ce que nous avons à dire. Mais ce n'est habituellement pas pourquoi les hommes détestent se faire interrompre. Voyons d'autres raisons qu'il faut aussi considérer.

―――――――――― ✧✧✧ ――――――――――
Les hommes ont besoin de se concentrer en tentant de rejoindre leurs émotions.
―――――――――― ✧✧✧ ――――――――――

Au point où nous en sommes, vous devez comprendre comme il est plus difficile pour l'homme que pour la femme de parler de ses sentiments. Et vous vous rappelez aussi que les hommes ont beaucoup de difficulté à faire deux choses à la fois. En additionnant ces deux réalités, vous pouvez facilement comprendre pourquoi les hommes n'aiment pas être interrompus quand ils parlent.

―――――――――― ✧✧✧ ――――――――――
En interrompant un homme qui parle, vous l'empêchez temporairement de rester branché sur ses sentiments.
―――――――――― ✧✧✧ ――――――――――

Quand votre partenaire est en train de mettre de l'ordre dans ses émotions, une activité que beaucoup d'hommes ne maîtrisent pas encore, si vous lui parlez, vous lui ferez perdre sa concentration. Vous tentez seulement d'exprimer votre idée, mais, en stoppant son processus de penser, pour vous écouter, votre partenaire perd le fil de ses émotions, ce qui l'irrite et le met en colère.

- Les hommes sont orientés vers les solutions, alors ils aiment toujours terminer ce qu'ils ont à dire.

Je sais que vous êtes capable de commencer une conversation sur un sujet, de passer à un autre sujet, de laisser tomber pour parler d'autre chose, et de revenir au premier sujet. Mais, pour les hommes, cela les rend fous! Rappelez-vous, les hommes sont beaucoup plus motivés par des objectifs, alors ils ont tendance à penser en ligne droite, d'une façon plus linéaire que les femmes qui, elles, vont en spirale. Alors, quand votre partenaire veut passer du point A au point B, dans une discussion, et que vous l'interrompez pour parler des points C, D, et E, vous le détournez de son but. Il est incapable de considérer cela comme une contribution positive à la conversation, il le voit plutôt comme une entrave à sa démarche vers un but précis.

———————— ✧✧✧ ————————
Les hommes ont besoin de sentir qu'ils ont raison, et ils interprètent votre interruption comme une manière de leur dire qu'ils ont tort.
———————— ✧✧✧ ————————

Lorsqu'un homme s'exprime, il ne veut pas seulement extérioriser ce qu'il ressent mais il veut le faire correctement, selon ses normes à lui. Croyez-le ou non, les hommes font beaucoup plus attention à leurs paroles que les femmes, et, même si ce qu'ils disent n'a pas toujours beaucoup de sens pour vous, ils travaillent très fort pour le dire. Alors, quand vous les interrompez, au milieu de ces efforts de communication, c'est comme si vous leur disiez : «Tu ne le fais pas comme il faut, alors je vais t'interrompre avant que ça devienne pire.»

LA SOLUTION

———————— ✧✧✧ ————————
Laissez parler votre partenaire sans l'interrompre.
———————— ✧✧✧ ————————

Cela veut dire que, lorsque votre partenaire veut discuter de quelque chose avec vous, vous devez lui laisser terminer sa conversation avant de commencer votre réplique.

———————— ✧✧✧ ————————
Important!

Ne profitez pas d'une pause de respiration pour sauter dans la conversation en disant : «Oh! je croyais que t'avais fini.»
———————— ✧✧✧ ————————

Assurez-vous qu'il ait fini de dire ce qu'il avait à dire, en demandant, par exemple :

«Y a-t-il autre chose que tu voulais me dire?»

ou

«Qu'est-ce que t'aimerais encore ajouter là-dessus?»

Ensuite, quand il aura complètement exprimé ses pensées et ses opinions, et seulement à ce moment-là, vous pourrez exprimer vos propres sentiments et opinions. Cela ne veut pas dire que chaque fois que vous avez une discussion, vous devez faire, tour à tour, de longs discours. Il faut surtout faire bien attention de laisser couler les premières expressions de sentiments qu'il arrive à faire, pour ne pas risquer de tout foutre en l'air.

SOYEZ PATIENTE
PENDANT QU'IL
EST À EXPLORER
SES ÉMOTIONS

Dans mon livre *How to make love all the time* (Comment faire l'amour tout le temps), j'ai parlé du «Guide des Émotions», une formule simple, mais efficace, pour comprendre ces propres sentiments, et les sentiments des autres, et pour vous aider à secouer les émotions déplaisantes comme la colère, la peine, ou la peur, et à retrouver l'euphorie de l'amour. Selon ce «Guide des Émotions», quand vous êtes bouleversée, ou émotionnellement déséquilibrée, vous ressentez cinq niveaux d'émotions à la fois.

GUIDE DES ÉMOTIONS

Les cinq niveaux d'émotions que vous pouvez vivre à la fois dans un bouleversement sont :

1- la colère, le blâme et le ressentiment;
2- la peine, la tristesse et la déception;
3- la peur, l'inquiétude et l'insécurité;
4- le remords, le regret et la responsabilité;
5- l'amour, la compréhension, l'appréciation et le pardon.

Quand quelque chose nous bouleverse, nous ressentons généralement les émotions les plus en surface, comme la colère ou la peine. Mais, comme les étages d'un édifice, nos émotions forment des couches superposées. La colère, le blâme et le ressentiment composent le premier niveau. Ce sont nos moyens de protection, quand nous nous sentons attaquées ou mal aimées. Juste en dessous se trouvent la peine, la tristesse et la déception, des émotions plus vulnérables. La peine recouvre les émotions encore plus vulnérables que sont la peur, l'inquiétude et l'insécurité. En vous éloignant de ces émotions, pour aller plus en profondeur, vous êtes capable de ressentir le remords et le regret, et vous pouvez prendre la responsabilité de comprendre la vérité de ce que vous ressentez. Enfin, en dessous de la colère, la peine, la peur et le remords, se trouve l'amour. Et les autres émotions sont simplement des réactions que nous avons quand quelque chose nous empêche de nous sentir aimées, ou aimantes.

PRENDRE L'ASCENSEUR, DE LA TÊTE AU COEUR

Dans mes séminaires, j'utilise l'analogie d'un ascenseur pour expliquer la descente de notre tête à notre coeur, de l'étage supérieur de nos émotions, où logent la colère et le blâme, jusqu'au rez-de-chaussée, où se trouvent l'amour et la compréhension. Chaque fois que vous décidez d'explorer vos émotions, et que vous acceptez de regarder toute la vérité de vos émotions en face (les cinq niveaux), vous devez le faire de haut en bas. En suivant ce «Guide des Émotions», vous commencez par exprimer votre bouleversement par les sentiments de colère, et vous prenez l'ascenseur descendant, en vous arrêtant à chaque étage pour exprimer chaque niveau d'émotion, jusqu'à ce que vous en arriviez à l'amour, au rez-de-chaussée.

---------------- ✧✧✧ ----------------

Pour apprendre à exprimer ses sentiments, il faut savoir prendre l'ascenseur descendant, et s'arrêter à tous les niveaux de ses émotions, en faisant face à la vérité, et en la communiquant à son partenaire.

---------------- ✧✧✧ ----------------

Dans tous mes contacts avec les gens, j'ai découvert que, pour toutes les raisons qu'on a déjà vues dans ce livre, la plupart des hommes ont un ascenseur plus lent que celui des femmes. Cela veut dire que ça leur prend plus de temps pour entrer en contact avec les sentiments qui sous-tendent leur colère initiale, leur inconfort ou leur irritation.

C'est pour cette raison que nous, les femmes, devenons impatientes quand les hommes tentent d'exprimer leurs sentiments. Il nous faut comprendre que cette lenteur n'est pas due à un manque d'intelligence, à de la mauvaise volonté, ou à de la résistance de leur part. Les hommes prennent plus de temps à comprendre leurs sentiments, simplement parce que ce monde intérieur leur est moins accessible et familier qu'il ne l'est aux femmes.

COMMENT J'AI APPRIS À MIEUX ÉCOUTER

Nous commettons une grave erreur en n'étant pas assez patientes devant le processus de penser des hommes. Le fait que je sois thérapeute n'a fait qu'accentuer cette mauvaise habitude chez moi. Lorsqu'un partenaire essayait de m'expliquer ce qui le dérangeait, il n'avait pas dit quatre ou cinq phrases que je l'avais dépassé, je savais déjà ce qu'il ressentait, et j'étais prête à lui répondre. Pendant qu'il parlait, je me tortillais sur ma chaise en me demandant combien de temps ça lui prendrait encore, jusqu'à ce que je ne puisse plus attendre. Alors je l'interrompais, en disant quelque chose comme : «Chéri, voici ce que je pense qui se passe...» et je lui expliquais toute la situation en cinq secondes. La plupart du temps, bien entendu, mon analyse de ses émotions était parfaitement correcte, mais en les exprimant à sa place je lui enlevais la chance de sentir ses émotions et de compléter son propre processus. Il finissait par se fâcher contre moi, parce qu'il sentait que je l'avais triché, materné et trahi.

Un jour, comme je venais de faire à mon partenaire une brillante analyse de ses sentiments, il m'a lancé exactement ce que j'avais besoin d'entendre : «Écoute, Barbara! Peut-être que j'arrive pas à penser assez vite, ou à comprendre mes propres sentiments avant toi, mais tout ça, c'est bien nouveau pour moi. O.K! je sais que tu veux m'aider, mais laisse-moi donc le faire par moi-même, s'il te plaît!»

Même si ça m'a fait mal d'entendre ça, je savais qu'il avait raison. Dans notre discussion, il ne s'agissait pas pour moi de deviner ce qu'il voulait me dire, mais pour lui de trouver ce qu'il voulait me dire. Mon impatience l'empêchait de participer à 100 p. cent à son propre cheminement émotionnel. Comment pouvait-il apprendre à s'exprimer totalement, si je passais mon temps à intervenir, à l'interrompre, pour le faire à sa place? C'était comme si vous vouliez aider votre enfant à faire ses devoirs d'arithmétique en lui donnant les réponses. Il n'apprendrait jamais à résoudre les problèmes lui-même.

LA SOLUTION

1- Tolérez la gaucherie émotionnelle de votre partenaire.

Le langage des émotions, qui est primaire pour les femmes, est habituellement un langage second, pour les hommes. N'exigez pas que votre partenaire soit aussi à l'aise que vous l'êtes, là-dedans. Pendant une discussion, donnez-lui le temps d'explorer ses sentiments, même si vous croyez déjà savoir ce qui le trouble. Appréciez sa volonté de passer par le difficile processus de compréhension de ses émotions pour pouvoir les exprimer, même si vous trouvez qu'il prend plus de temps que vous pour le faire.

2- Faites-lui connaître le «Guide des Émotions» et aidez-le à franchir les cinq niveaux de ce guide.

Si vous rencontrez des problèmes sérieux dans votre relation avec votre partenaire, vous pouvez lire mon livre *How to make love all the time* (Comment faire l'amour tout le temps), et pratiquer les techniques qui vous aideront, tous les deux, à devenir plus habiles en communications personnelles et professionnelles.

Vous pouvez aider votre partenaire lorsqu'il est aux prises avec des difficultés d'expression, en lui posant les questions ci-après qui le guideront à travers les cinq niveaux de ses émotions :

«Tu es fâché contre moi, à cause de quoi, ou de qui?»

«Qu'est-ce qui t'a blessé dans ce que j'ai fait, ou dans ce que quelqu'un d'autre a fait?»

«Qu'est-ce qui te rend triste, maintenant?»
«Qu'est-ce qui te déçoit?»

«Qu'est-ce que tu crains?»

«Qu'est-ce qui t'inquiète?»

Laissez-lui développer la capacité de dire «Je m'excuse» et «Je t'aime» par lui-même. Et ne le questionnez pas sitôt qu'il ouvre la bouche. Donnez-lui le temps de s'orienter, et pointez-le dans la bonne direction s'il s'égare, c'est tout!

3- Utilisez votre propre «Guide des Émotions» lorsque vous communiquez avec votre partenaire.

Ce ne serait pas juste d'exiger que votre partenaire suive les règles à la lettre, si vous vous permettiez de les ignorer. Assurez-vous de pratiquer ce que vous prêchez. Plus vous pourrez démontrer à votre partenaire qu'une bonne communication ajoute du positif, de la compréhension, et de l'amour à votre relation, plus il aura envie de suivre votre exemple.

Suggestion d'écoute numéro **3**

DITES À VOTRE PARTENAIRE QUE VOUS COMPRENEZ SES SENTIMENTS

Rien n'énerve plus les hommes que d'être mal compris. Souvent, ils ont cette impression parce que nous ne leur faisons pas suffisamment savoir que nous comprenons leurs sentiments lorsqu'ils nous les expriment.

———————— ✧✧✧ ————————
Les hommes accepteront mieux de respecter vos sentiments si vous comprenez les leurs.
———————— ✧✧✧ ————————

Voici comment montrer aux hommes que vous leur portez attention.

1- Pratiquez une écoute active, en répétant ce qu'on vous dit, pour renforcer la compréhension.

C'est une technique de communication simple que les thérapeutes enseignent aux couples pour les aider à s'écouter l'un l'autre plus efficacement. Après avoir entendu votre partenaire s'exprimer, répétez-lui ce qu'il vous a dit dans vos propres mots.

Francis :

«Mélanie, je suis frustré par nos relations sexuelles. T'as jamais l'air d'avoir envie de faire l'amour, et puis, je ne sais pas si c'est à cause de moi, mais je me sens de plus en plus distant, puis je n'aime pas ça. Tu me donnes toujours des excuses : les enfants te lâchent pas, t'es trop fatiguée, ou t'as mal à la tête, mais ça fait trois semaines qu'on n'a pas fait l'amour, et y doit y avoir autre chose. Je sais qu'on n'a pas tellement été ensemble, depuis quelque temps, t'as l'air de te sentir moins proche de moi. J'aime pas ce qui se passe!»

Mélanie (écoutant mal) :

«Dis pas ça! Depuis un mois, t'étais toujours occupé ailleurs. C'est toi qui rentres le soir à moitié mort. Penses-tu que ça me donne envie de toi? Tu sais pas ce que c'est d'avoir un nouveau bébé puis deux enfant à élever en même temps!»

Mélanie (écoutant bien) :

«Alors tu sens que je te rejette, et que j'ai pas l'air d'avoir envie de faire l'amour avec toi? Je vois que ça t'inquiète, et ça doit pas être drôle. Toi qui es si affectueux, à part ça.»

Francis :

«Oui ça m'inquiète. Et puis ça me fait mal aussi.»

Dans l'épisode ci-haut, lorsque Francis sent que Mélanie a reconnu ses sentiments, il peut, sans inquiétude, explorer ses propres émotions plus en profondeur. Il peut alors suivre le «Guide des Émotions» vers le bas, en commençant par la colère, pour passer aux sentiments plus vulnérables comme la peine et la peur.

2- Indiquez, visuellement et verbalement, que vous l'écoutez.

Si vous le regardez, en restant immobile et impassible, soyez sûre que votre partenaire croira que vous ne l'écoutez pas. Les hommes ont besoin de beaucoup d'encouragement pour s'aventurer dans le domaine de leurs émotions. Il existe plusieurs façons, pour vous, de donner ce genre de support à votre partenaire.

- Rappelez-vous que les hommes sont des «visuels». Alors, si vous hochez la tête quand votre partenaire fait une affirmation, il aura l'impression d'être entendu et approuvé.

- En marquant chaque affirmation par un «Hum!», ou un «oui» discret, il saura que vous l'écoutez et que vous comprenez ce qu'il essaie de dire. Il n'est pas nécessaire d'être d'accord avec tout ce qu'il dit pour lui signaler que vous comprenez.

Suggestion d'écoute numéro 4

TOUCHEZ
VOTRE PARTENAIRE

Souvenez vous que le toucher peut aider votre partenaire à se sentir en contact avec vous, et à aller plus loin dans l'exploration de ses sentiments. N'exagérez pas, mais, comme je l'ai dit plus tôt dans ce chapitre, en lui tenant la main, en vous approchant de lui, ou en reposant votre main sur son bras, vous créerez un sentiment d'intimité propre à rendre toute discussion émotionnelle avec votre partenaire plus satisfaisante.

Ces suggestions d'écoute m'ont bien servie personnellement. J'espère qu'elles en feront autant pour vous. N'hésitez pas à partager cette information avec votre partenaire, afin qu'il sache mieux écouter lui aussi.

CINQ QUESTIONS DES PLUS COURANTES SUR LES FAÇONS DE COMMUNIQUER DES HOMMES

Voici les cinq questions que j'ai entendues le plus souvent de la part de femmes qui se demandaient comment les hommes s'y prenaient pour communiquer. La compréhension des réponses à ces questions devrait vous aider, vous aussi, à créer des relations beaucoup plus satisfaisantes avec les hommes dans votre vie.

1- Pourquoi l'homme de ma vie tente-t-il toujours de me détourner de mes sentiments, lorsque nous avons une discussion un peu corsée?

Vous est-il arrivé, d'essayer d'exprimer vos sentiments à l'homme que vous aimez, de lui parler de quelque chose qui vous a fait de la peine? Vous étiez en pleurs et, pour une raison inconnue, vous vous êtes retrouvée en quelques minutes au milieu d'une engueulade en règle, d'un débat intellectuel que vous êtes en train de perdre? Vous n'arriviez pas à comprendre ce qui se passait. Vous étiez d'abord très vulnérable et émotive, puis vous êtes soudainement devenue défensive et sarcastique.

Sans vous en rendre compte, vous avez été victime d'une tactique que les hommes utilisent lorsqu'ils se sentent menacés, effrayés ou vulnérables : ils essaient de vous détourner de vos sentiments!

---------- ◇◇◇ ----------
Lorsqu'un homme se sent menacé ou effrayé, il essaie de vous faire abandonner votre discours du coeur, pour vous amener sur le terrain du langage de tête, où il pourra plus facilement gagner et garder le contrôle.
---------- ◇◇◇ ----------

On l'a déjà vu, les hommes sont beaucoup plus à l'aise en fonctionnant au niveau intellectuel qu'au niveau émotif. Ils en ont plus l'habitude. Alors, quand vous commencez une discussion émotionnelle, votre partenaire sent que vous avez un avantage immédiat sur lui. Pour en arriver à changer l'équilibre en sa faveur, votre homme va tenter d'éloigner la discussion du domaine des sentiments, et de la diriger vers le domaine des faits. Il vous posera beaucoup de questions, il émettra des observations, plutôt que d'exprimer ses sentiments, et il tentera de vous faire douter de vos propres sentiments en vous faisant des remarques comme :

«Tu parles comme une vraie névrosée, écoute-toi donc! T'es en train de perdre les pédales!»

«Je peux pas croire que t'es en train de craquer!»

«Calme-toi, tu deviens hystérique!»

«T'es tellement hypersensible et dépendante.»

Presque toutes les femmes se font prendre par cette tactique. Elles décrochent de leur approche émotionnelle, et s'engagent dans une bataille intellectuelle avec leur partenaire, qui a de fortes chances de l'emporter dans cette situation (surtout s'il est avocat!), ou tout au moins qu'il n'aura pas l'impression de perdre. Le problème de fond n'en sera pas résolu, vous en sortirez frustrée et confuse, et il se sentira soulagé d'avoir pu éviter une confrontation au sujet de son inaptitude émotionnelle. Bien que certains hommes ne soient pas conscients de cette habitude, la majorité de ceux que j'ai interviewés le savent très bien, quand ils font cela à leur femme.

LA SOLUTION

Ne vous laissez pas prendre! Restez avec votre coeur, et gardez le contact avec vos sentiments.

De cette manière, vous conserverez votre pouvoir féminin. Dites à votre partenaire que vous comprenez ce qu'il essaie de faire, et que ça ne marchera plus avec vous à l'avenir. Vous savez, ce n'est pas plus satisfaisant pour votre homme que pour vous d'éviter les vrais problèmes. Plus votre compagnon de vie se sentira à l'aise pour traiter de ses émotions, moins il se sentira menacé quand vous aurez besoin de discuter avec lui.

2- Pourquoi les hommes n'aiment-ils pas les discussions émotionnelles tard en soirée?

Il est onze heures et quart, et vous êtes au lit avec votre partenaire, en train de lire. Quelque chose vous a chicoté toute la journée, et vous avez besoin d'en parler avec lui, alors vous lui dites : «Chéri, est-ce qu'on pourrait parler un peu?» Votre homme vous regarde, avec autant d'enthousiasme qu'une pierre, et vous répond : «Tu trouves pas qu'il est tard? Est-ce que ça pourrait pas attendre à demain matin?» Et, quand vous insistez, il peut se produire deux choses :

a) il se fâchera, et vous fera des remarques du genre :

«Pourquoi attends-tu toujours qu'il soit tard le soir pour vouloir discuter?»

«Tu sais bien qu'on peut pas avoir une discussion courte. Comme d'habitude tu vas parler, parler, puis parler!»

«Je pourrais pas avoir un peu de paix et de tranquillité, au moins en fin de la journée?»

«Pourquoi est-ce qu'il faut toujours discuter les choses quand tu le veux, toi?»

b) ou bien, il acceptera d'écouter, et :

- s'endormira, pendant que vous lui parlerez;
- demeurera insensible à vos arguments et sentiments;
- répondra par grognements ou monosyllabes.

POURQUOI EST-CE QUE ÇA DÉPLAÎT TANT AUX HOMMES DE DISCUTER TARD EN SOIRÉE?

1- Les hommes perdent leur contrôle lorsqu'ils sont fatigués.

Pour ces messieurs, toute discussion devient une mini-lutte de pouvoir. Lorsqu'une conversation a un caractère émotionnel, ils se sentent déjà désavantagés, comme nous l'avons vu. Alors, votre partenaire, quand il est fatigué, essaie de remettre toute discussion à plus tard, parce qu'il craint de ne pas contrôler la situation comme il le voudrait. Le contraire est aussi vrai pour les femmes. Instinctivement, nous préférons discuter avec notre homme quand il est fatigué, parce que sa résistance est faible et que son esprit est moins rapide.

2- Votre homme craint que vous n'arrêtiez pas de parler, que vous ne le laissiez pas dormir.

Ceci nous ramène à notre secret de communication qui dit que, pour entrer en discussion sans inquiétude, l'homme a besoin d'avoir l'ordre du jour de l'échange, de savoir où il s'en va. Quand vous lui proposez de parler tard le soir, il sait qu'il sera captif comme auditeur, et il commence à craindre et à avoir des pensées comme : «Elle va commencer à parler, et n'arrêtera jamais. On va être debout toute la nuit. Je vais être épuisé demain matin. Je vais mal travailler. Je vais me faire mettre à la porte. Je vais rater ma vie. C'est réglé! Je peux pas me permettre ça ce soir!»

LA SOLUTION

Parlez-en avec votre partenaire, et venez-en à une entente sur les discussions de fin de soirée.

Vous devrez peut-être faire un compromis, et attendre au matin. Vous pourriez aussi proposer de limiter le temps de discussion, en disant par exemple : «Chéri, j'ai besoin de te parler. Peux-tu m'accorder quinze minutes? Je sais que t'es fatigué, mais ça m'aiderait à me sentir mieux, et puis on pourrait poursuivre la discussion plus tard, quand ça te plaira.»

Cependant, prenez soin de ne pas garder vos sentiments négatifs pendant des jours et des semaines, puis de les déverser ensuite, tout d'un coup, sur votre partenaire, l'un de ces bons soirs. Il s'en sentirait débordé, bien sûr. Discutez toujours de vos problèmes quand ils sont encore petits, avant qu'ils ne grandissent ou ne se multiplient pour devenir des affrontements monstres dont la résolution demanderait beaucoup plus de temps et d'efforts, avec les risques que cela comporte.

3- Pourquoi mon partenaire est-il incapable d'accepter les conseils que je lui donne, au lieu de revenir plus tard, en faisant semblant d'avoir trouvé ça par lui-même?

Vous connaissez ce genre de situation. Votre partenaire et vous discutez de la possibilité d'aller en vacances, soit au bord de la mer ou d'un lac. Vous essayez de le convaincre que ce serait une erreur d'aller à la mer, à ce temps de l'année, alors que c'est bondé de monde, et vous avez entendu dire dernièrement que c'est devenu un repaire d'adolescents, alors qu'au lac c'est tranquille, moins dispendieux, et plus romantique. Votre partenaire se montre plutôt indifférent à vos arguments, alléguant même que ce serait un bon changement que d'aller à la mer. Vous savez qu'au fond il ne veut pas y aller, mais qu'il refuse simplement de vous donner raison.

Quelques jours plus tard, soudainement, votre partenaire vous dit : «Tu sais, j'ai l'impression qu'il va y avoir trop de monde au bord de la mer cette année, avec les étudiants en vacances et tout. Je suis sûr qu'on pourrait mieux se reposer au lac. Je pense, chérie, qu'on devrait passer nos vacances au lac.» Vous le regardez en silence, mais il ne semble même pas se rappeler que vous lui aviez suggéré la même chose quelques jours auparavant. La réponse à ce dilemme, se trouve dans ce que nous avons déjà vu.

- L'homme a besoin d'avoir raison.

Si vous ne l'avez pas remarqué, l'homme est en général un être compétitif, même avec sa compagne de vie. Alors, quand vous lui arrivez avec une idée nouvelle, même s'il est d'accord, il va se blâmer de ne pas y avoir pensé lui-même. En vous donnant raison, il admettrait, en quelque sorte, que vous êtes plus intelligente ou plus astucieuse que lui, ce qu'il est incapable de faire ou même d'admettre intérieurement.

- L'homme aime sentir qu'il contrôle la situation.

Si vous suggérez une solution à un problème, et qu'un homme se dit d'accord avec vous, quelque part en lui il sent que vous avez pris le contrôle, que vous dominez la relation entre vous deux. Nous touchons ici à un instinct primal de l'homme, quelque chose qu'il niera à mort, mais que nous savons être vrai!

- L'homme aime se sentir indépendant, et agir par lui-même.

Nous remontons ici au petit garçon qui fait tout pour se détacher de sa mère pour devenir indépendant d'elle, en disant par exemple : «Non, maman, laisse-moi attacher mon soulier, je suis capable de le faire!» Quand un homme sent que vous l'avez aidé à résoudre un problème qu'il était incapable de solutionner par lui-même, il peut se sentir émasculé.

LA SOLUTION

Il est important de savoir que l'homme ne fait pas cela délibérément. Il ne serait pas juste d'affirmer que votre partenaire entend votre suggestion et se dit : «Ah maudit!» Pourquoi est-ce que j'ai pas pensé à ça moi-même? Qu'est-ce que je vais faire? Tiens, je vais attendre à mardi, puis je vais prétendre que je viens de penser à ça moi-même, comme si de rien n'était!» En fait, si vous le lui demandez, il vous dira sans doute qu'il ne se souvient même pas de vous avoir entendu dire la même chose auparavant. Alors, le meilleur conseil que je puisse vous donner, c'est de discuter de ce sujet avec votre partenaire de vie, de lui faire lire ces pages, et de voir ce qui se passe. Après tout, cette habitude ne met pas votre union en péril, elle ne fait que vous exaspérer!

4- Pourquoi mon partenaire est-il moins expressif et moins reconnaissant pour moi que je le suis pour lui?

Voici la situation : votre partenaire et vous prévoyez une belle soirée ensemble, dîner à l'extérieur et danse. Vous avez passé une heure et demie à vous préparer, coiffure, maquillage, ongles, etc. Vous endossez votre bel ensemble tout neuf, et vous le rejoignez au salon en disant : «Me voici, chéri, comment me trouves-tu?» Vous regardant distraitement, il répond : «Très bien.» Puis il tourne les talons et va chercher les clefs de la voiture. Vous restez là, décontenancée, et vous vous dites : «Très bien! C'est tout ce qu'il trouve à dire?» Sitôt qu'il revient vous lui dites que vous vous sentez un peu offensée. «Mais c'est vrai, t'as l'air très bien, dit-il, qu'est-ce que tu veux que je dise de plus?»

«Mais t'as pas remarqué ma nouvelle robe, ou ma coiffure, ou rien!»

«Tu sais ton problème, c'est que t'es jamais contente, dit-il, y a rien de ce que je fais qui peut te satisfaire. Tu me donnes toujours tort! » Et là, vous ne savez plus quoi dire. Vous voilà en train de vous engueuler, sans même comprendre ce qui se passe, ni pourquoi.

LES HOMMES NE REMARQUENT PAS LES DÉTAILS COMME LES FEMMES

Voilà ce qui se passe! Reportons-nous au premier chapitre de ce livre, alors que nous parlions de l'histoire génétique de l'homme. Il a toujours été entraîné à avoir une vue globale des choses, alors que la femme, elle, apprenait à voir tous les petits détails. Pendant que le mâle scrutait l'horizon pour détecter les tribus ennemies, sa femme surveillait le feu et les enfants. Pendant qu'il planifiait le défrichement et les semences pour l'année suivante, sa femme planifiait le repas de ce soir-là. Pendant qu'il s'efforçait de gagner suffisamment d'argent pour envoyer ses enfants à l'université et payer l'hypothèque de la maison, sa femme voyait à ce que ces mêmes enfants aient des sous-vêtements propres pour aller à l'école demain. Ce n'est pas qu'une vision soit meilleure que l'autre, c'est tout simplement que l'homme et la femme ont appris à voir le monde qui les entoure différemment.

Voici autre chose que vous savez déjà. Combien de fois, après une visite à des amis ou à des parents, vous avez voulu discuter avec votre homme de ce que vous avez vu, et il vous a répondu, par exemple : «Ah! ils ont des tapis verts? J'avais pas remarqué.» Et combien de fois aussi, lui avez-vous demandé quelque chose comme : «Tu sais, ma robe verte, avec le ceinturon noir, pour les noces de ton cousin?» Et il est resté là, confus, incapable de se rappeler les vêtements dont vous parliez?

Disons surtout que la plupart des hommes, mais pas tous, ne remarquent pas la couleur, la forme et la texture des choses autant que les femmes. Voyons où se situe ce problème.

———————— ✧✧✧ ————————
Les femmes s'attendent, inconsciemment, que les hommes aient la même perception des choses qu'elles.
———————— ✧✧✧ ————————

Quand vous demandez à votre partenaire : «Comment me trouves-tu?» vous vous attendez au même genre de réponse que vous lui donneriez s'il vous demandait la même chose, des détails, des détails et des détails. Vous pensez qu'il va vous faire le même genre de remarques que vos amies qui vous voient dans une nouvelle toilette pour la première fois : «Oh! Barbara, t'as une nouvelle robe? J'aime ça! Tourne-toi que je vois l'arrière. Oh! c'est magnifique! C'est une couleur qui te va tellement bien. Tu sais, ce style-là te fait paraître plus mince aussi. Et puis t'as trouvé des boucles d'oreilles qui vont parfaitement avec. Oh! T'as vraiment l'air ravissante!»

Ce n'est pas que les hommes ne veulent pas vous dire ce qu'ils ressentent, ou qu'ils vous apprécient, c'est simplement qu'ils ne portent pas attention à ces choses-là, qu'ils n'ont pas l'habitude d'attacher autant d'attention aux détails. En fait, la plupart des hommes ne sont pas conscients de fonctionner ainsi, et ne peuvent le comprendre que si vous le leur expliquez.

LA SOLUTION

Entraînez votre partenaire à remarquer les détails.

Indiquez-lui les détails de sa propre apparence, ou ce que vous aimez d'une maison que vous voyez en passant, ou ce que vous trouvez beau dans un paysage.

——————— ✧✧✧ ———————

Façon masculine : «Oui, c'est vrai, c'est un beau complet.»

Façon féminine : «Oh! Quel beau complet, chéri! As-tu remarqué les nuances de bleu et de rouge dans le tissu? Oh! regarde, il est ceintré à la taille, et ça te fait paraître plus costaud, plus athlétique. Et puis, il est bien fabriqué aussi, hein? On voit ça, à la façon dont les revers sont cousus, regarde!»

——————— ✧✧✧ ———————

Façon masculine : «Oui, ça c'est une belle maison!»

Façon féminine : «Ah! Quelle belle maison! Regarde l'arrangement paysager, c'est pas joli ça? Et puis, as-tu remarqué toutes les belles portes et fenêtres carrelées, de style français? J'aime comment ils ont peint ça en blanc, avec une touche de bleu, ça a l'air tellement frais.»

――――――――――――― ✧✧✧ ―――――――――――

――――――――――――― ✧✧✧ ―――――――――――

Façon masculine : «Il est beau ce parc-là, hein?»

Façon féminine : «Ah! Comme j'aime ça être ici dans le parc, assise sur ce banc-là, en dessous d'un arbre aussi magnifique. Tu vois comme, à ce temps-ci de la journée, tout a l'air tellement clair, baigné de soleil. Regarde toutes les teintes de vert dans cette touffe d'arbustes, c'est incroyable! Tu vois ces beaux petits nuages légers, on dirait des coussins de soie. Ah! comme c'est paisible ici! J'aime assez ça. Et toi?»

――――――――――――― ✧✧✧ ―――――――――――

Cette manière de décrire les choses et d'insister sur certains détails qui frappent l'oeil entraîne votre partenaire à mieux observer, à remarquer, et à commenter les détails lui-même.

Quand votre homme essaie de vous complimenter, ou admire quelque chose, demandez-lui d'être plus spécifique. Supposons que votre partenaire vous dise : «J'aime ton ensemble, chérie.» Ne lui dites pas simplement : «Merci!» Demandez-lui ce qu'il trouve de beau, en particulier. S'il dit : «J'aime la couleur» demandez-lui : «Aimes-tu mieux cette couleur-là, ou le bleu que je porte habituellement?» En d'autres mots, aidez-le à entraîner son esprit à regarder, à remarquer, et à exprimer ce qu'il ressent.

Souvenez-vous, la littérature a depuis longtemps prouvé que l'homme a une âme de poète, autant que la femme, mais le mâle du XXᵉ siècle semble avoir encore besoin d'un peu plus de pratique pour réveiller et stimuler son sens de l'observation et sa facilité d'expression de sentiments élégants et délicats.

5- Pourquoi est-ce que mon partenaire devient fâché et se tient sur la défensive quand il est bouleversé, au lieu de juste me dire ce qui le dérange?

Vous êtes assise dans la salle de séjour avec votre homme, après dîner, et vous sentez que quelque chose le fatigue. Vous lui demandez ce qui ne va pas, et il vous répond : «Rien!»

Vous insistez : «Ah! Viens, chéri. Je sais que quelque chose te dérange. Tu peux me le dire.»

D'une voix sèche, glaciale, il vous répond : «Je t'ai dit que tout était correct! Alors, arrête de m'achaler!»

Vous continuez : «T'as pas le ton de quelqu'un qui va bien. T'as plutôt l'air fâché.»

«Écoute, fiche-moi la paix! dit-il en criant, pourquoi est-ce que tu me surveilles toujours comme un policier? T'as raison, là je suis fâché! Je suis fâché après toi, parce que t'es trop achalante!»

Pourquoi est-ce que, souvent, la seule émotion que les hommes semblent capables de laisser voir, c'est la colère? Ils se mettent en colère quand ils sont inquiets, ou qu'ils ont peur. Ils se fâchent quand ils sont peinés de quelque chose que vous avez fait. Ils grimpent dans les rideaux quand ils se sentent coupables de quelque chose. Ils peuvent même se montrer enragés, s'ils pensent qu'ils vous aiment trop, ou qu'ils ont trop besoin de vous.

Remontons à leur enfance pour comprendre. Jusqu'à récemment, on enseignait aux petits garçons à ne jamais laisser voir de sentiments de vulnérabilité, comme la peine, la peur ou le besoin. Ces signes de faiblesses étaient acceptés pour les filles, mais pas pour les garçons. Les petits mâles qui osaient se montrer blessés dans leurs sentiments, qui pleuraient, ou qui avouaient avoir peur, étaient ridiculisés et traités de «fillettes». On récompensait les garçons qui se montraient durs et forts, qui agissaient «en homme». Il était acceptable de se fâcher, de se battre, mais pas de céder ou de pleurer.

En abordant délicatement le sujet des émotions que votre partenaire est incapable de rejoindre en lui-même, vous pourriez l'éloigner de la colère, et l'aider à pouvoir exprimer sans crainte ses autres sentiments plus vulnérables. «Chéri, je comprends que la crise cardiaque de Félix t'a énervé. Après tout, c'est ton meilleur ami, et il est à peu près du même âge que toi. Moi aussi, ça me fait toujours peur, quand quelqu'un que j'aime tombe sérieusement malade. J'ai toujours peur de perdre ceux que j'aime beaucoup. Je sais que tu dois te sentir impuissant à vouloir tant l'aider en étant obligé de simplement attendre.»

- **Lorsque votre partenaire arrive à exprimer un tant soit peu sa vulnérabilité, offrez-lui la réaction la plus positive possible!**

Après tout, les hommes ont tellement reçu de mauvaises réactions, lorsqu'ils se sont montrés vulnérables, et ils en reçoivent encore, en certains endroits, qu'il faut leur offrir le plus d'encouragement et de renforcement positif qu'on puisse leur donner. Lorsque votre partenaire arrive à s'ouvrir, même un tout petit peu, dites-lui comment vous l'appréciez, et êtes fière de lui, de son courage et de sa capacité de le faire. Je ne parle pas de condescendance, je suggère seulement de supporter votre homme dans ce qui est pour lui très difficile et effrayant.

——————————— ✧✧✧ ———————————
**Plus l'homme paraît fâché, plus le petit garçon
en lui a peur!**
——————————— ✧✧✧ ———————————

───────────── ✧✧✧ ─────────────

Avis important

**aux hommes dont la colère est chronique, persistante,
incontrôlable ou violente :**

**Ignorez tout de ces conseils et faites-vous aider
par un thérapeute compétent, au plus tôt,
pour votre propre bien, pour celui de votre partenaire,
et celui de votre famille aussi!**

───────────── ✧✧✧ ─────────────

Après avoir lu ce chapitre, je suis certaine que vous comprenez pourquoi j'ai commencé en disant que les hommes et les femmes parlent deux langages différents. Pour résumer tout ce qui a été discuté, je vous offre ci-après un échantillon de petit lexique masculin-féminin qui, comme un dictionnaire Anglais-Français par exemple, traduit dans un langage ce que l'on dit dans un autre langage. Pour nos besoins de compréhension à nous, les femmes, ce lexique masculin-féminin donne l'explication de certaines phrases couramment employées par les hommes.

Je vous donne ici quelques exemples seulement de ce que pourrait contenir un lexique masculin-féminin complet. Je vous suggère d'utiliser ces exemples pour vous entraîner à faire votre propre traduction des phrases que vous dit votre partenaire à certains moments, particulièrement de ses phrases favorites qui vous rendent perplexe et confuse.

Vous pouvez même vouloir vous asseoir avec l'homme de votre vie, et lui demander de vous aider à rédiger votre propre lexique. Ne soyez surtout pas surprise s'il accepte, mais seulement à la condition que vous l'aidiez à écrire son propre lexique à lui, féminin-masculin!

J'espère que vous avez trouvé ce chapitre sur la communication avec les hommes à la fois enrichissant et utile. Il vous faudra le relire, et le relire, jusqu'à ce que toute cette information devienne une seconde nature pour vous. Je vous en prie, partagez cette information avec les hommes de votre vie. Ils se sentiront compris, et pourront mieux vous aider à communiquer de façon plus efficace, et plus aimante, en amour.

LEXIQUE MASCULIN-FÉMININ

Ce que l'homme dit :	Ce qu'il faut comprendre :
Je ne veux pas en parler maintenant.	J'ai besoin de temps pour savoir ce que je ressens. Si je réponds maintenant, je peux me tromper. Je suis incapable de penser aussi vite que toi quand il faut trouver les mots pour exprimer mes émotions.
Calme-toi. Tu deviens trop émotive.	Je me sens obligé de corriger ta situation, mais je ne sais pas comment. Je me sens responsable de ta peine, mais je ne sais pas comment t'aider.
Écoute, c'est comme ça que je suis. Les hommes ont tous été élevés comme ça.	Je pense qu'il y a quelque chose qui ne va pas en moi. Mais je ne crois pas pouvoir changer. Je ne comprends pas toujours pourquoi j'agis comme j'agis.
J'ai dit que je m'excusais, qu'est-ce que tu veux que je te dise de plus?	J'ai peur que tu ne me pardonnes pas. Je me sens idiot de t'avoir fait mal et ça me gêne beaucoup que tu m'aies vu faire mon erreur.
Chérie, je dois me lever très tôt demain matin. Penses-tu que c'est une bonne idée? (au lit, avant l'amour)	Ce que je veux c'est du sexe rapide (une petite vite!), mais j'ai peur de paraître égoïste si je te le demande.
Pourquoi est-ce que tu dois toujours me blâmer pour tout? Tu ne parles pas de ce que tu as fait, toi!	Je déteste te donner raison. Je m'en veux de ne pas pouvoir comprendre les choses aussi vite que toi.

8 ◁▷ *Comment aider*
◁▷
◁▷ *votre homme*
◁▷
◁▷ *à exprimer*
◁▷
◁▷ *ses émotions*

«**J**e sais que mon ami est très renfermé. Il n'a plus confiance en l'amour, car il s'est fait faire très mal dans le passé. Il dit ne pas être intéressé par ces niaiseries émotionnelles, comme il appelle ça, et devient très sarcastique lorsque j'essaie de discuter avec lui de ses émotions. Mais je sais que mon amour l'aidera à changer. Jamais personne ne l'a aimé comme ça. Je suis sûre que si je l'aime suffisamment, il va pouvoir extérioriser ses émotions.»

J'aimerais pouvoir vous dire que ce genre de confiance donne des résultats. J'aimerais pouvoir écrire ce chapitre et vous dire que si vous aimez votre homme suffisamment, il finira par s'ouvrir à vous, par partager ses émotions avec vous. Mais je ne le peux malheureusement pas, parce que ce n'est tout simplement pas le cas. Je le sais, je l'ai essayé, et ça ne marche pas!

Ce n'est pas que votre amour ne fait pas de différence, au contraire. Des fois, l'homme arrive à s'ouvrir un petit peu, mais pas suffisamment pour assurer l'équilibre de la relation. Parfois, il arrive à s'ouvrir pas mal, mais ça lui prend tellement de temps, que vous finissez par être usée, écoeurée, et incapable d'être disponible à ses épanchements. Il peut même arriver que vous le quittiez, et que, soudainement, l'effet de votre amour se faisant sentir, il arrive à s'ouvrir émotivement. Mais il est trop tard, parce que vous êtes partie. Peu importe comment ça ce passera, vous en arriverez à vous sentir comme moi, utilisée, trahie, découragée, et confuse. Vous vous demanderez encore si un peu plus d'amour n'aurait pas donné des résultats différents. Et, à la fin, vous aurez le coeur brisé, comme toutes les femmes dont l'amour n'a pas été bien accueilli par un homme.

---- ✧✧✧ ----

On peut seulement aider un homme à s'ouvrir, émotivement, quand il est décidé à le faire.

---- ✧✧✧ ----

Oui, votre amour peut faire une différence dans la vie d'un homme. Cela peut lui offrir le support, l'assurance et le courage dont il a besoin pour faire face à ses propres sentiments. Mais tous vos efforts, vos discussions et vos larmes ne feront pas un brin de différence s'il ne prend pas lui-même l'engagement de travailler à son propre épanouissement. Il faut qu'il veuille s'ouvrir, et alors, et seulement alors, vous pourrez l'aider.

Il y a une grande différence entre collaborer avec un homme à sa croissance émotionnelle, et assumer toute la responsabilité de son développement à sa place!

Bien des fois, quand nous, les femmes, disons que nous aidons un homme à s'ouvrir émotionnellement, il serait plus honnête et plus juste d'avouer que nous travaillons très fort à essayer de l'ouvrir, mais que lui essaie toujours de se refermer aussitôt, comme une huître. Comme nous l'avons vu au chapitre 3, nous comblons souvent les vides dans notre relation avec un homme, nous sommes souvent seules à ramer dans la chaloupe. Alors, pour créer une relation saine, il est important de vous assurer que l'homme accepte bien votre aide, et qu'il est prêt à faire sa part pour s'épanouir.

VOTRE PARTENAIRE VEUT-IL S'ÉPANOUIR?

Un jeune couple, au bord de la rupture, est venu me voir. La femme se plaignait que, malgré tous ses efforts, son partenaire refusait de s'ouvrir émotionnellement, comme elle le voulait. En questionnant son compagnon, il m'a dit : «Je ne lui ai pas demandé de m'arranger!»

―――――――――― ✧✧✧ ――――――――――
**Une erreur grave pour la femme, dans
une relation, c'est de fixer seule le
programme, sans consulter son homme.**
―――――――――― ✧✧✧ ――――――――――

Vous pouvez penser que votre partenaire devrait apprendre à mieux communiquer, ou mieux exprimer ses émotions. Mais ce qui compte, ce n'est pas ce que vous pensez, mais ce que lui pense! Quand vous décidez de l'orientation de votre relation sans consulter votre partenaire, non seulement vous ne respectez pas ses droits, mais vous vous préparez une déception majeure.

Alors, avant de vous demander comment aider un homme à s'épanouir émotivement, demandez-vous surtout : «Veut-il s'épanouir?»

La meilleure façon d'obtenir la réponse, c'est de lui demander. Naturellement, n'arrivez pas, dès votre première rencontre, en lui disant : «Bonjour! Je m'appelle Barbara. Es-tu intéressé à t'ouvrir émotionnellement?» Il serait plus prudent de procéder selon les suggestions qui suivent.

COMMENT SAVOIR SI UN HOMME DÉSIRE S'ÉPANOUIR
ÉMOTIONNELLEMENT

1- Sachez quelles qualités vous recherchez chez un partenaire.

Dressez votre liste d'exigences, pour une bonne compatibilité. Pour vous aider, voici quelques exemples d'inscriptions qui pourraient y apparaître :

- aimant discuter de ses sentiments;
- ayant déjà travaillé à sa croissance personnelle;
- aimant les échanges affectueux;
- possédant une souplesse intellectuelle.

2- Avant d'entrer en relation, discutez avec votre candidat du genre d'homme et du genre de relation que vous désirez.

Soyez très spécifique, et demandez-lui s'il croit pouvoir répondre aux critères de votre liste.

3- Demandez à votre candidat de décrire le genre de relation que lui désire.

Mais attention! Ne lui mettez pas les mots dans la bouche!

4- Vérifiez l'information que ce candidat vous a donnée.

Observez son comportement au cours de quelques sorties, pour vérifier si ce n'était que du «pétage de broue», ou s'il possède vraiment les qualités que vous désirez chez un homme.

Et, si vous êtes raisonnablement satisfaite, allez de l'avant!

5- Avant de décider de la permanence de votre relation, demandez à votre partenaire de dresser la liste des objectifs émotionnels qu'il aimerait atteindre en votre compagnie.

Sa liste à lui pourrait comprendre, par exemple :

- j'aimerais pouvoir demander de l'aide quand je me sens dépassé, au lieu de toujours me débrouiller tout seul;

- j'aimerais me sentir aussi solide quand j'éprouve des sentiments de vulnérabilité, comme la peur ou la peine, que lorsque je vis des sentiments plus positifs;

- j'aimerais devenir plus sensible aux besoins de ma partenaire, au lieu d'être tellement pris par mes propres affaires, qu'elle s'en sente négligée.

Naturellement, vous devriez dresser votre propre liste d'objectifs émotionnels aussi.

Cet exercice vise à vous assurer que l'homme que vous aimez est suffisamment motivé pour s'améliorer par lui-même. En se fixant des objectifs, il prend ainsi l'engagement de travailler, sérieusement, à son propre épanouissement.

6- Dressez, à partir de vos deux listes, un plan conjoint permettant de réaliser vos objectifs.

Ce plan devra comporter des engagements personnels qui seront comme des règlements auxquels vous acceptez de vous soumettre, en vue d'atteindre les objectifs émotionnels de chacun, tout en conservant l'harmonie du couple. Dans le prochain chapitre, je vous indiquerai comment dresser un «code de conduite» pour votre relation. En fixant des règles lui-même, pour son propre épanouissement, votre partenaire assume la responsabilité d'en arriver à sa propre ouverture émotionnelle.

Si vous vivez déjà une relation depuis un certain temps, vous pouvez quand même utiliser cette formule pour aider votre partenaire à orienter ses efforts vers des objectifs personnels précis, et pour vous permettre d'articuler vos propres besoins et désirs.

Une fois que votre compagnon de vie a pris l'engagement d'en arriver à son propre épanouissement émotionnel, vous pouvez l'encourager et le supporter avec plus de confiance, en sachant qu'il veut s'aider lui-même, et qu'il va faire équipe avec vous.

Je ne peux souligner trop fortement l'information ci-haut. Croyez-moi, je sais d'expérience qu'il sera bien tentant pour vous, après avoir lu ceci, de vous dire : «Ah! quelles bonnes suggestions!» et de les ignorer complètement, en faisant d'un homme votre «projet» personnel, et en tentant de le redresser alors qu'il n'a même pas lui-même le désir de changer.

COMMENT RECONNAÎTRE UN HOMME
QUI NE CHANGERA PAS

Il y a un moment, dans toute relation, où vous êtes prête à donner le bénéfice du doute à votre homme, à être patiente à tout prix, et à lui donner suffisamment d'assurance pour qu'il arrive à s'améliorer.

Hélas! parfois arrive aussi un moment, dans une relation, où vous devez admettre que votre homme ne changera pas, et que, peu importe les efforts que vous puissiez y mettre, ça ne servira à rien.

Voici certains signes qui vous diront que votre homme n'est pas prêt à faire sa part, et que vous n'arriverez pas à le changer.

Vous ne pouvez aider un homme quand :

1- vous en faites plus pour lui qu'il en fait pour lui-même;

2- il a une attitude négative devant la vie (La vie est injuste! Rien ne marche pour moi!);

3- il blâme toujours les autres pour ses problèmes, et n'assume jamais la responsabilité de sa situation;

4- il a des habitudes destructrices qu'il est incapable d'admettre, ou ne veut pas corriger : alcool, drogue, jeu, alimentation ou autre;

5- il a un besoin maladif de dominer, créant constamment, et à tout propos, des confrontations avec vous;

6- il souffre de culpabilité et d'un manque d'estime de soi, à cause d'événements irrésolus dans son passé (Il s'en veut d'avoir laissé sa femme et ses enfants, ou il n'a pas parlé à son père depuis vingt ans, par exemple.);

7- il justifie sa conduite en disant : «Je suis comme ça.»;

8- il refuse de collaborer à la recherche de l'aide professionnelle requise, pour lui-même ou pour le couple, de consulter un thérapeute, d'assister à des conférences ou à des séminaires, ou de lire des livres.

9- il vous avoue ne pas vouloir changer!

Il est évident que tout homme peut avoir au moins l'un de ces comportements, de temps en temps. Mais si ces signes vous paraissent malheureusement trop familiers, ne les ignorez pas. Parlez-en ouvertement avec votre partenaire, confrontez-le s'il le faut et faites-lui part de vos craintes, faites-vous aider professionnellement, et relisez le chapitre 3, pour savoir comment cesser de combler les vides émotionnels dans votre couple. Rappelez-vous qu'il faut deux personnes engagées, décidées, pour qu'une relation de couple fonctionne bien.

D'AUTRES MANIÈRES D'AIDER L'HOMME QUE VOUS AIMEZ

- Encouragez votre homme à avoir de meilleurs amis.

La plupart des hommes ont de la difficulté à se faire des amis intimes masculins. Leur entraînement à la compétitivité et à la méfiance des autres mâles rend difficile l'affection pour d'autres hommes. Mais ils ont quand même besoin de cette amitié masculine, parce que cela permet d'exprimer certains sentiments qu'il leur sera toujours difficile de partager à cent pour cent avec une femme. Et, même si vous trouvez sa façon d'agir avec un ami masculin bien différente de votre conception de l'amitié, encouragez-le quand même. Les hommes ont leur façon propre d'exprimer et de vivre un rapport intime avec une autre personne. Votre mari peut passer trois heures avec un autre homme à parler de son auto, ou de son nouveau système de son, et se dire parfaitement satisfait de ce genre de rapport avec un ami intime qu'il aime beaucoup. Vous pouvez penser que ça n'a pas d'allure, mais sachez que les hommes sont aussi incapables de comprendre le plaisir qu'ont deux femmes à magasiner ensemble!

- Encouragez-le à se joindre à des groupes masculins.

Les hommes ont tendance à s'isoler, non seulement des femmes, mais de la société masculine en général. Il existe de plus en plus, dans chaque ville, des groupes strictement réservés aux hommes, souvent dirigés par des professionnels de la santé ou des thérapeutes qualifiés. Quoique l'idée de passer quelques heures avec un groupe d'hommes qui discutent de leurs émotions et de leurs préoccupations ensemble, chaque semaine, puisse ne pas plaire à votre partenaire de prime abord, cette expérience devrait se révéler un bon moyen pour lui d'affirmer avec force ses propres pensées et sentiments, et un support inestimable.

- Achetez-lui des livres pour hommes, écrits par des hommes.

On parle tellement des livres de conseils de toutes sortes, pour les femmes, qu'on en oublie les livres pour hommes. Beaucoup d'intéressants volumes ont été publiés, ces dernières années, pour expliquer la situation de l'homme dans la société d'aujourd'hui, d'un point de vue masculin. Cherchez dans la section «Philosophie» de votre librairie. Achetez les titres que vous pensez intéressants pour votre partenaire, et offrez-les-lui en cadeau. Ensuite, quand il les aura lus, demandez-lui ce qu'il en a tiré, ce qu'il en pense, et s'il croit que vous devriez en lire certaines parties, pour mieux le comprendre.

- Amenez votre partenaire à une conférence, ou à un séminaire.

Ma propre expérience à tenir des séminaires de croissance personnelle depuis dix ans m'a appris que, dans les circonstances appropriées, les hommes peuvent faire des progrès spectaculaires dans leur capacité d'exprimer leurs émotions. Toutes les grandes villes offrent une variété de conférences, ou de cours, dispensés par des professionnels, offerts par des universités, des commissions scolaires, des paroisses, des organismes religieux ou sociaux, et même certaines entreprises privées. Vous pouvez vous informer auprès des organismes concernés, de votre église ou synagogue, des centres locaux de services sociaux (CLSC), ou dans les journaux. De toute façon, si vous voulez assister à un séminaire ou à une conférence, n'y allez pas avec l'unique intention de corriger votre partenaire, allez-y pour vous même!

Un homme a besoin de l'aide d'une femme, dans sa lutte pour un épanouissement émotionnel. Parfois, je pense que les femmes sont comme de véritables sages-femmes du monde des émotions : aidant les hommes à délivrer la sensibilité et les sentiments qui sont en eux. Mais peu importe combien vous aimez un homme, vous serez incapable de le pousser à l'épanouissement émotionnel par vous-même.

———————— ✧✧✧ ————————

En trouvant un homme qui est prêt à faire les efforts nécessaires pour devenir un être aimant et généreux, votre relation dépassera le stade d'une lutte de pouvoir, pour atteindre celui d'une coopération.

———————— ✧✧✧ ————————

Rien n'est plus frustrant que d'essayer d'atteindre un homme que vous aimez, alors qu'il refuse de laisser tomber les barrières émotionnelles qui vous empêchent d'avoir accès à son coeur. Et, par contre, rien n'est plus gratifiant que d'aimer un homme qui se donne avec courage et passion à sa relation avec vous, ayant confiance que votre amour va l'aider à devenir l'homme sensible et puissant qu'il sait pouvoir être.

COMMENT SAVOIR SI VOUS FAITES PLUS DE MAL QUE DE BIEN

Voici un tableau que j'ai préparé pour vous aider à savoir si vous aidez vraiment votre homme, ou si vous dépassez la mesure. La colonne de gauche suggère une conduite acceptable, alors que celle de droite indique un comportement exagéré et néfaste.

Conduite acceptable	Comportement dangereux
Le prévenir quand vous voulez lui parler, sans le pousser quand ce n'est pas le temps.	Le laisser toujours contrôler la situation quand vous discutez de problèmes.
Lui donner le temps de penser à sa réponse ou de se faire une opinion.	Le harceler sur le sujet jusqu'à ce qu'il vous ait rendu sa réponse.
Le louanger et l'encourager généreusement, lui donnant l'assurance d'avoir bien fait.	Accepter de recevoir moins d'encouragement et de reconnaissance que vous donnez.
Le laisser faire ses propres erreurs sans trop le materner.	Permettre que sa paresse et son irresponsabilité nuisent à votre vie.
Lui servir d'exemple avec de l'affection, des surprises, des cartes et petits cadeaux à l'occasion.	Combler tous les vides dans la relation, en acceptant de ramer seule dans le bateau, et de le traîner comme passager.
L'aider à toucher ses propres sentiments et utiliser avec lui le Guide des Émotions pour analyser ce qu'il ressent.	Analyser ses émotions à sa place. Après tout, il compte toujours sur vous pour le sortir du trou, n'est-ce pas?
Éviter de lui donner tort en étant trop critique, ou prête à le blâmer à la moindre erreur.	Ne jamais lui dire des choses désagréables ou négatives, parce que vous croyez qu'il serait incapable de le prendre.
Comprendre l'importance de son travail, et lui offrir votre support en ce domaine.	Accepter qu'il se rende esclave et qu'il se réfugie dans son travail pour éviter de faire face à ses problèmes personnels ou de couple.
Prendre bien soin de ne pas le traiter comme un enfant incompétent.	Le traiter en adulte seulement sans jamais jouer avec le petit garçon qui se cache en lui.
Être attentive à son humeur et à ses besoins d'amour et d'acceptation.	Marcher sur des oeufs et porter des gants blancs en ayant toujours peur de l'offenser.

9 ◁▷ *Devenir la femme*
◁▷ *puissante*
◁▷ *que vous*
◁▷ *vous devez d'être*

*On peut seulement expérimenter une
véritable intimité avec quelqu'un, lorsqu'on a atteint la paix intérieure.*
Angela L. Wozniak
(Traduction libre)

Partir de la femme que vous avez été, pour devenir la
femme que vous rêvez d'être, n'est pas un cheminement
facile. Il faut beaucoup de temps et d'efforts pour passer
de la peur au courage, de la dépendance à l'autonomie, de
l'impuissance à la puissance. Si j'ai écrit ce livre, ce n'est pas
seulement pour vous aider à mieux comprendre les hommes,
c'est aussi pour vous aider à mieux vous comprendre, comme
femme.

Combien de fois, dans ces pages, avez-vous remarqué
qu'en mettant tous nos efforts à transformer notre homme,
nous en arrivons souvent à oublier de nous transformer nous-
mêmes. C'est justement l'un des moyens les plus insidieux
que nous ayons de céder notre pouvoir aux hommes. Nous
négligeons de travailler à notre propre croissance personnelle,
retardant constamment la découverte du magnifique esprit
féminin qui vit en chacune de nous.

Conseil numéro 1

FAITES TOUS LES
EXERCICES
DE CE LIVRE

Tout au long de ce livre, je vous ai suggéré certains exercices, des listes à dresser, et toutes sortes de choses à faire, ou à éviter, avec les hommes qui partagent votre vie. Je vous en prie, utilisez ces outils précieux, ils fonctionnent! J'en ai fait part à des milliers de femmes, et je les ai utilisés moi-même, au jour le jour, dans ma vie. Il n'est pas nécessaire de dresser toutes les listes, ni de faire tous les exercices d'un seul coup. Vous pouvez parcourir le livre quelques pages à la fois, et appliquer ses principes et techniques au fur et à mesure.

Attention! Portez une attention spéciale aux exercices du chapitre 2, «Les six erreurs capitales des femmes avec les hommes», et aussi du chapitre 3, «Remplir les vides émotionnels». Ils vous aideront à déceler les comportements nuisibles qui vous empêchent d'arriver à des relations amoureuses satisfaisantes.

Conseil numéro 2

FAITES UNE LISTE
DE VOS PROPRES
ERREURS,
ET DRESSEZ UN CODE
DE CONDUITE POUR VOS
RELATIONS AMOUREUSES

Votre liste d'erreurs sera une version plus personnelle des six éteignoirs sexuels masculins, des erreurs de communication, et des autres listes de comportements féminins que nous avons explorés et analysés dans ce livre. Voyons maintenant comment il vous faut procéder.

PREMIÈRE ÉTAPE : LISTE DE VOS ERREURS

Assoyez-vous, et repensez à toutes vos relations avec les hommes dans le passé, personnelles et professionnelles. Inscrivez tout ce que vous vous rappelez avoir fait, à tort, dans ces relations, à partir des informations que vous avez trouvées dans ce livre. Pour vous aider, regardons ensemble quelques exemples qui vous indiqueront comment faire votre liste.

Exemples de liste d'erreurs personnelles

1- J'essaie d'impressionner les hommes qui m'intéressent en leur parlant beaucoup de moi-même. Je suis si préoccupée par ce qu'ils peuvent penser de moi, que je ne prends même pas la peine d'analyser ce qu'ils valent pour moi.

2- J'évite de faire des remarques négatives sur quoi que ce soit, ou de m'opposer aux vues et opinions de mon partenaire, de peur de déranger notre quiétude en le contrariant, et de perdre l'attrait que je ressens pour lui.

3- Je parle tellement de mon ancien mari et de la rancoeur que j'ai pour lui, que j'en finis par tuer l'intérêt qu'il a pour moi.

4- Quand je suis mécontente de la façon dont il me traite, je fais la moue et j'agis comme une enfant, au lieu de demander clairement ce que je veux, et de savoir défendre mon point de vue.

5- Je ne laisse pas la chance à l'homme que j'aime d'être romantique à mon égard, en me faisant des gentillesses, parce que je prends toujours les devants, en le faisant avant lui.

6- Je donne trop de conseils et fais trop de remontrances à mon partenaire, agissant comme sa mère et le chicanant lorsqu'il ne rencontre pas mes attentes.

Votre liste des erreurs reliées à vos relations de couple devrait être assez longue, incluant une trentaine de comportements ou plus. Pour vous aider à identifier ces erreurs, relisez certaines parties de ce livre en identifiant, au fur et à mesure que vous les rencontrez, vos comportements néfastes, et en les inscrivant. Mettez ensuite votre liste de côté pendant quelques jours. Vous trouverez sûrement d'autres erreurs que vous commettez, soit qu'elles vous viennent à l'esprit, ou que vous vous surpreniez en train de les commettre. Ajoutez-les à votre liste.

DEUXIÈME ÉTAPE : CODE DE CONDUITE EN RELATION DE COUPLE

Reprenez votre liste d'erreurs et, pour chacune d'elles, écrivez une ou plusieurs règles qui vous aideront à ne plus la commettre. Pour dresser votre code, vous trouverez ci-après des exemples de ce qu'il peut contenir.

Exemple de code de conduite en relation de couple

Règle numéro 1 :

Lorsque je m'apercevrai que j'essaie trop d'impressionner un homme que j'aime en parlant tellement de moi que j'en oublie de le questionner sur lui-même, je vais cesser mon numéro, et porter mes efforts à découvrir s'il est vraiment le bon homme pour moi.

Règle numéro 2 :

Je vais lui exprimer mes sentiments désagréables et négatifs aussitôt que j'en deviendrai consciente, même si ça doit le bouleverser ou le fâcher, au lieu de les refouler jusqu'à l'éclatement.

Règle numéro 3 :

Je vais travailler à guérir le ressentiment que j'ai toujours à l'endroit de mon ex-mari en regardant objectivement comment je me suis placée moi-même en position vulnérable, et je vais cesser de parler de lui comme d'un vilain dont j'ai été la victime.

Règle numéro 4 :

Quand je me sentirai offensée, je dirai clairement à mon partenaire comment je me sens, au lieu de bouder, de me venger, de faire semblant que ça ne me touche pas, ou d'agir en enfant.

Règle numéro 5 :

Quand je m'apercevrai que je comble les vides émotifs dans notre couple, je vais m'arrêter et me demander si mon partenaire a aussi fait sa part, s'il m'a suffisamment donné en retour, depuis un certain temps. S'il ne l'a pas fait, je vais lui demander ce qu'il me faut, au lieu de combler par moi-même, toute seule.

Règle numéro 6 :

Quand je me verrai en train de lui donner des conseils non sollicités, et de le traiter comme un petit garçon, je vais m'arrêter, prendre une grande respiration, et le laisser se débrouiller par lui-même, à moins qu'il me demande de l'aide.

Assurez-vous de faire une règle, pour chacune des erreurs sur votre liste, et ajoutez-en une nouvelle chaque fois que vous vous surprenez à commettre une erreur non déjà inscrite.

TROISIÈME ÉTAPE : APPRENDRE
VOTRE CODE PAR COEUR

Plus vos règles de conduite vous deviendront familières, moins vous risquerez de commettre les mêmes erreurs à nouveau. Copiez votre code de conduite en faisant plusieurs exemplaires, dont un que vous garderez avec vous en tout temps dans votre portefeuille ou sac à main, par exemple. Gardez-en un à votre chevet, pour le lire avant le sommeil ou au réveil. Si vous n'avez pas d'objection que votre partenaire voit votre code, collez-en un exemplaire sur le réfrigérateur pour y faire face le plus souvent possible. Lisez et relisez vote code, jusqu'à ce que vous le connaissiez pratiquement par coeur.

QUATRIÈME ÉTAPE : VOUS FAIRE SUPPORTER
DANS VOS EFFORTS

Si vous prenez votre transformation au sérieux, vous pouvez mettre votre partenaire à contribution pour vous aider à adhérer à votre code. Il devrait apprécier votre engagement et, possiblement, vous suggérer d'autres règles à y ajouter. Demandez-lui aussi d'être votre policier, de vous intercepter lorsqu'il vous surprend à briser les règles de votre code. Vous pouvez aussi demander à de proches amies de vous aider à respecter votre code.

CINQUIÈME ÉTAPE : UNE LISTE ET UN CODE
POUR VOTRE PARTENAIRE

Puisque votre partenaire fera équipe avec vous pour travailler à l'amélioration de votre relation de couple, il lui faudrait bien avoir une liste de ses propres erreurs, et un code de conduite bien à lui. Quand vous aurez mis les vôtres au point, vous pourrez l'aider à réaliser les siens.

En ayant votre propre code de conduite en relation de couple, vous aurez franchi un pas extrêmement important vers un véritable changement de conduite. Dorénavant, au lieu de faire des efforts au hasard, vous pourrez clairement identifier et corriger chacune de vos vieilles erreurs dès que vous vous surprendrez à la commettre, et repartir dans une toute nouvelle direction bien pensée et planifiée à l'avance.

Conseil numéro 3

FORMEZ UNE
ÉQUIPE DE SUPPORT
ENTIÈREMENT FÉMININE

Nous, les femmes, ignorons souvent l'une de nos plus importantes ressources en fait de support et d'inspiration: les autres femmes. Lorsque nous considérons les autres femmes comme des compétitrices capables de nous enlever notre homme, nous nous rendons un très mauvais service. Dans notre croisade de croissance personnelle, nous pouvons recevoir d'autres femmes une aide qu'aucun homme n'est capable de nous donner. Nous pouvons ressentir la peine, et les émotions des autres femmes, comme si nous les vivions nous-mêmes. Nous pouvons apprécier la force de l'autre comme si elle était la nôtre, et partager sa victoire comme si nous l'avions nous-mêmes méritée. Nous sommes, en fin de compte, des facettes différentes d'un même joyau, l'âme féminine.

———————— ✧✧✧ ————————
**Plus vous recevrez de support et d'amour
de femmes près de vous,
moins vous devrez
dépendre d'un homme pour tous vos besoins.**
———————— ✧✧✧ ————————

Il y a une certaine qualité d'attention et de support que vous pouvez seulement obtenir d'autres femmes, et si vous comptez sur les hommes pour vous les rendre, vous irez droit à la déception. Autant accepter la réalité : les hommes ne seront jamais des femmes! Et je crois très fermement que plus vous permettrez aux femmes de combler vos besoins d'une certaine qualité d'amour et de relation, plus vous pourrez apprécier avec gratitude ce que les hommes ont à vous offrir en tant qu'hommes. Là-dessus, permettez-moi quelques suggestions.

- Joignez un groupe de support féminin, ou formez-en un.

Trouvez d'autres femmes qui sont aussi intéressées à améliorer leurs relations avec les hommes, et formez un groupe de support mutuel. Vous pourriez commencer par vous rencontrer tous les mois pour discuter ce que vous avez appris dans ce livre, et certaines des habitudes que vous essayez de changer. Ce serait une bonne idée de parler d'une section du livre ou d'un concept que vous y avez trouvé, chaque semaine ou chaque mois. Une fois engagées sur cette voie vous pourriez, après quelque temps, comparer et étudier ensemble la «liste d'erreurs» et le «code de conduite» de chacune d'entre vous. Vous verriez ainsi que pas une femme n'est seule à avoir une longue liste, et que les idées de chacune, exprimées dans les règles de son code, peuvent inspirer et aider les autres dans leur propre cheminement vers de nouveaux comportements plus sains. De plus, le fait de travailler en équipe avec ces autres femmes renforcera votre motivation et maintiendra votre inspiration pour l'acquisition et la mise en pratique de ces nouveaux principes.

- Utilisez le principe des partenaires de renforcement.

Une partenaire de renforcement, pour vous, serait une femme avec qui vous formeriez une équipe très serrée, pour toute la durée du difficile processus de transformation que vous avez choisi d'entreprendre. Vous vous assoyez avec une copine pour déterminer vos objectifs émotionnels, partager votre liste d'erreurs et votre code de conduite, et vous engager à vous supporter mutuellement par tous les moyens possibles pendant le dur cheminement parallèle, de l'une et de l'autre, vers l'atteinte de ces objectifs. Par exemple, au moment où vous vous sentez victime, et où vous avez trop cédé de votre pouvoir à un homme, vous appelez au secours votre partenaire de renforcement pour qu'elle vous sermonne, vous remonte le moral, et vous relance dans la lutte. Dans vos moments de grande confusion, vous aurez la chance d'avoir une copine de combat qui pourra vous aider à retrouver votre lucidité et qui pourra surtout vous remettre en piste.

Conseil numéro 4

MAINTENEZ
VOTRE DIGNITÉ!

Dans la première partie de ce livre, nous avons parlé de ce que cela signifiait pour une femme de maintenir sa dignité. Je tenais à vous rappeler la phrase ci-haut, encore une fois, parce je pense qu'elle contient un message tellement puissant. Prenez le temps de penser à ce que signifie, pour vous, cette expression : «Maintenir sa dignité». Peut-être que ça veut dire de ne pas avoir de relations sexuelles avec un homme tant qu'il n'a pas consenti à s'engager sérieusement dans votre relation de couple. Peut-être que ça signifie de ne jamais vous laisser crier après, ou menacer, par votre partenaire. Peut-être qu'il s'agit de ne plus étouffer vos propres sentiments pour ménager votre partenaire. Utilisez cette phrase comme si elle avait un pouvoir magique, et vous pourrez découvrir qu'elle en a, pour vous! Méditez-la, quand vous êtes bouleversée. Écrivez-la et affichez-la partout où vous pourrez la lire fréquemment. Elle vous aidera grandement.

SOMMES-NOUS AUSSI DIFFÉRENTS QUE CELA?

Pendant que je rédigeais ce livre, je partageais chacun des chapitres, sitôt terminé, avec de proches amis, et ils avaient des réactions très intéressantes. Toutes les femmes pouvaient s'identifier aux secrets masculins dont j'ai parlé, et sentaient que je parlais d'elles également. Tous les hommes ont avoué qu'ils commettaient aussi plusieurs des erreurs attribuées aux femmes. «Vous commencez à comprendre» que je leur disais, ajoutant avec le sourire : «Sous le vernis de leur conditionnement, les hommes et les femmes ne sont pas si différents que cela, après tout. N'est-ce pas?»

———————— ◇◇◇ ————————

Au fond d'eux-mêmes, et d'elles-mêmes, les hommes et les femmes ont besoin de sentir les mêmes choses : qu'ils ont une valeur, qu'ils sont bien dans leur peau, et qu'on les aime!

———————— ◇◇◇ ————————

En écrivant sur les hommes et les femmes, comme je l'ai fait, mon intention n'était pas de créer un écart entre les sexes. Au contraire, je voulais établir plus de ponts et de compréhension entre nous.

Je suis sûre qu'en lisant ce livre, vous avez remarqué que vous étiez coupable de certains des comportements que j'ai attribués aux hommes, et que certains comportements de votre partenaire ressemblaient plus aux exemples féminins que masculins. Naturellement, tout ce que j'ai présenté ne peut s'appliquer intégralement à vous, ou à l'homme que vous aimez. Cependant, n'allez pas utiliser cette raison pour mettre en doute l'information qui ne correspond pas à votre cas ou à vos besoins. Et souvenez-vous que vous pouvez utiliser tout ce que vous avez appris ici dans toutes vos relations avec les hommes, aussi bien avec votre père, vos frères, vos amis et vos compagnons de travail, qu'avec votre partenaire ou votre conjoint.

LA NAISSANCE D'UN LIVRE

En étant là, assise à mon ordinateur, et attendant que les dernières phrases de ce livre me viennent à l'esprit, je pense à ma meilleure amie, Jeannine, qui est sur le point d'avoir un bébé. Jeannine et moi avons fait une entente, à la blague. Nous avons convenu qu'elle ne doit pas avoir son enfant avant que j'aie terminé ce livre. Et comme elle doit donner naissance aujourd'hui, j'ai passé la matinée à taper furieusement sur mon clavier, en espérant écrire les derniers mots du texte avant que le téléphone sonne.

De bien des façons, écrire ce livre a été l'équivalent de mettre un enfant au monde pour moi, et je n'en ai jamais été aussi consciente qu'au moment où le travail des derniers moments est devenu si dur, où je fais des efforts inouïs pour faire sortir de moi ces ultimes pensées. J'ai déjà entendu dire que «la femme est le véhicule de la vie». Nous donnons la vie qui sort de notre corps, et nous infusons aussi de la vie dans ceux qui nous entourent, par notre amour. Nous réitérons aussi constamment le miracle de la vie par notre propre renaissance perpétuelle.

Comme le bébé de Jeannine, ce livre a été conçu dans l'amour. Il s'agit de l'amour que je ressens pour les hommes qui, dans la vie, m'ont fait découvrir la singulière beauté de l'esprit masculin, à travers des moments parfois joyeux, parfois tristes. Ils m'ont aidée à trouver les mots pour décrire leurs silences mystérieux, et ils m'ont fait réaliser, avec chaque nouvelle union, que l'amour en vaut toujours la peine, peu importe le résultat.

Je parle aussi de l'amour que je ressens pour toutes les femmes; pour ma mère, pour mes grand-mères, pour mes amies, pour chaque femme avec qui je suis entrée en contact par la radio, ou par mes conférences, pour celles qui m'ont fait confiance au cours de mes séminaires, pour celles aussi que j'ai tenues dans mes bras parce qu'elles étaient en sanglots. En somme, je parle de l'amour que j'ai pour toutes celles qui m'ont appris que je ne suis pas seule à rechercher un monde plus gentil.

Par-dessus tout, je parle de l'amour que je ressens pour ce grand don d'amour que j'ai reçu, de cet amour qu'on peut ressentir, plus ou moins profondément, pour tellement de personnes différentes, et de tellement de façons différentes, de cet amour qu'on peut garder pour quelqu'un, même si l'on doit lui dire adieu, et de cet amour qui, comme le miracle de la vie, se renouvelle constamment. Pour moi, l'amour a été la source de mes moments les plus troublés, comme les plus paisibles. Conséquemment, l'amour a été mon professeur le plus puissant, et le plus patient.

Il n'a pas été facile pour moi de donner naissance à ce livre. Cela m'a forcée à faire face à mon propre vide, à mes propres faiblesses, comme rien ne l'avait jamais fait auparavant. Cela a fait renaître en moi certains désirs d'être aimée que j'avais oubliés. Mais surtout, cela m'a fait apprécier mon propre courage émotionnel, ce courage de croire en l'amour, même quand il t'a brisé le coeur, ce courage de recommencer, et de recommencer encore.

Alors, Jeannine est prête à avoir son bébé, et moi je suis prête à livrer ce livre à mon éditeur. Comme un enfant, il aura maintenant sa propre vie, indépendante de la mienne, mais toujours reliée, d'une certaine manière. Et, tout comme une mère livre une partie de son coeur avec son enfant, j'espère qu'une partie de mon coeur vous atteindra avec mon livre.

J'espère que, d'une certaine façon, j'aurai réussi à ajouter un peu de bonheur et d'harmonie dans votre vie, et je souhaite que vos rêves d'amour les plus sacrés se réalisent.